Gerhard Schulz

Arno Holz

GERHARD SCHULZ

ARNO HOLZ

Dilemma eines bürgerlichen Dichterlebens

VERLAG C. H. BECK MÜNCHEN

Mit 15 Abbildungen

ISBN 3-406-05377-7

Umschlagentwurf unter Verwendung einer Buchillustration von Koloman Moser
(vgl. Abbildungsverz. zu S. 187): Walter Kraus, München

Gesamtherstellung: Kösel, Kempten
Printed in Germany

Inhalt

Vorwort 7

Der arme Poet 9

Ein verlorner Sohn 19

Neue Gleise 38

Revolution der Lyrik 65

Evolution des Dramas 97

Lyrisches Porträt 129

Seelendramoid 143

Riesen-Phantasus 177

Nonplusultra-Poem 207

Vater Arno Holz 236

Anmerkungen 241

Bibliographie 263

Abbildungsverzeichnis 271

Register 273

Vorwort

Höhepunkte hat das öffentliche Interesse an Arno Holz nie erreicht. Zwar behauptete einer seiner Freunde, Holz sei die stärkste künstlerische Potenz, die dem deutschen Volke seit Goethes Tod geschenkt wurde, aber das hat ihm bis heute niemand so recht abgenommen. Dennoch taucht unversehens Holz' Name immer wieder auf, und das nicht nur dort, wo es darum geht, die Geschichte der deutschen Literatur zwischen Gründung und Untergang des Bismarckschen Reiches aufzuzeichnen. Auch wenn über moderne und modernste Literatur gesprochen wird, ist die Rede von ihm, als wenn die Söhne des Vaters gedächten. Trotz mancher Verschrobenheiten hat sein Werk etwas Unverwittertes, Frisches, das neue Aufmerksamkeit verdient.

Die vorliegende Studie setzt sich zum Ziel, eine Bestandsaufnahme des Werkes von Arno Holz (1863–1929) aus dem Blickpunkt der Gegenwart zu geben. Das schließt die historische Betrachtung des Schriftstellers im Kontext seiner eigenen Gegenwart nicht aus, sondern fordert sie vielmehr. Erst aus dem Widerspiel von Zeit und Persönlichkeit lassen sich Einheit oder Widersprüchlichkeit, Wirkungslosigkeit oder Wirkung dieses Werkes verstehen und erklären. Es geht also nicht darum, das Standbild eines Autors zu errichten oder die Rettung eines Verkannten zu versuchen.

Im Mittelpunkt der Untersuchung steht die literarische Produktion von Arno Holz: seine konventionelle wie seine experimentelle Lyrik, seine Versuche zur Regeneration der Prosa und des Dramas, seine theoretischen Bemühungen um die Begründung eines Kunstgesetzes für das technische Zeitalter und sein Unternehmen, diesem Zeitalter auch zugleich ein neues Weltbild zu geben. Wenig wäre damit getan, diese Produktion auf Flaschen abzuziehen und sie mit den Etiketten gängiger literarischer Epochenbegriffe zu bekleben. Es lassen sich jedoch hinter der äußeren Vielfalt gewisse Strukturen erkennen, die von den sozialen, psychologischen und literaturgeschichtlichen Koordinaten des Autors bestimmt sind. Auf sie kann sich die kritische Untersuchung mit einiger Sicherheit stützen und eine Antwort versuchen auf die Frage nach der Bedeutung und Aktualität von Arno Holz – eine Antwort, wie sie am Ende von einer Bestandsaufnahme erwartet wird.

Für großzügige finanzielle Unterstützung, die die Anschaffung entlegenen Materials ermöglichte, sei an erster Stelle der Australian Research Grants Commission gedankt. Dem Arno-Holz-Archiv der Amerika-Gedenkbibliothek in Berlin und dem Deutschen Literaturarchiv in Marbach gilt Dank für rasche, freundliche Auskunft und für die Bereitstellung von Büchern und Dokumenten an Ort und Stelle. Auch die Bibliothekare der Baillieu Library der Universität Melbourne zeigten ständige Hilfsbereitschaft. Schließlich haben mir Dr. Ernst-Peter Wieckenberg und der C. H. Beck Verlag in mehr als gewöhnlichem Maße zur Seite gestanden.

Melbourne, Februar 1974 Gerhard Schulz

Der arme Poet

Das Bild vom Dichter, der aus ärmlicher Dachkammer überlegen und selbstgenügsam auf alle Welt hinabblickt, hat Arno Holz des öfteren beschworen. Am gründlichsten ist es ausgemalt zu Beginn des „Tausendundzweiten Märchens" im großen *Phantasus*, wo der Dichterheld des Buches sich zurückzieht in seine „Vogelbauerbude", sein „Gedanken-Hochburg-Jammerheim". Dort sitzt er denn, winternächtlich „in den Schlafrock gewickelt", im Lehnstuhl in „freiwilliger Weltabgeschiedenheit", die Lampe verklärt die „spinnwebenumwobene", „kümmerliche Dachbudenüberwandung": – der Koksofen „bifft, bufft und prasselt", und über dem „schmalen, kargen, kümmerlichen Feldbett" hängt als Regenabwehr ein Sonnenschirm. Er aber „fabeltraumfährt", „märchenspinnstreift", „abenteuerrauschreist" in die Ferne, wobei ihm der Schirm gelegentlich als Sonnensegel dient.[1]

Es ist offenbar, daß Holz sich hier auf Spitzwegs Bild vom *„armen Poeten"* hin stilisiert hat, der auf schirmbeschütztem Dachstubenlager verseskandierend über die eigene Misere hinwegträumt. Solcher Bezug auf Biedermeierlichkeit, auf Traumglück und weltliche Armut geschah bei Holz nicht ohne Selbstironie, aber andererseits war es ihm auch bitterernst mit der Misere. Die ärmliche Dachkammer war für ihn eine Realität und nicht nur der arkadische Ort einer Großstadtbohème. Gewiß ist Holz nicht zeitlebens auf eine solche Behausung angewiesen gewesen. Er hat sich in späteren Jahren gutbürgerlich eingerichtet und das Atelier hoch oben eher des Lärmschutzes und der Originalität halber behalten, aber ein „armer Poet" ist er doch immer geblieben. Anhaltende Erfolge, die ihm ein sicheres Einkommen verschafft hätten, hat er mit seinen Werken nicht gehabt. Eine Zeitlang haben ihn die mit Oskar Jerschke verfaßten Stücke, besonders der *Traumulus*, über Wasser gehalten. Vorher war es das Patent für einen Steinbaukasten und die Verfertigung anderen Spielzeugs, das ihm das Nötigste zum Leben verschaffte. Bierbaum spottete damals, Holz habe den Naturalismus und die laufende Maus erfunden. Später hat er sich mit allen möglichen Projekten abgegeben, einer Verlagsgründung etwa oder dem Millionenplan zu einem „Deutschen Syndikatshaus" am Reichstagsufer in Berlin mit Hotel, Restaurant, Festsälen, einem „vornehmen künstlerischen Theater" und einem „großen Concerttunnel".[2] Die wirtschaftlichen Schwierigkeiten änderten sich kaum. Der immer wieder erhoffte, „vorenthaltene, wegeskamotierte, unterschlagene"

Nobelpreis,[3] mit dessen Hilfe er nicht nur den *Phantasus* vollenden, sondern auch dreimal in der Woche eine Zigeunerkapelle bei sich spielen lassen wollte, blieb aus. Darunter wiederum wollte er sich als Künstler nicht gern verkaufen. Als ihm die Deutsche Schiller-Stiftung auf Anregung ausländischer und einheimischer Freunde und Verehrer zum 50. Geburtstag eine Ehrengabe von 750 Mark anbot, lehnte er empört ab. Erst als man daraus rasch eine Pension von je 1000 Mark für drei Jahre gemacht hatte, sprach Holz seine „verbindliche Erkenntlichkeit" aus. Später ließ er sich jedoch auch höhere Summen nicht aufnötigen, weil er fand, daß die Schillerstiftung zu sehr ihr Geld auf eine breite Menge von Schwächlingen verzettelte, zu der er sich nicht zählte. Ein wirkliches Ehrengehalt stünde ihm zu, meinte er, und einen „Bettelbetrag von einer Stiftung, die sich mit dem großen Namen Schillers schmückt", wies er zurück.[4]

Dergleichen Konsequenz muß, da sie Holz in einer wirklichen Notlage beibehielt, zunächst Bewunderung hervorrufen. Konsequenz und Stolz dieser Art waren Holz schon immer zu eigen gewesen. Bereits 1890 machte er sich in der *Freien Bühne* Gedanken über „Die neue Kunst und die neue Regierung", und er fand, daß der Geist von der Macht nicht abhängig sein dürfe. Von Unterstützung der Kunst durch die Regierung wollte er nichts wissen, und er paraphrasierte Worte des Diogenes zu Alexander: „Wir brauchen nichts. Aber wenn Du uns wirklich einen Gefallen thun willst, dann, bitte, sei so gut und geh uns ein wenig aus der Sonne!"[5] Otto Brahm, der Herausgeber, hielt es damals für besser, in einer Fußnote und „ein für allemal" auszusprechen, daß die geistige Verantwortung für die Beiträge dem Autor überlassen bleibe.

Solche Haltung hat Holz das Prädikat eines „Kämpfers" eingetragen, und die Literatur über ihn hat es reichlich benutzt. Er selbst hat es, besonders in späterer Zeit, nicht ungern gehört, als sich die Fronten verhärtet hatten und sich Erfolg nicht eingestellt hatte. Für Holz, dem es bei allem Selbstbewußtsein gewiß nicht an fein abwägendem menschlichem Verständnis fehlte, wovon besonders seine frühen Briefe Zeugnis ablegen, teilte sich die Menschheit, d. h. die Öffentlichkeit, auf die er wirken wollte, mehr und mehr in Freunde und Feinde. Von manchen der ersteren hat er sich ohne Widerspruch byzantinisch loben lassen, die letzteren oder was er darunter verstand, hat er in allen Spielarten attackiert, wobei es wenig half, wenn der eine oder andere betonte, ihn doch eigentlich im Grunde zu mögen, zu achten und anzuerkennen. Wer nicht für ihn war, war wider ihn, und wer sein Feind war, bestimmte er.

Streitigkeiten auf derartiger Voraussetzung nahmen oft groteske Ausmaße an, und es gelang Holz wider Willen, sich auch dort ins Unrecht zu setzen, wo er der Sache nach recht hatte. 1926 wurde er als ordentliches

Mitglied in die Preußische Akademie der Künste gewählt, die er sogleich aus einer „tragikomischen Genossenschaft armer Schlucker" in eine von der Regierung unabhängige „Deutsche Akademie" umzuwandeln versuchte.[6] Das war ein Schritt nach vorn, der Sympathie und Verständnis fand. Aber Holz mahlten die bürokratisch-parlamentarischen Mühlen zu langsam. Er sah sich zu einer Art „Kriegsführung" gezwungen, „die mir glatt zumutet, statt mit offenem Visier für eine Idee zu kämpfen, mehrere Kilometer dicke Gummiwände einrennen zu sollen. Ein aussichtsloses Turnkunststück, auf das ich kummerlos verzichte".[7] Es ist aus dem Studium der einzelnen Dokumente und Phasen dieses „Akademiestreites" ersichtlich, wie Holz sich immer mehr in die Rolle des einsamen, verkannten Kämpfers hineinstilisierte und steigerte, obwohl ihm guter Willen und Kooperation keineswegs von Anfang an verweigert wurden. Aber für die Ausführung der Pläne war eher vorsichtiges Taktieren als aufsehenerregender Streit erforderlich. „Sie waren eben leider selbst der schlechteste Anwalt Ihrer eigenen Sache", schrieb ihm Akademiepräsident Max Liebermann damals.[8]

Aus solchen Beobachtungen wird offenbar, daß das Charakterbild vom stolzen, kompromißlosen Kämpfer Arno Holz nur die Außenseite einer sehr viel komplizierteren Persönlichkeit wiedergibt. Hinter dem Drang nach Freiheit, Unabhängigkeit und Bindungslosigkeit verbirgt sich doch auch der nicht immer deutlich eingestandene Wunsch nach Herrschaft und Wirkung über eine große Öffentlichkeit. Da sich solche Wirkung nicht direkt durch die breite Resonanz seines künstlerischen Werkes einstellte, entstand der Versuch, sie sich durch Selbststilisierung als armer Poet oder verkannter Kämpfer, also durch Provokation zu ertrotzen.

Es ist bekannt, daß es Holz geschickt verstand, für sein Werk zu werben und Appelle um Unterstützung in die Öffentlichkeit zu lancieren.[9] Wenn auch den meisten dieser Versuche nur bescheidener Erfolg zuteil wurde, so ist gewiß das Bild vom armen Poeten in der Dachkammer wörtlich und in aller Unmittelbarkeit nicht zutreffend. Andererseits läßt sich an der subjektiven Ehrlichkeit von Arno Holz nicht zweifeln. Er war kein Schlaumeier oder gerissener Spekulant, der die Öffentlichkeit lediglich auf die eine oder andere Weise düpieren wollte. Seine wirtschaftliche Notlage existierte tatsächlich, auch wenn sie hin und wieder von ihm und seinen Freunden übertrieben wurde. Beziehungen zwischen Kunst und Kapital hatte Holz schon als junger Mann festgestellt: „Es gibt heute eben nur noch zwei Wege, die einen Schriftsteller zu sich selbst zu führen imstande sind: entweder er hat bereits Geld oder er muß sich erst noch solches verdienen."[10] Dennoch ist die Reduktion seiner Problematik auf das reine Geldverhältnis eine Vereinfachung, die den wahren Sachverhalt nicht trifft. Das zeigt sich insbesondere in dem fortdauernden Groll gegen den erfolgreichen Gerhart Hauptmann, der sich einst dankbar als Lehrling des „consequentesten Realisten“ Arno Holz empfunden hatte, wie er in seiner Widmung des Erstlings *Vor Sonnenaufgang* bekundete, solche Dedikation dann aber in der zweiten Auflage, als der Erfolg sich eingestellt hatte, einigermaßen schnöde tilgte. Ihm gegenüber hat sich Holz stets als der Überlegene und Originelle empfunden. Die Nachahmer, schreibt er einmal, hätten es immer einfach gehabt, Originalität müsse sich ihr Publikum erst heranbilden, und das koste ebenso Zeit wie Geld. „Wenn Goethe seiner Zeit auf die Honorare angewiesen gewesen, die ihm seine ‚Kunstwerke‘ brachten, und nicht, wie es der Fall gewesen, auf diverse andere Dinge – er wäre krepiert und vor die Hunde gegangen noch ehe er den hundertsten Teil geworden von dem, der er geworden! Den guten Gerhart Hauptmann, um ein anderes Exempel zu stabilieren, glaube ich in mehr als einer Beziehung bequem in die linke Westentasche stecken zu können. Nichtsdestoweniger ist *er* heute der große Mann, der ‚Reformator‘ und *mich* pissen kaum die Hunde an.“ [11] Hauptmann sei durch das „Schicksal“ einer reichen Heirat mit Hunderttausenden gesegnet worden, die ihm ermöglichten, ganz das zu tun, was er wollte und wofür er sich bestimmt hielt, während andere ihre Kräfte im Broterwerb abnutzen mußten. „Das sind Einflüsse, die tiefer in die Entwicklung unsrer Künste eingreifen, als man je bisher auch nur anzudeuten gewagt.“ [12]

Holz faßt hier richtig und scharf ökonomische Probleme, vor die sich Schriftsteller und Künstler in der Industriegesellschaft gestellt sahen, in der das Mäzenatentum eines einzelnen Fürsten oder Hofes ersetzt wurde durch die Gunst einer sehr viel schwerer faßbaren und bestimmbaren zahlenden Öffentlichkeit. Wer hier nur den baren Geldneid gegen Hauptmann sieht, verkennt das Wesentliche in Holz' Beobachtungen. Denn tatsächlich ging es ihm um mehr als nur um den materiellen Erfolg. Er hatte vor sich das Idealbild eines Dichters, der beides war: Neuschöpfer und Vollender, Originalgenie und Klassiker, Held und Führer seiner Zeit, ein Ideal also, das sich spätestens seit der Jahrhundertwende als unerreichbar erwiesen hatte.

Die ständige Beziehung auf Goethe hat Holz wie manche seiner Zeitgenossen das ganze Leben hindurch verfolgt, herausgefordert durch ein Bildungssystem und eine staatliche Kunstförderung, die sich auf die „Schule des Idealismus“ und die „Schöpfungen unserer Geistesheroen“, wie der Kaiser es ausdrückte,[13] zu stützen glaubten. Hauptmann stilisierte sich zeitweilig auf einen modernen Goethe um, so daß er nach Graf Kesslers Beobachtung wie der Goethe in einem Goethe-Film aussah. Holz blieb demgegenüber scheinbar auf ironisch-gemessener Distanz:

„Rätin, er lebt!"
hatte niemand geschrien.

Die
Aspekten:
Mars wider Venus, Merkur wider Saturn,
Jupiter wider Uranus,
mit
allen hadernd
Neptun,
Widder, Wassermann
und
Waage sah man so . . . nicht alle Tage,
Löwe, Steinbock
und
Skorpion, ach, es war der reine Hohn,
standen
drohendst . . . wehrten heftigst, winkten . . . scheußlichst,

Ich
protestierte, ich rebellierte, ich insurgierte,
ich
opponierte.[14]

So beginnt das zweite Gedicht in den Kindheitserinnerungen des *Phantasus,* und es schließt mit dem Glauben der Mutter ab, der kleine Täufling, der da zur Kirche getragen wurde, müsse einst „was Berühmtes" werden. Und wenn im folgenden Gedicht vom kleinen Rebellen, Insurgenten und Protestanten gesagt wird:

„Wenn ich groß war,
wollte ich
Schiller und Goethe
werden
und
in Berlin hinterm Schloß
wohnen." [15]

dann war das so ganz ironisch auch wieder nicht gemeint. Der Drang zur Klassizität ist bei Holz immer wieder vorhanden gewesen. 1924/25 erschien eine zehnbändige Gesamtausgabe unter dem schlicht-vornehmen Titel *Das Werk,* die das Gültige zusammenfassen sollte, aber die Koproduktion mit Schlaf und Jerschke ausschloß. Im Jahr darauf wurde die gleiche Ausgabe, auf zwölf ledergebundene Bände verteilt, noch einmal als *Monumental-Ausgabe* publiziert, eine Etikettierung, die Holz offenbar ganz ohne Zurückhaltung hinnahm. Die Bemühungen um die Einrichtung eines Arno-Holz-Archivs hat er selbst noch gefördert, und an Eckermännern hat es ihm ebenfalls nicht gefehlt.

Dennoch ist er allerdings kein Klassiker geworden. Ein gerundetes, großes oder gar monumentales Lebenswerk ist ihm gewiß nicht gelungen, aber ebensowenig sind seine Dichtungen nur literarhistorisches Dokument. Man liest ihn heute mit einer Mischung aus Bewunderung und Unwillen, Respekt und Widerspruch, Vergnügen und dem Gefühl von Peinlichkeit. Man bewundert die Fülle an Ausdruck und den Reichtum an lyrischen Tönen, die Sprachkunst also, und ist doch zugleich unwillig über den bedingungslosen Anspruch, daß eben diese Dichtungen das Letzte, Höchste, Tiefste seien, was die Weltliteratur in zwei Jahrtausenden hervorgebracht hat – Holz war in solchen Dingen nicht kleinlich. Man empfindet Respekt vor Ausdauer, Konsequenz und tatsächlicher Aufopferung, die Holz bei der Gestaltung und Vollendung seiner Werke an den Tag legte, als sie ihm immer mehr ins Überdimensionale und Monströse gerieten. Aber zugleich regt sich Widerspruch gegen seine hartnäckige, verbohrte Verteidigung von Grundsätzen und Positionen, die er entweder selbst nicht voll begriff oder die schon überholt waren, noch ehe er sie formuliert und sich zu ihnen bekannt hatte. Dennoch hat man wiederum Vergnügen an seinen polemischen Ausfällen und Paraden sowie der Ironie und Selbstironie, dem frischen Spott und der Menge von parodistischen Einfällen in seinen lyrischen Werken. Überdies schrieb er gutes, geschliffenes Deutsch, und hatte einen scharfen Blick für die Schwächen anderer und manchmal auch für die eigenen. Peinlich dagegen wird es, wenn Ausfälle zu Ausfälligkeiten ausarten oder der Kampfeslärm allzu sehr durch das Klappern von Windmühlenflügeln übertönt wird. Und wenn schließlich leichter Spott oder herbe Ironie plötzlich in tiefernste, bleischwere und süße Sentimentalität übergehen, hat die Spitzwegsche Biedermeieridylle des armen Poeten wieder ganz die Oberhand gewonnen. Die Zwiespälte und Widersprüche lassen sich nicht auflösen, sie sind in Holz' Persönlichkeit ebenso verankert wie in der Zeit, mit der und gegen die er lebte und schrieb.

Holz ist vor allem und zuerst ein bedeutender Entdecker und Anreger in der Kunst der Sprache geworden, aus der nun einmal Dichtung besteht. Entdecker sind selten zugleich auch schon Städtebauer gewesen, und die Beziehungen zwischen Originalität und Klassizität sind kompliziert und verwickelt. Daß Holz von der Literaturgeschichte gerade nicht zum modernen Klassiker erhoben wurde, bewahrte ihn vor der Abnutzung durch Verehrung und Pietät, der andere Autoren wie Hauptmann, Rilke, Thomas Mann und Brecht zumindest zeitweilig verfallen sind. Andererseits

Die Lebensgeschichte eines Künstlers ist die Geschichte seiner geistigen Entwicklung. Ursprünglich in der Ueberlieferung wurzelnd
wie jeder, durchtränkt von den großen Einflüssen der Vergangenheit, bin ich später bemüht gewesen, mich möglichst auch von
meiner eigenen Zeit zu befreien und nur noch den Weg
zu suchen, der in die Zukunft führt. Der Punkt, von dem ich
vor mehr als zwanzig Jahren ausging, verschwand so weit
hinter mir, daß ich von meinen Gleichaltrigen Keinen mehr
erblicken kann. Wir liegen alle noch im Banne der „Goethe".
Wenn der Herr Verleger dieser „Zehn lyrischen Selbstporträts"
hofft, soll die Gegenüberstellung von fünf „Alten" und ebenso
viel „Jungen" dem Publikum den Beweis erbringen, „daß
unabhängig von allen Schlagworten, ein wesentlicher
Unterschied zwischen dem Schaffen der beiden Generationen"
nicht bestände; daß Unterschiede ganz verschwunden wären,
daß dies aber nicht so sehr Unterschiede von „Richtungen", als
vielmehr von Persönlichkeiten seien. Mein Wunsch wäre
vorzüglich gewesen, wenn es sich herausstellte, daß
mein Beitrag diese erwartete Einheit nicht gesprengt hat.
Ich bin im Jahre 1863 geboren und glaube erst jetzt
im annähernden Besitz der künstlerischen Mittel zu sein,
an deren Ausgestaltung ich so lange gearbeitet habe.

Berlin-Wilmersdorf, Ostern 1906. Arno Holz.

Selbstdarstellung von Arno Holz aus dem Band
Zehn lyrische Selbst-Porträts *(1906)*

hat er sich auch nicht in der Kreation und Kolportierung von literarischen Tagesmoden erschöpft, was ihn von Zeitgrößen wie Sudermann, Hartleben, Halbe oder gar Bleibtreu und den Brüdern Hart trennt. Sein bewußtes Suchen nach neuen Ausdrucksmöglichkeiten verband sich mit so feinem Gespür für noch unentdeckte Potenzen der Sprache, daß er damit weit über seine Zeit hinausreichte.

Der „Fall Holz" stellt also ein besonders eigentümliches Phänomen innerhalb der Geschichte der deutschen Literatur zwischen der Gründung des Zweiten Reiches und der Götzendämmerung des Dritten dar. Was dabei den einmaligen Gegebenheiten einer Persönlichkeit zugeschrieben werden kann oder was den unglückseligen Gestirnen einer durcheinandergeratenen Zeit zugewälzt werden muß, ist im einzelnen schwer auseinanderzuhalten. Sicher ist, daß die Mischung von Selbstüberschätzung und Selbstironie, Aggressionstrieb und Sentimentalität tief aus seinem Wesen kommt und daß ihm für sein hochentwickeltes Sprachgefühl Anlagen mitgegeben worden sind, die die kritische Untersuchung als Faktum wird hinnehmen müssen. Sicher ist aber andererseits auch, daß dieses sein Wesen durch die Herkunft aus dem deutschen Kleinbürgertum und durch Erziehung und Bildung im deutschen Kaiserreich wesentlich beeinflußt, gelenkt und bestimmt worden ist. Und sicher ist schließlich, daß das Werk von Arno Holz in all seiner Widersprüchlichkeit und Einmaligkeit doch zugleich charakteristische Züge der Geschichte der deutschen wie auch der europäischen Literatur am Übergang vom neunzehnten ins zwanzigste Jahrhundert zeigt und überdies schon Tendenzen und Keime in sich birgt, die sich erst in der modernsten Literatur stärker entfaltet haben. Der Außenseiter Arno Holz ist also alles andere als nur eine Rarität im Panoptikum der Literaturgeschichte, sondern vielmehr und in erster Linie im Durcheinander von Gelingen und Mißlingen ein Beispiel für den hartnäckigen Versuch, Dichter und Künstler zu sein in einer Zeit und einer Gesellschaft, die durch ökonomische, soziale und politische Veränderungen solchen Versuchen immer stärkeren Widerstand entgegensetzte. In der Weigerung, sich anzupassen, Kompromisse zu schließen oder sich gar zu „verkaufen", liegt auch manches von den Stärken und Schwächen von Arno Holz begründet. Eben diese Weigerung, die er als stolze, männliche Herausforderung gegenüber einer Welt von Teufeln interpretierte, drängte ihn schließlich in die Isolation und Dachkammereinsiedelei des armen Poeten, wodurch er sich selbst den Boden für weitere Gefechte gegen die verachtete Öffentlichkeit entzog oder aber orientierungslos geworden ihr Konzessionen machte, die peinlich und bedenklich sind.

Das Kriegsbeil gegen die Gesellschaft hat Holz eigentlich nur am Anfang seiner Karriere, 1886 in seinem *Buch der Zeit* geschwungen, und auch da hat er es hauptsächlich mit sausendem Geräusch um den eigenen

Kopf gedreht. Begraben hat er dieses Kriegsbeil dann allerdings nie, er hat es eher als Zimmerschmuck an die Wand seiner Behausung gehängt. Schon in den mit Johannes Schlaf verfertigten naturalistischen Skizzen wie *Papa Hamlet* und der *Familie Selicke* tritt die Sozialkritik hinter Experimenten zu neuem sprachlichen Ausdruck einigermaßen zurück. Zeitfragen spielen natürlich immer wieder hinein, und als Holz Mitte der neunziger Jahre von einem Zyklus von 25 Dramen zu träumen begann, da wollte er ihm den Titel *Berlin. Das Ende einer Zeit in Dramen* geben. Später wurde daraus die *Wende einer Zeit,* und von den geplanten 25 wurden allein drei vollendet: *Sozialaristokraten, Sonnenfinsternis* und *Ignorabimus.* Aber auch in ihnen wird die Entfernung vom Aktuellen und von den Problemen der Zeit bemerkbar; „letzte Fragen" um die Relation zwischen Kunst und Leben und um das Wesen menschlicher Erkenntnis nehmen überhand. Vollends wird das deutlich im Lebenswerk des *Phantasus,* der über nahezu vierzig Jahre hinweg vom bescheidenen Gedichtzyklus im *Buch der Zeit* anschwoll zu einem dreibändigen Opus, worin das Bild einer Welt entworfen wird, die sich nur noch um die Ich-Achse des Dichters dreht. Gerade in diesem Werk und seinen einzelnen Entwicklungsstufen ist jedoch zu sehen, daß sich Zeitferne und Zeitnähe eines Schriftstellers nicht als ein simples Gegensatzpaar darstellen lassen, sondern daß vielfältig Fäden zwischen ihnen hin und her laufen.

Mag also das Gesamtwerk von Arno Holz – denn seine anderen Werke fügen sich an verschiedenen Stellen in diesen Rahmen ein – da und dort als brüchig und amorph erscheinen, so läßt sich doch sagen, daß die scheinbaren Irrwege oft nicht in die Einöde führten, sondern unversehens und überraschend auf neue Schneisen und Straßen. Wo Holz dagegen aufrecht, gerade und wegweisend feste Pfade zu ziehen vermeinte, geriet er zumeist in eine Sackgasse.

Das Irreführendste in der Beurteilung von Arno Holz ist wohl, ihn als Interpreten der eigenen Werke, als Literaturtheoretiker oder gar Lebensphilosophen beim Wort zu nehmen. Holz hat kein geschlossenes ästhetisches System geschaffen, aus dem sich seine Werke verstehen und seine Bedeutung einschätzen ließe. Natürlich kann auf den Versuch, Theorie und Dichtung zu wechselseitiger Erhellung zu benutzen, nicht verzichtet werden, aber einmal hat Holz selbst schon immer den Primat der Praxis betont und die Modelung der Literatur nach den theoretischen Grundsätzen abgelehnt, zum andern klaffen bei ihm Vorgehabtes und tatsächlich Erreichtes so weit auseinander, daß das Absolutsetzen der Theorie nur zu sehr beschränkten Erkenntnissen oder gar Fehlurteilen führen muß.

Holz macht in seiner Laufbahn als Schriftsteller keine eigentliche Entwicklung durch. Der Gesichtskreis erweitert oder verengt sich hier und dort, die Technik wird verfeinert, variiert, präzisiert, aber die sein Werk bestimmenden Strukturen sind schon in den ersten Gedichten des Zwanzigjährigen ausgeprägt und bleiben ihrem Wesen nach unverändert. In diesem Sinne saß der arme Poet Phantasus tatsächlich schon von Anfang an in seiner Dachkammer.

Ein verlorner Sohn

In der zweiten Hälfte seines Lebens, als die Hoffnung auf Erfolg und vorbehaltlose Anerkennung mehr und mehr schwand, schrieb Holz einmal an den Literaturhistoriker Erwin Ackerknecht: „Ich finde, ich entpuppe mich mehr und mehr zum typischsten ‚Phantasus'-Fall der gesamten Weltliteratur!" [1] Phantasus ist in der Mythologie der Griechen und Römer ein Sohn des Schlafs, der durch seine vielen Verwandlungen in den Menschen das Gaukelspiel der Träume hervorruft. Mit diesem polymorphen Wesen hat sich Holz in der Tat sein Leben lang beschäftigt und es zum lyrischen Helden seiner umfangreichsten Dichtung gemacht. Was die Gestalt für ihn bedeutete und was ihn zu so intimer Identifikation veranlaßte, zeigte sich schon beim ersten Auftreten des Phantasus im *Buch der Zeit,* das der Dreiundzwanzigjährige 1886 veröffentlichte. Dort war Phantasus der Titelheld eines Zyklus von dreizehn Gedichten, und er erschien zugleich als der Prototyp des „armen Poeten", der sich im Schaffen über sein klägliches Dasein hinwegträumt:

Ihr Dach stieß fast bis an die Sterne,
vom Hof her stampfte die Fabrik,
es war die richtige Mietskaserne
mit Flur- und Leiermannsmusik!
Im Keller nistete die Ratte,
parterre gabs Branntwein, Grog und Bier,
und bis ins fünfte Stockwerk hatte
das Vorstadtelend sein Quartier.

Dort saß er nachts vor seinem Lichte
– duck nieder, nieder, wilder Hohn! –
und fieberte und schrieb Gedichte,
ein Träumer, ein verlorner Sohn!
Sein Stübchen konnte grade fassen
ein Tischchen und ein schmales Bett;
er war so arm und so verlassen,
wie jener Gott aus Nazareth!

Doch pfiff auch dreist die feile Dirne,
die Welt, ihn aus: Er ist verrückt!
ihm hatte leuchtend auf die Stirne

der Genius seinen Kuß gedrückt.
Und wenn vom holden Wahnsinn trunken
er zitternd Vers an Vers gereiht,
dann schien auf ewig ihm versunken
die Welt und ihre Nüchternheit.

In Fetzen hing ihm seine Bluse,
sein Nachbar lieh ihm trocknes Brot,
er aber stammelte: O Muse!
und wußte nichts von seiner Not.
Er saß nur still vor seinem Lichte,
allnächtlich, wenn der Tag entflohn,
und fieberte und schrieb Gedichte,
ein Träumer, ein verlorner Sohn![2]

Holz war 1875 als Zwölfjähriger mit seinen Eltern aus Ostpreußen nach Berlin gekommen. Der Vater, ein Apotheker, trennte sich jedoch bald von Frau und einem Teil seiner Familie. Er ließ sich scheiden und zog mit vier seiner zehn Kinder nach Frankfurt am Main. Arno Holz blieb bei seiner Mutter in Berlin, besuchte dort mit wenig Erfolg und ohne Abschluß das Gymnasium und widmete sich bald ganz dem Versemachen. 1883 schon erschien in Berlin seine „Liedersammlung" *Klinginsherz.* Ein Exemplar davon sandte er an Emanuel Geibel und schrieb ihm in einem Begleitbrief: „Da mir leider nicht vergönnt war, durch die nöthige Schulvorbildung das Zeugnis der Reife für den Einjährig-Freiwilligendienst zu erlangen, mir aber andrerseits die Zulassung zum *erleichterten* Examen für *den* Fall in bestimmte Aussicht gestellt worden ist, wenn mir von autoritativer Seite ein Anerkenntnis etwaig vorhandenen Talents zu Theil wird, so ergiebt sich meine ebenso ergebene wie dringende Bitte von selbst."[3] Geibel, für den dergleichen Gesuche keine Seltenheit sein mochten, lehnte ab, was jedoch den jungen Dichter nicht hinderte, im folgenden Jahr sogleich nach Geibels Tod ein Gedenkbuch auf den Meister zu veranstalten, in dem es ihm tatsächlich gelang, neben längst gescheiterten oder hoffnungsfrohen Talenten auch einige literarische Prominenz zu versammeln. Paul Heyse sandte ein Sonett,

Nun ward Dein Ahnen wunderbar vollendet,
Die Du geweissagt, unsre höchsten Güter,
Sahst Du gewonnen: Freiheit, Reich und Kaiser.[4]

das den Reigen der Leichencarmen eröffnete, und auch Friedrich Bodenstedt, Felix Dahn, Klaus Groth, Paul Lindau, Friedrich Theodor Vischer hatten Erinnerungen oder Gedichte beigesteuert, von zwei langen panegyrischen Gesängen des jungen Herausgebers zu schweigen. Geistig war Geibel zudem in den *Deutschen Weisen* anwesend, die Holz noch im selben Jahr – 1884 – zusammen mit seinem Freund Oskar Jerschke veröffentlichte, ein Buch, durch das Scholarentrubel, Rheinweinseligkeit und Waldeinsamkeit ebenso spuken wie Gesänge von Freiheit, Reich und Kaiser:

> Schütz dich Gott, du junge Fahne,
> Deutsches Banner, schwarz-weiß-roth,
> Das der jauchzende Germane
> Dem versöhnten Bruder bot.[5]

Holz hat später erklärt, die patriotischen Gesänge gehörten „dem Gedanken nach *sämtlich* Jerschke an und haben mir nur die Flüssigkeit ihrer äußeren Form zu danken“[6], eine Arbeitsteilung, die sich in dieser Art mehrfach in seinem Leben wiederholt hat und die durchaus Schlüsse auf seine besonderen Anlagen und Talente zuläßt, auch wenn die häufige Abstempelung als „Formtalent“ gewiß eine entstellende Vereinfachung ist.

Zu den *Deutschen Weisen* gehören auch ein paar Verse mit sozialkritischem Einschlag wie der 12-Lieder-Zyklus von der armen „Nätherin“, die im „Hofe unterm Dache in einem kalten Raum“ so lange ihr weniges Brot mit Tränen ißt, bis sie sich an einen reichen Herrn im Vorderhaus verkauft, der sie dann allerdings samt Kind im Elend sitzen läßt, so daß ihr, heruntergekommen, als letzter Wunsch nur das „Grab an der Kirchhofsmauer“ übrigbleibt.[7]

All das wäre nun freilich nicht weiter nennenswert, wenn sich nicht darin Tendenzen zeigten, die für die Entwicklung der zeitgenössischen deutschen Literatur bezeichnend waren und die außerdem für Holz' gesamtes weiteres Werk bestimmend wurden. Soziale Probleme als Gegenstand der Literatur waren in den achtziger Jahren mehr und mehr üblich geworden. In ihren verschiedenen Zeitschriften, besonders in den *Kritischen Waffengängen,* hatten die Brüder Hart sich zu Sprechern einer jungen Schriftstellergeneration gemacht, die danach drängte, dem neuen Reich eine eigene, konkurrenzfähige Nationalliteratur zu geben. Im übrigen liefen die Fäden verschiedener Richtungen und Interessen bunt durcheinander. Schlagworte wie Naturalismus und Realismus wurden marktgängig, ohne klar umrissen zu sein. Die Harts zum Beispiel träumten von einem „Naturalismus des Genies“, einer „Mitte zwischen erdfrischem Realismus und hoher Idealität“.[8] Bedeutung, Wirkung und Nachahmung Emile Zolas wurden diskutiert. 1882, im gleichen Jahr, in dem das erste Heft der *Kritischen Waffengänge* erschien, war Michael Georg Conrad aus Paris nach München zurückgekehrt und wurde dort einer der energischsten Apostel des französischen Meisters. Von Anpassung der Literatur an die Erkenntnisse der Naturwissenschaft war die Rede. Goethes Geschenk an den Poeten – „Der Dichtung Schleier aus der Hand der Wahrheit“ – sollte nach Meinung der Brüder Hart zum Prinzip aller echten Poesie werden. Von Wahrheit war überhaupt viel die Rede, wobei sie oft einfach mit gesellschaftlicher Wirklichkeit identifiziert wurde, insbesondere mit der Wirklichkeit der großen Industriestädte, die seit dem wirtschaftlichen Aufschwung der Gründerjahre rapid anwuchsen. Berlins Bevölkerungszahl stieg zwischen 1871 und 1900 von knapp einer Million auf nahezu drei Millionen an. Die Stadt wurde zu einem der größten Industriezentren Europas und erhielt täglich neuen Zustrom von Arbeitskräften besonders aus den östlichen Provinzen Preußens. Ein starkes, in den Berliner Mietskasernen zusammengedrängtes städtisches Proletariat entstand, zugleich aber auch die bald unübersehbar werdende industrielle Reservearmee der Arbeitslosen und das daraus absinkende Lumpenproletariat der Dirnen, Diebe und Zuhälter des Zille-Milljöhs. Dies alles war die „Wahrheit“, mit der sich die jungen Schriftsteller konfrontiert sahen und der sie je nach Herkommen, Überzeugung und Temperament in ihren Werken die Ehre geben wollten. Das geschah zunächst klischeehaft-flächig, und manche scheinbar treffenden, tatsächlich jedoch allzu vereinfachenden Vorstellungen haben eine klarere Erkenntnis gesellschaftlicher Zusammenhänge und der daraus resultierenden Übel gelegentlich sogar verhindert. Charakteristisch für solche Simplifikation ist das Bild von der Spaltung der städtischen Welt in Vorderhaus und Hinterhaus, das schon im Lied von der „Nätherin“ auftauchte und das in der sich mit sozialen Problemen befassenden Literatur der Zeit bald reüssierte; Kretzer und Sudermann vor allem verdanken diesen und anderen Klischees einen beträchtlichen Teil ihres Erfolges. Auch Holz zahlte seinen Tribut in zwei lyrischen „Bildern“, in denen er Luxus und Dekadenz der haute volée dem Hungertod im „letzten Stockwerk einer Mietskaserne“ gegenüberstellte.[9] Beide Gedichte erschienen zusammen in einer Anthologie, die den herausfordernden Titel *Moderne Dichter-Charaktere* trug und die 1884 von Wilhelm Arent, Hermann Conradi und Karl Henckell herausgegeben wurde. 1886 erschien sie in zweiter Auflage unter dem Titel *Jungdeutschland.*

„Auf eine Kampf- und Streitanthologie, die dieser Tage hier in Berlin erscheinen wird, mache ich Dich schon jetzt gespannt“, schrieb Holz am 9. Dezember 1884 einem Freunde. „Sie betitelt sich: ‚Unser Credo‘ und läuft mit einer Phalanx von zwanzig jungen aufstrebenden Talenten gegen die weiland herrschende Schund- und Schandrichtung unserer Modeliteratur begeistert Sturm.“ [10] Holz gehörte zu den „aufstrebenden Talenten“ und, außer den Herausgebern, auch die Brüder Hart, Otto Erich Hartleben, Carl Bleibtreu, Ernst von Wildenbruch sowie Hitlers späterer

Wirtschafts- und Ernährungsminister Alfred Hugenberg. Von Kampf und Streit war allerdings noch wenig auf den rund dreihundert Seiten zu spüren. Es rauschte noch von der Allmutter Natur, Mondnachtzauber wurde beschworen, Frühlings- und Schlummerlieder wurden gesungen, aber immerhin, speziell bei Holz und Henckell, wurde auch schon der Großstadt Berlin ihr Anrecht auf poetische Gestaltung zugestanden. Der Herausgeber Karl Henckell verkündete, die Poesie solle ein „Abbild alles Leidens, Sehnens, Strebens und Kämpfens unserer Epoche“ [11] darstellen, und Holz erklärte programmatisch:

> Kein rückwärts schauender Prophet,
> Geblendet durch unfaßliche Idole,
> Modern sei der Poet,
> Modern vom Scheitel bis zur Sohle.[12]

Diesen Spruch und die anderen Gedichte aus den *Modernen Dichter-Charakteren* nahm Holz dann auch in sein *Buch der Zeit* auf, das im Sommer 1885 mit der Jahreszahl 1886 erschien, mit dem Phantasus-Zyklus als dem prominentesten Gedicht.

Holz' *Buch der Zeit* ist kein *Buch der Lieder* geworden, obwohl er mit dem Titel durchaus darauf anspielen wollte und übrigens auch Heine als seinen „Schutzpatron“ keineswegs verleugnete. Heine jedoch gestaltete aus innerer, eigenster Erfahrung heraus menschliche Grundsituationen, und er tat es in einem die literarische Tradition der Romantik spielerisch umwertenden neuen, ganz eigenen Ton. Nicht, daß bei Holz neue Töne fehlten. Im Gegenteil gelang es ihm, durch die Einführung von Großstadtjargon, Fremdwörtern und einer Reihe von Neologismen seinen Gedichten eine Frische und einen Schwung zu geben, die sie den gleichartigen Versuchen seiner Kollegen vom jüngsten Deutschland der *Modernen Dichter-Charaktere* überlegen machten und die zum Beispiel Detlev von Liliencron zu überschwenglichen Lobsprüchen veranlaßten. Wesentliche Faktoren, die den späteren Sprachkünstler Arno Holz prägten, sind hier im Ansatz schon vorhanden. Aber sie sind doch noch so stark mit der undistanziert anempfundenen Tradition von Romantik, Vormärz und dem Geibel-Epigonentum verbunden, daß von wirklich Originalem nicht die Rede sein kann. Auch das Geschick des Anempfindens allerdings ist ein wesentlicher Bestandteil von Holz' künstlerischer Persönlichkeit geworden, und er hat es später zur Meisterschaft kultiviert.

In der Thematik zeigt sich der besondere Unterschied zu Heine. Titel wie „Weltgeschichte“, „Das Volk an die Fürsten“, „Berliner Frühling“, „Deutsche Literaturballade“, „Auf hoher See“, „In himmelblauer Ferne“ oder „Ecce homo“ lassen erkennen, daß hier nahezu alles zwischen Himmel und Erde in den Vers gebannt werden sollte, wobei es natürlich nicht ohne Klischees abgehen konnte. Obwohl also das *Buch der Zeit* für die Geschichte der deutschen Literatur kaum mehr als ein historisches Dokument genannt werden kann, ist es doch zugleich der Ausgangspunkt für das literarische Schaffen von Arno Holz. In ihm ist modellhaft vorgeprägt, was sich im weiteren Werk dann im einzelnen entwickelt und entfaltet hat.

Das meiste ist noch Deklamation, und neben Heine hat die Tendenzpoesie der Achtundvierziger, insbesondere Herwegh, sichtbar Pate gestanden. Programme werden verkündet:

> Zola, Ibsen, Leo Tolstoi,
> eine Welt liegt in den Worten,
> eine, die noch nicht verfault,
> eine, die noch kerngesund ist!
>
> Klammert euch, ihr lieben Leutchen,
> klammert euch nur an die Schürze
> einer längst verlotterten,
> abgetakelten Ästhetik:
> unsre Welt ist nicht mehr klassisch,
> unsre Welt ist nicht romantisch,
> unsre Welt ist nur modern![13]

Der neuen Zeit soll ein neues Lied gesungen werden:

> Mir schwillt die Brust, mir schlägt das Herz
> und mir ins Auge schießt der Tropfen,
> hör ich dein Hämmern und dein Klopfen
> auf Stahl und Eisen, Stein und Erz.
>
> Denn süß klingt mir die Melodie
> aus diesen zukunftsschwangern Tönen;
> die Hämmer senken sich und dröhnen:
> Schau her, auch dies ist Poesie![14]

Es ist das „Jahrhundert der Revolution", und sein Evangelium ist „die heilige Schrift des Darwin" [15]:

> Ja, die biblische Spottgeburt aus Lehm
> *besann* sich auf ihre Kraft.
> und die Wahrheit entschleiert ihr Weltsystem
> vor der Königin der Wissenschaft![16]

Das schließt allerdings ein, daß das Leben als Kampf gesehen werden muß, denn:

> Schon reckt gespenstisch die soziale Frage
> aus Nacht und Not ihr rotes Drachenhaupt.[17]

Aber der Grundton ist nicht der von Verzweiflung und Klage, sondern der eines offenbar unerschütterlichen Optimismus.

> Glückauf, glückauf, du junge Zeit![18]

ist Holz' Parole am Ende des Eingangsgedichtes zum *Buch der Zeit,* und es fragt sich nur, wie fest dieser Optimismus auch im Wissen und Denken des jungen Poeten gegründet war. Abseits zu stehen jedenfalls kann sich der Dichter nicht mehr leisten, wenn er nicht hoffnungslos ein „letzter Mohikaner der deutschen Stimmungspoesie" sein will:

> O Mainacht, Mond und Mandoline!
> Wer schwärmte früher für Lassalle?
> Heut gellt der Pfiff der Dampfmaschine
> ins Hohelied der Nachtigall![19]

Vielmehr soll der Dichter ein im Vorkampf der Entwicklung schreitender Präzeptor sein, „halb Rousseau, halb Lassalle"; Holz malt den Idealtyp in knittelnden Versen unter der klangvollen Überschrift „Ecce homo" aus:

> Ein jeder Zoll Genie,
> ein Volksmann, ein Poet,
> scheint er mir öfters, wie
> ein biblischer Prophet.
> Das ganze Viertel kennt
> und ehrt in ihm den Führer,
> der oft im Parlament
> auftrat, ein wilder Schürer.[20]

Ohne Zweifel ist das die Verkörperung eines Wunschbildes des Dichters, und das *Buch der Zeit* enthält genügend Ausfälle gegen die „oberen Zehntausend", gegen Religion und „Plutokratie", um den Autor als „wilden Schürer" anzusehen. Ein Danziger Militärpfarrer hat Holz sogar nachgerechnet, daß er wegen Preßvergehen in seinem Gedichtband nicht weniger als 86 Jahre Gefängnis verwirkt habe.[21] Dennoch erweist sich bei näherem Zusehen der Boden, auf dem sich solch schwungvolle, zum Teil sogar spritzige und geschliffene Opposition und Deklamation gründet, recht schwankend und unsicher. Das wäre an sich nicht besonders betonenswert und mit der Unreife des erst am Anfang seiner Zwanziger stehenden

Dichters zureichend genug erklärt, wenn sich nicht diese mangelnde Fundierung der Gegnerschaft gegen Zeit und Gesellschaft auch in anderen, späteren Werken von Holz wiederfände, dort allerdings verschleierter und im einzelnen viel schwerer zu erkennen als hier in der jugendlichen Freimütigkeit und Unverblümtheit. Übrigens beschränkt sich diese Unzulänglichkeit in der differenzierenden Erkenntnis gesellschaftlicher Zusammenhänge und Antagonismen nicht auf Holz allein – sie ist ein Charakteristikum für eine beträchtliche Anzahl sich zeitkritisch gebärdender Schriftsteller nach 1880 wie Alberti, Conrad, Bleibtreu, Dehmel, Kretzer oder Sudermann.

Die Schwäche des hinter militantem Gedröhn und glitzerndem Feuerwerk stehenden Denkens wird allzu offenbar, wenn man sich das Objekt der Aggression und das Ziel des Zukunftsjubels näher betrachtet. In beidem entgleitet Holz ins Vage. Zwar ist einmal von den Bewohnern des Vorderhauses der Gesellschaft verhältnismäßig konkret als von den „Schlotbaronen der Plutokratie“ [22] die Rede, aber insgesamt wird doch alles Übel in der romantischen Metapher vom roten Gold zusammengefaßt:

> Die Wahrheit liegt im Staube,
> die Hoffnung sitzt und weint,
> gestorben ist der Glaube
> und ach, das Herz versteint!
> Des Wahnsinns Schlangen zischen,
> und Alp türmt sich auf Alp,
> und wüst erschallt dazwischen
> der Tanz ums goldne Kalb.[23]

Vom Dichter und Volkstribun heißt es:

> Er flehte: Herz sei hart
> und rührs nicht an, das Gold![24]

Und in einem langen Monolog „Erkenn dich selbst“ ist zu lesen:

> Zwingt nicht das Gold,
> dieser herzloseste aller Teufel,
> die Schönheit, die arme, rührende Schönheit,
> noch immer in das dumpfe,
> seuchenverpestete Lustbett der Sünde?[25]

Es ist diese ehrliche, direkte, aber allgemeine und unreflektierte Anklage, die Holz von Anfang an um die Überzeugungskraft seiner Gedichte gebracht hat, auch wo sie von Sprache und Form her überraschten und neue Töne anklingen ließen. Nur wo er gelegentlich aus unmittelbarem Angriff zu ironischer oder satirischer Gestaltung typischer Szenen überging, gelang ihm Glaubhaftes. Das „Bild“ aus dem Vorderhause schließt:

> Der hochgeborne Hausherr, Exzellenz,
> schwankt wie ein Rohr umher auf bleicher Düne,
> die erste Redekraft des Parlaments
> fehlt heute abermals auf der Tribüne.
> Zwar trat man gestern erst in den Etat,
> doch hat sein Fehlen diesmal gute Gründe:
> Schon viermal war der greise Hausarzt da
> und meinte, daß es sehr bedenklich stünde.
>
> Nach Eis und Himbeer wird gar oft geschellt,
> doch mäuschenstill ist es im Krankenzimmer,
> und seine düstre Teppichpracht erhellt
> nur einer Ampel rötliches Geflimmer.
> Weit offen steht die Tür zum Vestibül,
> und wie im Traum nur plätschert die Fontäne,
> die Luft umher ist wie gewitterschwül,
> denn ach, die gnädige Frau hat heut – Migräne![26]

Aber schon das ernstgemeinte Gegenbild aus dem Hinterhaus entgleitet ins Sentimentale, und das Sentimentale überhaupt wird zum Schleier, mit dem die eigene Gedankenblöße zugedeckt wird. Von der so energisch und feurig erhofften und erstrebten Zukunft wird bei Holz im Grunde nicht mehr gesagt als in den Versen, die Geibel gewidmet waren:

> Wohl tanzt noch immer die Verblendung
> wie ehmals um das goldne Kalb,
> doch naht die Zeit schon der Vollendung,
> und weichen wird von uns der Alp.[27]

Zentrum des verhängnisvollen Tanzes um das goldne Kalb ist für Holz die Stadt. Er selbst hat sich später gern als der erste Großstadtlyriker der deutschen Literatur bezeichnet, und in späteren Ausgaben des *Buches der Zeit* hat er eine Reihe von Gedichten unter dem Titel „Großstadt“ zusammengefaßt. Sieht man genauer hin, so erscheint die Stadt jedoch nur in Andeutungen und als Folie für persönliche Erfahrungen und Erlebnisse des Dichters. Sie selbst, das „Aderwerk der Straßen“[28] und die in ihrem steinernen Meer lauernden „Dämonen“ werden noch nicht zum Thema wie später bei Heym, Stadler, Benn oder Loerke. Die Stadt erscheint bei Holz – auch in seinem späteren Werk – vorwiegend als eine Brutstätte des Elends, der Verworfenheit und menschlichen Verirrung. Dumpf, schamlos, schmutzig, lasterhaft sind die Adjektive, die Holz schon im *Buch der Zeit* wesentlich mit Beschreibungen städtischer Szenerie verbindet, obwohl er sich gleichzeitig durchaus als „Kind der Großstadt und der neuen Zeit" [29] sieht. Nun waren diese Bezeichnungen durchaus anwendbar auf die soziale Misere einer Großstadt wie Berlin, und es war in der Tat ein Fortschritt gegenüber der schalen, aber beliebten und verbreiteten Epigonentändelei von Albert Träger oder Julius Wolff, wenn Holz und einige andere „moderne Dichtercharaktere" ihre Verse überhaupt solch neuem Stoff öffneten. Aber die moralisch wertenden Adjektive allein schon zeigen, wie stark dieses Lied einer neuen Zeit noch den Moralvorstellungen verbunden war, die das Bürgertum im achtzehnten Jahrhundert in der Selbstbehauptung gegen seine absolutistischen Fürsten herangebildet hatte. Es sind noch die leidenschaftlichen, vom Tyrannenhaß und dem Gefühl einer eigenen sittlichen Überlegenheit getragenen Töne des echten Sturmes und Dranges, die sich in diese Lyrik mischen, zur Zeit da unter den Bedingungen des Imperialismus eine solche Haltung längst obsolet geworden war. In der Dichtung des Expressionismus tritt dann auch eine derartige Verurteilung der Stadt in den Hintergrund: die Lyrik Georg Heyms kennt wertende Adjektive wie schamlos oder lasterhaft überhaupt nicht mehr.[30] Die Stadt nimmt ein eigenes, über menschliches Urteil hinausgehendes Leben an.

Holz ist ein bezeichnendes Beispiel für Irrungen und Widersprüche, wie sie auch für seine Weggefährten zutrafen. Julius Hart läßt in seinem ebenfalls 1886 erschienenen Schauspiel *Der Sumpf* dem zerrissenen Helden sein Dilemma in folgender Weise vorstellen: „In Berlin wußtest Du zuletzt nichts Anderes zu erzählen, als von kleinen und frommen Gäßchen mit gothischen Giebeln und romantischen Erkerstübchen, von weiten Haiden mit dummen Schafen, Eichenwäldern und Hagebutten. Und jetzt, wo Du alles das mit beiden Händen greifen kannst, da möchtest Du Dich in den vollen Strom der Menschen stürzen und nur die Friedrichstraße hat noch Poesie, wert gemalt zu werden." [31] Holz sieht Glanz und Elend der jungen Metropole durchaus mit den Augen eines tief engagierten Künstlers. Für die Unterdrückten und Leidenden findet sich bei ihm und dann auch anderswo in der Literatur der Zeit die Metapher von der Vertierung: das „Volk" haust „in stockdunkler Kammer, verhungert, vertiert", es „wälzt vertiert" sich „in der Gosse", und die Frage bleibt:

> Wann, o wann kommt des Menschen Sohn,
> der dich erlöst aus deiner Vertiertheit?[32]

Das ist natürlich zunächst angewendeter Darwin – die Evolution vom Tiere zum Menschen ist hier im ethisch-gesellschaftlichen Sinne noch nicht vollzogen; die Gebrechlichkeit einer brutalen Welt hat das bisher verhindert. Aber hinter der rhetorischen Frage nach der Erlösung tritt doch auch ziemlich unverhüllt trotz aller Verachtung für „Hungergedichte" und die „achtundvierziger Bettelsuppe" [33] eine Mitleidspose und Armutssentimentalität hervor, die auf nichts anderem als Unsicherheit und Ratlosigkeit gegründet ist. Beides ergibt sich logisch aus der unzulänglichen Einsicht in die zu Armut und Elend führenden ökonomischen, gesellschaftlichen und politischen Veränderungen. Die moralische Empörung des Stürmers und Drängers verbindet sich mit der Orientierungslosigkeit des Kleinbürgers, der im Staate Bismarcks zwischen zwei Fronten steht, zwischen der die wirtschaftliche Macht im neuen Reiche an sich reißenden Großbourgeoisie und der sich in Gewerkschaften und der Sozialdemokratie organisierenden Arbeiterklasse, wobei man der einen materiell und der anderen ideell entfremdet war. Schubart, Bürger oder Schiller hatten ihre Tyrannen zu attackieren; Herwegh mißriet schon die Marquis-Posa-Rolle, worüber Heine weidlich und gut gespottet hat, denn wo der achtundvierziger Tendenzpoet „in Marseillerhymnen Weise" sang, hielt er seine Dichtung auch „so allgemein als möglich".[34] Bei Holz verschwimmt das Kampfziel ganz und gar. Der Dichter steht im Niemandsland, schwerterwedelnd nach der einen und mitleidvoll begütigend nach der anderen Seite, aber beide Fronten sieht er nur ungenau und unscharf, und manchmal kommt es zu völliger Grenzverwischung:

> Verhaßt sind mir bis in den Tod
> popogescheitelte Manieren –
> doch zehnmal lieber schwarzweißrot,
> als mit dem *Mob* fraternisieren.[35]

Schutzpatron Heine hatte sich schweren Herzens eher zum hungernden „Mob" bekannt, als sich auf die Seite des gemeinsamen Feindes zu schlagen. Hier aber sieht Holz die eine Seite in der Kutsche vorbeifahren, die andere kennt er nur als „Mob", als Prostituierte aus den Kellerkneipen oder allenfalls aus dem Hinterhaus.

> Der Mond blitzt durch die Fensterscherben,
> ums dunkle Dachwerk pfeift der Wind,
> und Nachbars Lieschen liegt im Sterben,
> und ihre Mutter weint sich blind.[36]

In seinem Aufsatz *Naturalismus und Naturalismus* verglich Hermann Bahr 1890 die Leistungen deutscher und einiger französischer Naturalisten, und er fand, die Franzosen hätten „die Invasion der Deutschen", die Deutschen dagegen „die Krankheit des kleinen Lieschen gewählt, als das triebkräftige Ereignis, welches aus den Zuständen den Gehalt herauf stoßen und die sonst latenten Charaktere offenbaren soll" [37]. Schärfer noch faßte es Samuel Lublinski in seiner immer wieder lesenswerten *Bilanz der Moderne* aus dem Jahre 1904: „Die soziale Frage in Herweghscher Rhetorik: grotesker kann die Abstammung jener Revolutionäre vom kleinbürgerlichen Liberalismus kaum dargetan werden. Und es ging nicht, wirklich nicht. Die politische Lyrik der vierziger Jahre, die immer nur im pathetischen Klang des Wortes ‚Freiheit' schwelgte, konnte die soziale Frage ebenso wenig ästhetisch bewältigen, wie der Liberalismus es politisch vermochte." Die Elendsschilderungen der Nachfahren des Jungen Deutschlands aber „mochten noch so grell und schreiend aufgetragen werden, so ließen sie sich dennoch in ihrer positiven Starrheit nicht mit klingender Rhetorik abfertigen, ebensowenig wie die Eisenbahnen, Telegraphen, Fabriken und die Großstadt" [38].

Die Autoren der „Literaturrevolution" nach 1880 gehörten fast ausnahmslos dem kleinen oder mittleren Bürgertum an, und die Versuche zu einer Erneuerung von Literatur und Kunst zwischen 1885 und 1900, das Ringen um neue Stile und Weltanschauungen zwischen Naturalismus und Neuromantik, Heimatkunst, kosmischer Weltschau und Jugendstil sind ohne solche soziologische Ortsbestimmung kaum zu erklären. Der Widerspruch von Aggression und Anpassungssucht, Einsamkeitskult und Konformismus ist zeittypisch, und die Ansiedlung im Niemandsland allgemein. Da es für manche ein lebenslanger Aufenthalt wurde, schmückte man es sich entsprechend aus, bebaute seinen Garten, stellte antike Statuen auf, ließ die Schwäne über Seen gleiten oder schaute in die Sterne.

Auch Holz errichtete früh aus Naturschwärmerei und Kindheitserinnerungen eine eigene Welt, die er nie mehr aufgegeben hat.

> Zwar mein Kopf hat sich schon längst
> radikal emanzipiert;
> doch in meinem Herzen blühn noch
> alle Blumen der Romantik;[39]

heißt es in einem Gedicht mit dem bezeichnenden Titel *Zwischen Alt und Neu,* und die Blumen haben dann auch weitergeblüht. Am Großstadtmorgen nachts um zwei heimkehrend, von Betrunkenen angerempelt, von „Dirnen schamlos angelacht", sieht der Dichter einen Traum, „ein Gesicht":

> Ein verwehender Sommertag, ich war allein,
> auf einem grünen Hügel hielt ich im Abendschein,
> und still war mein Herz und fröhlich und ruhte.
> Leise, unter mir, schnupperte meine Stute,
> die Zügel locker, lang und laß,
> und rupfte büschelweise das Gras.
> Es ging ihr fast kniehoch und stand voller Blumen.[40]

Überall begegnet man in Holz' Gedichten dieser Landschaft: Lindenbäume, Berge „in bläulichem Duft", Landluft, Kleinstadtabende, an denen „der Nestling Mutters Märchen lauscht", Rosenduft und schließlich dann auch der stille Strand „der seligen Inseln".[41] An dieser Stelle jedoch geht das einst Erfahrene ins Erträumte über, und Erinnerung und Ahnung verschmelzen zur schönen Vision. Das aber wiederum ist das Thema von Holz' Lebenswerk, dem *Phantasus,* der im *Buch der Zeit* seine erste Gestaltung erfuhr.

Die Struktur des frühen Gedichtzyklus ist einfach: der Darstellung des Lebens und Sterbens eines armen Poeten wird, ein Gedicht ums andere, die Phantasiewelt des Träumers gegenübergestellt. Phantasus, der arme Poet und verlorene Sohn in seiner Dachstube, ist Herr über eine Welt von bunten Träumen und versklavt an die Misere einer geistlosen und kunstfeindlichen Wirklichkeit. Gefangen in seiner Mietskaserne, hungernd und frierend, von Tod und Elend rings umgeben, schwingt er sich doch immer wieder auf zum Traumflug um die schöne Welt Gottes. Als Anbeter der Schönheit wird er der Geliebte der Göttin Aphrodite, und der Jude Ahasver führt ihn in die Gärten des Okeanos. Als Fürst von Samarkand ist er von Odalisken umgeben:

> Doch da ich Lieder eben lebe,
> Laß ich sie ungesungen sein.[42]

Die Kluft zwischen Kunst und Leben schließt sich für den „dichtenden Phantasten", die „Menschheit ist sein Vaterland", und schließlich spielt er „Fangball mit den Sternen" und geht ein in das große Ganze:

> Und ist das All auch nur ein Plunder,
> der lachend einst in nichts zerfällt:
> Ich bin das Wunder aller Wunder,
> denn *mein* Herz ist das Herz der *Welt!*[43]

Er wird sein eigner Christus und Dalai Lama – nur ist sein Reich nicht von dieser Welt. Fülle und Schönheit vergehen mit den Träumen der Nacht, die Misere holt ihn ein auf seinem Fluge:

> Und als der Morgen um die Dächer
> sein silbergraues Zwielicht spann,
> da war der arme, bleiche Schächer
> ein stummer und ein stiller Mann.
> In seines Mantels grauen Falten,
> so lag er da, kalt und entstellt –
> fürwahr, er hatte recht behalten,
> sein Reich war nicht von dieser Welt![44]

Was Holz hier gestaltet – „die états d'âme eines jungen Poeten in Liedern, der an der Trivialität seines Milieus zugrunde geht hoch oben in Berlin N. in irgendeiner Dachstube" [45] – war sein lyrisches Selbstporträt und ist es geblieben. Die sich durch die magische Kraft des dichterischen Wortes proteushaft in alles verwandelnde Gestalt des Phantasus hat ihn sein Leben lang ebenso begleitet wie die Sorge um Mittel zur Sicherung seiner Existenz als Schriftsteller. Wesentliche Grundmotive seiner Traumwelt sind hier schon versammelt. Die freie Welt der Antike wird beschworen, die anderswo im *Buch der Zeit* noch stärker gegen die beschränkende des Christentums ausgespielt wird, und aus dem „dunkelblauen Griechenmeer" taucht auch der ideale Fluchtort, das Inselparadies auf, das zu einem der beliebtesten Topoi nicht nur im Werke von Arno Holz, sondern in der gesamten Literatur der Zeit wurde. Über alles aber herrscht und gebietet das Phantasus-Ich:

> Denn alle Wunder dieser Welt sind mein:
> Der Chimborasso und der Drachenstein,
> Timbuktu, die Ruinen von Palmyra
> Und Memnons steingeformte Sonnenlyra.
> Die alten Völker und die alten Zeiten
> stehn leuchtend auf, wenn sie mein Lied beschwor,
> und hört es gar die Griechengötter schreiten,
> dann wird mein Herz groß wie ein Tempeltor![46]

Dieser Zug des Besitzens, Gebietens und Machtausübens, der im späteren Werk von Holz immer stärker dominiert, ist nun allerdings nicht nur aus dem Drang des bürgerlichen Dichters nach einer Weltanschauungssynthese zu erklären. Hier spielen vor allem Elemente hinein, die in ihm schon durch Herkunft und Erziehung ausgeprägt wurden.

Wesentliche, die Persönlichkeit formende Jahre wuchs Holz allein unter der Obhut seiner Mutter in zwar nicht ärmlichen, aber wirtschaftlich immerhin recht beschränkten Verhältnissen auf. Der gesellschaftliche Makel, Kind eines geschiedenen Elternpaares zu sein, mag bei dem strengen Moralkodex des Bürgertums nicht immer leicht zu tragen gewesen sein. Die Schule verließ er achtzehnjährig, nicht versetzt und aus der Untersekunda, mit „Deutsch befriedigend", den Rest der Fächer „ungenügend", „wenig befriedigend" und „nicht ganz ausreichend".[47] Einen „bürgerlichen Beruf" hat er nie ergriffen. Wie der grüne Heinrich Gottfried Kellers hat er oft der „hohen Kunst" gegenüber Zugeständnisse machen müssen, und wie dieser wurde er in einer Gesellschaft mit festumrissenen Bildungsprivilegien der mit einem Autodidaktenkomplex behaftete Außenseiter. Ein solcher Komplex bedeutet eine Mischung aus Anpassungsbedürfnis und Aggressionslust, Sehnsucht nach Zugehörigkeit und Menschenverachtung, Selbstanzweiflung und Selbstüberschätzung. Alle diese Züge sind Holz sein Leben hindurch zu eigen gewesen; immer wieder ist es ihm schwer gefallen, zwischen ihnen das rechte Maß zu finden, ja, sie haben sich später zu psychopathischen Symptomen verhärtet.

Anzeichen finden sich schon deutlich genug im *Buch der Zeit*. An seine Schule ist ein „offener Brief" gerichtet:

> Zwar, was er weiß, ist nur autodidaktisch,
> aber das Faktum ist eben faktisch:
>
> Er kapierte die deutsche Poesie
> auch ohne die griechischen Verba auf mi![48]

Im Schlußgedicht hat der junge Dichter sein angenommenes Amt dann genau bezeichnet:

> Es ist ein Buch, das Leben und Tod
> tief in sein Sphinxherz schließt;
> es ist ein Buch, das, zukunftsrot,
> der Welt die Leviten liest![49]

In einem anderen, ebenfalls als Epilog gedachten Gedicht, heißt es jedoch:

> Nun wird dies Buch, verlästert und verkannt,
> von Herz zu Herz um Liebe betteln gehn,
> vor vielen Türen wird es trauernd stehn,
> nur hier und da drückts eine Freundeshand.[50]

Diese die Welt in die Schranken fordernde und sich triumphal über sie erhebende Attitüde des „Kämpfers" und Levitenlesers –

> Ich biet euch Kampf, Kampf bis aufs Messer,
> und gehe meinen eignen Gang![51]

steht unverbunden neben dem halb offenen, halb geheimen Wunsch, gerade von dieser Gesellschaft mit offenen Armen aufgenommen und anerkannt zu werden: „ich bin verschollen und niemand weint!" [52] Und in einem – später weggelassenen – Prolog zum Phantasus-Zyklus will er der Winkelried der neuen Zeit sein, „den Stahl in der Faust und im Herzen – eine Thräne".[53] Schwärmerische Fluchtbilder tauchen auch hier schließlich als scheinbare Aufhebung des Widerspruchs auf:

> O selig Eiland
> der Jugendzeit!
> Die Blumen blühten,

die Quelle sprang,
die Sterne glühten,
die Amsel sang . . .[54]

In dem Monolog „Erkenne dich selbst!" werden alle Gedanken und Motive, die ihn beherrschten, noch einmal bunt durcheinandergemischt: nachts im „lampenerhellten Stübchen" wachsen in ihm „neue Gedanken, nie gedachte", so groß, daß er die Größten der Großen nicht beneidet. Die Armen will er trösten, die Schwachen stärken, Gefangene lösen, Geschlagene rächen und seiner Kunst ein Priester sein. Er hat „gerungen wie Faust und gelitten wie Hiob". „Gradaus" geht der Weg, und „der Rest ist Verachtung!" Aber dann erscheint dem jungen Magus auch sein Mephisto, der ihm sagt:

Du aber dünkst dich das Urgenie selbst,
wirfst lukullisch
mit neuen Reimen und alten Gedanken
wie mit Äpfelschalen umher,
„dichtest und denkst",
schreibst dann dein Machwerk
in ein kleines schwindsüchtiges Heftlein
säuberlich ein
und nennst es pomphaft:
Das Buch deiner Zeit! –[55]

Die Selbstkritik wird zum Widersacher der Seele, und der Phantasus-Traum endet in Sarkasmus und Ernüchterung.

So vielfältig also die Themen im einzelnen sind, so lassen sie sich doch letzten Endes auf eine Art gemeinsamen Nenner bringen:

O Poesie, du Heiligschöne,
von Tränen ist mein Herz durchnäßt,
weil du den treusten deiner Söhne
in Nacht und Not verkümmern läßt,[56]

heißt es elegisch in einem Gedicht, das schon in den *Modernen Dichter-Charakteren* gestanden hatte. Im Eingangsgedicht zum *Buch der Zeit* dagegen, Goethe nicht verleugnend, verkündet der Dichter freudig, wie ihm zumute ist, wenn er die weltverbindende Macht der Poesie an sich erfährt:

Dann ists mir oft, als ob die Zeit,
verlästert viel und viel bewundert,
als ob das kommende Jahrhundert
zu seinem Täufer mich geweiht.[57]

Reiner lassen sich die beiden Pole von Holz' Wesen kaum ausdrücken und gegenüberstellen. Es ist die Phantasus-Spannung zwischen Messiastraum und Misere, die ihn zeitlebens bestimmt hat und die in vielfältiger Mischung und in zahlreichen Variationen aus allen seinen Schriften spricht, eine Spannung, die er nie überwunden und aufgelöst hat, selbst wenn er das mit seinem großen *Phantasus* später erreicht zu haben glaubte. Sie äußert sich immer wieder in Anspruch, Aggression und Sendungsbewußtsein auf der einen Seite und in Klage, Sentimentalität oder auch Selbstironie auf der anderen.

Holz selbst hat stets Einheit und Zusammenhang seines Werkes betont. „Hier steht, zum ersten Mal, eine Einheit aus einem Guß da und nicht durch mehr oder minder Zufall Zusammengehäuftes." [58] In dem Sinne, in dem Holz sie meinte, wird man seine Erklärung allerdings cum grano salis aufnehmen müssen, denn was er sich vorstellte, war ein großer entwicklungsgeschichtlicher Zusammenhang, den er als junger Schriftsteller zuerst empfunden, als Theoretiker dann formuliert und schließlich in rund vierzigjähriger Arbeit gestaltet hatte, so daß mit „eiserner" Notwendigkeit dieses „Werk" Höhepunkt und Erfüllung aller modernen Literatur sein mußte. Zahlreiche solche zum Widerspruch reizende, aus der Blindheit gegenüber den eigenen Grenzen und Möglichkeiten resultierende vermessene Ansprüche von Holz stehen der Erkenntnis im Wege, daß er in anderem oder reduziertem Sinne mit seinen Behauptungen wiederum recht hatte. Von einer Einheit seines Werkes ist durchaus zu sprechen, wenn man nur auch Gegensätze in der Persönlichkeit von Arno Holz und in der Öffentlichkeit, für die sein Werk bestimmt war, mit einbezieht. In diesem Sinne eröffnet Holz auch mit gutem Grund seine Gesamtausgabe mit dem *Buch der Zeit.*

Der treue, aber verkannte Sohn der heiligschönen Poesie und der Johannes einer neuen Religion stehn sich ständig gegenüber, aber da das eine ein Wunschtraum bleibt, wird das Gleichnis vom verlorenen Sohne geradezu zu einem Archetypus für Holz' gesamtes Werk. Nicht nur, daß darauf verschiedentlich direkt angespielt wird wie hier, im *Phantasus* oder im *Dafnis.* Auch seine Dramenhelden wie Hollrieder und Dorninger sind solche verlorenen Söhne, denen bei aller Sehnsucht danach die Heimkehr verweigert oder unerreichbar ist und die im Zorn dagegen aufzubegehren versuchen. Die beiden eindrucksvollsten frühen Erzählungen stellen das Sichverlaufen eines kleinen Jungen in der brutalen Welt sowie als groteske Steigerung die Tötung eines Sohnes durch seinen Vater dar: es sind *Der erste Schultag* und *Papa Hamlet.* Bewußtes und Unbewußtes, individuelle und gesellschaftliche Problematik verschmelzen im Bilde. Andere, verwandte Urbilder der Einsamkeit und des Wunsches nach Rückkehr, der Qual, Klage, Verlorenheit oder auch des Trotzes als Gegenreaktion treten hinzu. Einmal ist es „der göttliche Dulder Odysseus", „der langen Irrfahrt müde",[59] dann wieder und häufig Hiob, der Mann aus dem Lande Uz.[60] Es ist die besondere Tragik von Arno Holz, daß er die Komplexität der Problematik hinter den Bildern und Archetypen nie recht gesehen oder begriffen hat. Dem scheinbar Konsequenten fehlte es an intellektueller Konsequenz und Orientierung. Er blieb auf dem Niveau seiner verlorenen Söhne, in die er sich hineinprojizierte. Distanz und Überschau gelangen ihm nicht. Außerdem klammerte er sich an ein Sendungsbewußtsein des Dichters als Führer und Messias, das an sich schon antiquiert war und das er lediglich mit einem aus der Entwicklungslehre des 19. Jahrhunderts abgeleiteten monistischen Denkschema von der Gesetzmäßigkeit alles Seins abzustützen versuchte, das dazu zu schwach war. So lief ihm in die Breite, wo er auftürmen, zusammenhalten, gestalten und verdichten wollte. In einem Briefe schrieb er einmal fast prophetisch: „Wenn ich überhaupt einmal scheitere, an einem andern als mir selber werde ich's sicher nicht!"[61]

Im *Buch der Zeit* aber deutet sich zugleich auch schon an, wie Holz diesem Scheitern Aspekte abzugewinnen vermochte, die es nicht nur interessant, sondern für die Entwicklung der Literatur sogar bedeutungsvoll machten. Von „neuen Reimen und alten Gedanken" war die Rede gewesen, und es scheint, als ob sich gerade in den „neuen Reimen" für Holz auch der einzige zuverlässige Ausweg aus seiner inneren und äußeren Zwangslage ergeben habe, nicht im wörtlichen Sinne allerdings, da er dem Reim später eine sekundäre Rolle in der Lyrik zugewiesen hat, sondern im erweiterten Sinne als Arbeit oder Spiel mit dem Material der Sprache. Holz hatte für sprachliche Erscheinungen ein außerordentlich fein reagierendes Aufnahme- und Reproduktionsvermögen, eine Sensitivität, die sich oft auf Klangwirkungen oder sprachliche Gebärden beschränkte und nach dem Wortsinn nicht mehr fragte.

Wenn er im *Buch der Zeit* von sich bekennt:

> und mir im Schädel rasselt kreuz und quer
> ein ganzer Rattenkönig von Gedichten,
> ein Reim- und Rhythmenungetüm umher,[62]

so hat er damit ein wesentliches Fundament seiner literarischen Produktion bezeichnet. Da ist kaum ein Reim, dem er widerstehen kann, und sei es „Kleist" auf „Geist" oder „prosaisch" auf „hawaisch". Neubildungen werden spielerisch versucht: „Stammbaumwälder" sind versumpft, „Mauldreckschleudertum" wird verurteilt, ein „Mäulchen" ist „kirschrotrund" und die Jugend ist „skeptisch verschopenhauert".[63] Journalisten- und Kaufmannsdeutsch sowie der naßforsche Studenten- und Offiziersjargon werden herangezogen.

Im *Buch der Zeit* ist eine Fremdwortzahl von 5,4 bis 6,4 pro Seite errechnet worden, während sie bei Dehmel, Henckell und Conradi jeweils nur rund 0,8 beträgt.[64] Eine Fülle von Zitaten wird teils das Pathos verfremdend, teils parodierend eingestreut. Man

> fühlt sich kannibalisch wohl,
> wie Goethes fünfhundert Säue,[65]

und von der Resi zu Sankt Goar heißt es gut Heinesch:

> Ihr Pantöffelchen klappert, ihr Schnürleib kracht:
> Heute Nacht!! Heute Nacht!![66]

Was Brecht später in seinen Hitler-Chorälen zu politischer Satire gestaltete, hat Holz hier allgemeiner ausprobiert:

> O Herr, aus tiefer Not
> schrei ich zu dir hinauf:
> Gib mir mein täglich Brot
> und etwas Butter drauf!
> Ein Stückchen Leberwurst
> wär schließlich auch nicht ohne;
> du weißt, mein Teufelsdurst
> ist deiner Schöpfung Krone![67]

Kaum eine Anspielung, kaum ein Stück Jargon, dem sich Holz' „formverliebte Seele“ [68] entziehen könnte. So ist schließlich das *Buch der Zeit* auch eine bunte und heterogene Mischung der verschiedensten Stile und Formen. Pathos steht neben Parodie, unkritisch imitierte Epigonenpoesie neben kritisch-skeptischer Distanzierung von der eigenen Sprache. Das gibt dieser Gedichtsammlung eine doppelte Bedeutung. Inhaltlich bezeichnet sie in aller Gegensätzlichkeit doch das Fundament, auf dem Holz sein ganzes weiteres Werk errichtet, dessen Bilder und Gedanken hier schon präfiguriert sind. In der Sprachbehandlung aber zeigt sich gleichzeitig der Ansatzpunkt für das, was Holz' besondere Bedeutung in der Geschichte der deutschen Literatur ausmacht, für seine Versuche also zur Regeneration der dichterischen Sprache, um sie für den Ausdruck menschlichen Denkens und Fühlens in einer neuen Zeit adäquat zu machen – einer Zeit des Weltverkehrs und der Weltkriege, des Eindringens in die unendliche Weite, die den Menschen umgibt, und die unendliche Tiefe, die sein unerforschtes Inneres bildet. Den bestimmten und absichtsvollen Schritt zu einer solchen Erneuerung des „Sprachbluts“, wie er sich ausdrückte, unternahm Holz dann in Gemeinschaft mit Johannes Schlaf in einer Reihe von Prosaskizzen, deren erste unter dem Titel *Papa Hamlet* erschienen.

Neue Gleise

Das *Buch der Zeit* war ohne nennenswerten Widerhall geblieben. Die flott geführten Attacken in alle möglichen Richtungen hatten weder Feinde noch Freunde auf den Plan gerufen, und der junge Dichter sah sich zum erstenmal einer Macht ausgeliefert, die schlimmer war als alle Kritik: dem Desinteresse seiner Zeitgenossen. Das sollte ihm in seiner Laufbahn noch öfters begegnen, so sehr er sich dagegen auch wehrte. Jetzt vorerst ging er nur in sich, um nach neuen Ausdrucksformen zu suchen. Im *Buch der Zeit* hatte es schon geheißen:

> Auch meine Galle schwimmt in Groll,
> doch wozu ihn versifizieren?
> Die Welt ist heute prosatoll
> und wird ihn schwerlich honorieren.[1]

Bleibtreu hatte in seiner *Revolution der Litteratur* erklärt, wer etwas zu sagen habe, müsse Romane schreiben[2] – wie er selbst übrigens. Aber er bezeichnete damit auch eine Tendenz unter den jungen deutschen Autoren in der zweiten Hälfte der achtziger Jahre. Man war mehr und mehr überzeugt, daß Gedichte eine zu kleine Form für die Größe der neuen Zeit darstellten, und zum anderen hatte man natürlich bereits Zolas Vorbild dafür vor Augen. So kehrte sich auch Holz von lyrischer Produktion ab. Ein zweihundertseitiges Manuskript für ein Gedichtbuch mit dem Titel

Unterm Heilgenschein
Ein Erbauungsbuch für meine Freunde[3]

blieb im großen Abgrund des Ungedruckten verborgen, wo es noch heute liegt, abgesehen von ein paar Versen, die Holz in seine Schrift *Die Kunst* aus dem Jahre 1891 aufnahm und dann späteren Auflagen des *Buches der Zeit* einfügte. Er begann jetzt vielmehr einen Roman über seine Kindheit, den er *Goldene Zeiten* nannte, und dann, wohl im Laufe des Jahres 1887, einen weiteren, dessen Titel *Illusionen* gewesen sein soll.[4] Aber beide Versuche wurden nicht weitergeführt. Für das Scheitern hat Holz zwei Gründe genannt, privat in einem Brief und öffentlich in seinen kunsttheoretischen Überlegungen. Dort – in *Die Kunst. Ihr Wesen und ihre Gesetze* – gibt Holz den Anfang des ersten Kapitels seines Kindheitsromanes wieder. Es ist das Erinnerungsbild einer idealisierten Kleinstadt, wie es dann in den verschiedensten Spielarten in seinem späteren Werk, besonders im *Phantasus,* wieder auftauchte: „Hochrote Dächer über mattgelben Giebeln, stille, lange Straßen, in denen das Gras wuchs, Hähne, die verschlafen in den schwülen Nachmittag krähten, Rosenstöcke, die über grüngestrichene Blumenbretter weg blutrot durch den stillen Sommer funkelten, Wetterfahnen, die sich kohlschwarz in den blauen Himmel drehten, und vor allen Dingen Sonne, viel, viel Sonne!" [5]

Der kleine Junge – Held des Romans – beginnt nun in dieser Atmosphäre, sich in die Ferne zu träumen und alle Sehnsüchte auf Holland zu richten, von dem er gehört hat: „In Holland mußten die Paradiesvögel entschieden schöner pfeifen und die Johannisbrotbäume noch viel, viel wilder wachsen!" [6] Dieser letzte Satz, behauptete Holz, habe ihn aufgestört. Er habe ihm besonders gefallen, ohne daß er hätte sagen können weshalb. Das bedeutete aber, daß er sein Handwerkszeug als Künstler nur ungenügend beherrschte, und so wiederum sei er getrieben worden, sich der Theorie seines Metiers zuzuwenden. Er habe den Roman unvollendet beiseitegelegt, und an seine Stelle sei die Entwicklung eines neuen Kunstgesetzes getreten.

In einem Brief an seinen Freund Max Trippenbach vom 26. Dezember 1887 hat Holz jedoch eine sehr viel realistischere Erklärung für seine neuen Pläne gegeben. Dort heißt es: „Die ‚Goldenen Zeiten', nach denen Du Dich erkundigst, werden die Welt vorläufig noch nicht beglücken. Erst zur kleineren Hälfte fertig, liegen sie schon seit Monaten in dem verschlossensten meiner Schreibtischfächer. Da ich mich durch verschiedene Experimente davon überzeugt zu haben glaube, daß das Publikum, das sie finden würden, nur ein kleines und sehr exklusives sein würde, kann ich mich vorderhand noch nicht entschließen, sie zu vollenden. Daß sie bereits etwas taugen, weiß ich, aber das darf mir jetzt nicht mehr genug sein. Das nächste Buch, das ich herausgebe, muß für meine Laufbahn entscheidend sein. Es muß weite Kreise ergreifen, einen Kampf für und wider entfesseln und mich endlich definitiv in den Sattel heben, oder aber meine Erbärmlichkeit ein für allemal in den Staub schleudern, in den sie gehört. Dieses Vegetieren ertrage ich nicht länger." Gegen Ende des Briefes steht dann noch die Bemerkung: „Verse habe ich seit undenklichen Zeiten schon nicht mehr gemacht und bezweifle, daß ich überhaupt darauf zurückkommen werde. Meine Kunstanschauungen haben sich eben vollständig umgekrempelt. Sie sind so positiv und exakt geworden, daß mir z. B. selbst Zola als Idealist passiert." [7] Es ist nicht nötig, unbedingt einen Widerspruch aus den beiden Aussagen von Holz zu konstruieren – der öffentlichen und der privaten; die beiden Motivationen schließen einander nicht völlig aus. Dennoch kommt natürlich dem privaten Bekenntnis größeres Gewicht und Interesse zu. Vor allem ermöglicht es ein besseres Verständnis von dem, was diesen Überlegungen folgen sollte. Holz – das geht aus dem Briefe eindeutig hervor – wollte in die Breite wirken, in den Sattel gehoben werden. Es ist der Komplex des um Achtung, Anerkennung und Einfluß ringenden Autodidakten und Außenseiters. Aber es kommt jetzt zu einer bemerkenswerten Verengung seiner revolutionären Ambitionen: an die Stelle der vielfältigen, aber allgemeinen Attacken gegen alle möglichen gesellschaftlichen Institutionen und Konventionen im *Buche der Zeit* tritt das bestimmtere Ziel einer Umwälzung der Kunst. Das geschieht bei Holz mit solcher Ausschließlichkeit, daß die soziale Problematik, die die frühen Gedichte bestimmte, fast völlig verschwindet. Man kann solche Abwendung von den Fragen des Tages mit einer Enttäuschung der politischen Hoffnungen und zugleich mit der ungefestigten, theoretisch kaum fundierten eigenen Position erklären.[8] Wahrscheinlich haben sich in Wirklichkeit verschiedene Motivationen vermengt – wesentlich jedenfalls ist, Holz' eigene, von ästhetischen Überlegungen hergeleitete Begründung nicht absolut zu setzen, wenn von seinen literarischen Arbeiten die Rede ist, sondern auch den zu öffentlicher Geltung drängenden „verlorenen Sohn" im Auge zu behalten, der nach dem Fehlschlagen seiner ersten Hoffnungen in eine tiefe innere Krise getrieben wurde. Solches Abwägen verschiedener Aspekte wird besonders nötig für die kritische Betrachtung jener Leistungen, die in der Tat Holz einen festen Platz in der Geschichte der deutschen Literatur einbrachten, die er aber nicht allein, sondern in Zusammenarbeit mit Johannes Schlaf schuf. Es handelt sich um die seit 1888 entstandenen und 1892 in dem Band *Neue Gleise*[9] zusammengefaßten epischen und dramatischen Versuche, die allgemein als die reinste und konsequenteste Ausprägung des Naturalismus in Deutschland gelten.

Holz hatte den nur knapp ein Jahr älteren Johannes Schlaf schon 1885 in Literatenkreisen in Berlin kennengelernt. Der aus der Halleschen Gegend stammende Schlaf war dorthin als Student der Philologie übergesiedelt, jedoch mit der Ambition, die deutsche Literatur selbst zu bereichern: er arbeitete an verschiedenen Romanprojekten, darunter einem Studentenroman. Rund zwei Jahre nach der ersten Begegnung schlossen sich beide zu einer engen Arbeitsgemeinschaft zusammen: Schlaf zog zu Holz nach Niederschönhausen und hängte sein Philologiestudium an den Nagel. Die Datenangaben gehen auseinander; Holz spricht vom Winter 1887/1888, Schlaf von der Zeit ab März 1888. Sicher ist, daß beide – mit Unterbrechungen – bis 1892 zusammenblieben.[10] In den ersten Monaten der Zusammenarbeit entstand zunächst eine Reihe von Erzählungen, die zumeist gemeinsam umgearbeitete Kapitel aus Schlafs Studentenroman waren: *Die kleine Emmi*, *Krumme Windgasse 20*, *Ein Abschied* und *Ein Tod*. Aus Schlafs Erzählung *Ein Dachstubenidyll* wuchs der *Papa*

Hamlet, und eine andere Erzählung Schlafs, *Eine Mainacht,* wurde zusammen mit der von beiden verfaßten *Papiernen Passion* die Vorstufe für das Drama *Familie Selicke.* An die Öffentlichkeit traten die beiden Autoren zuerst im Januar 1889 mit einem Bändchen, das den *Papa Hamlet, Ein Tod* und ein Kapitel aus Holz' Kindheitsroman, *Der erste Schultag,* enthielt. Als Autor zeichnete ein fiktiver Norweger, Bjarne P. Holmsen, denn seit dem Aufstieg Ibsens galt alles Skandinavische als besonders modern und progressiv; aber die Mystifikation wurde bald erkannt. Anfang 1890 folgt *Die Familie Selicke,* die dann auch am 7. April des gleichen Jahres von der Freien Bühne in Berlin uraufgeführt wurde. 1892 erschien *Der geschundne Pegasus,* eine kleine Vers-Bild-Groteske über ihre gemeinsamen Alltagsnöte, und im gleichen Jahr faßten schließlich die *Neuen Gleise* Veröffentlichtes und Unveröffentlichtes aus der gemeinsamen Produktion zusammen. Waren es wirklich „neue Gleise"?

Holz sowohl als Schlaf haben später ausführlich über die Zeit ihrer Gemeinsamkeit geschrieben – allerdings mit der makabren Absicht, die eigene Leistung von der des Freundes zu trennen und sich jeweils den größeren Anteil beizumessen. Ursprünge und Verlauf des sich über viele Jahre, Artikel und Pamphlete hinstreckenden, oft in persönlichste Details gehenden Streites sind heute längst uninteressant geworden. Ein Resultat ist schlechterdings nicht zu erwarten. Es ist offensichtlich, daß Schlaf die meisten Stoffe lieferte, und es ist ebenso offensichtlich, daß Holz der Initiator jenes sprachlichen Überarbeitungsprozesses war, der diesen Werken erst literarischen Rang gab. Dennoch läßt sich daran keine Bewertung knüpfen, wie es vor allem Holz im Verlaufe des Streites immer wieder versucht hat, indem er Schlaf als Materiallieferant abqualifizierte. Beide Autoren haben auch beträchtliche Begabung auf dem jeweils anderen Gebiet gezeigt, wie ihre selbständig verfaßten Arbeiten belegen. Der wirkliche Unterschied zwischen beiden liegt vielmehr in den ihrem Wesen und ihrem Charakter entspringenden Intentionen für ihre schriftstellerische Arbeit, über die sie sich aber in vollem Umfang und mit allen Konsequenzen selbst nicht klar waren.

Der erste Mißerfolg mit dem *Buch der Zeit* und die inneren Schwierigkeiten mit den beiden Romanprojekten waren für Holz Symptome nicht nur für eine eigene Krise, sondern auch für eine Krise von Kunst und Literatur in seiner ganzen Zeit. Konventionen und Epigonentum waren, so schien es ihm, nur zu überwinden, wenn man sich auf das Spezifische jeder Kunst und ihrer Mittel besann: „Man revolutioniert eine Kunst also nur, indem man ihre Mittel revolutioniert. Oder vielmehr, da ja auch diese Mittel stets die gleichen bleiben, indem man ganz bescheiden nur deren Handhabung revolutioniert", schreibt Holz später in einer „Selbstanzeige" seines *Phantasus.*[11] Damit bezieht er sich auf das, was er in den

Jahren, die der Enttäuschung mit seinem *Buch der Zeit* folgten, als neues Kunstgesetz entwickelt hatte:

> *Die Kunst hat die Tendenz, wieder die Natur zu sein.*
> *Sie wird sie nach Maßgabe ihrer jedweiligen Reproduktionsbedingungen und deren Handhabung.*[12]

Mit anderen Worten: es ging Holz nicht einfach darum, als Schriftsteller weiterzuexperimentieren, sondern für sein Handwerk zunächst sichere und unumstößliche ästhetische Prinzipien aufzustellen, die es ihm ermöglichten, sozusagen vom Zentrum aus eine Literaturrevolution einzuleiten, statt von der Peripherie her lediglich alte Schichten hier und da abzutragen. Es ist viel über den Primat der Theorie vor der Praxis bei Holz geschrieben worden. Er selbst hat an der Diskussion teilgenommen; 1926 erörtert er das Verhältnis zwischen beiden in einem Briefe, indem er sich von Kunsttheoretikern wie Friedrich Schiller oder Richard Wagner absetzt: „Alle ‚jene' haben ihre ‚Theorieen' nach ihrem Werk gemodelt, ich ging, als erster, den ‚umgekehrten' Weg und modelte mein Werk nach meiner anfänglich von mir ‚intuitiv' aufgestellten und dann später mir von mir selbst bewiesenen ‚Theorie'." [13] Das ist eine etwas umständliche Dialektik – Holz kann ebensowenig darauf verzichten, erster zu sein, als doch eben auch noch im Sinne einer Ästhetik, die er eigentlich überwinden wollte, die Vorherrschaft der Intuition gegenüber dem analytischen Denken anzuerkennen. Das deutet wiederum auf Widersprüche in seiner Persönlichkeit, die dann auch seiner revolutionären Mission in die Quere kamen. Der wahre Sachverhalt hinsichtlich der behaupteten Priorität der Theorie über die Praxis ist nur schwer zu eruieren. Theoretische Studien sind zwar für Holz seit 1887 anzunehmen, aber das, was er dann 1891 in seiner Schrift *Die Kunst. Ihr Wesen und ihre Gesetze* vorlegte, war doch erst in Wechselwirkung mit den literarischen Versuchen aus der Koproduktion mit Johannes Schlaf entstanden. Mehr läßt sich kaum sagen, aber es bezeichnet auch schon die Rolle, die die Theorie für Holz tatsächlich gespielt hat. Der Blick auf sie vor dem Blick auf die einzelnen Arbeiten der *Neuen Gleise* geschieht also nicht aus chronologischen Gründen, sondern aus methodologischen.

Holz wollte nicht weniger als eine kopernikanische Wendung in der Kunst herbeiführen. Seine Absicht ging dahin, für die Kunst das zu tun, was Darwin für die Entwicklungsgeschichte und Marx für die Gesellschaftsgeschichte der Menschheit getan hatten, d. h. große, allgemeingültige Gesetze aufzustellen, denen alles einzelne unterworfen war. „Es ist ein Gesetz, daß jedes Ding ein Gesetz hat",[14] war das Credo, das er in der *Kunst* ganz im Sinne eines naturwissenschaftlichen Zeitalters niedergelegt hatte. Das führte zu der Überzeugung, „daß die Kunst als ein jedesmaliger Teilzustand des jedesmaligen Gesamtzustandes der Gesellschaft zu diesem in einem Abhängigkeitsverhältnis steht, daß sie sich ändert, wenn dieser sich ändert", –[15] ein Gedanke, den Holz bedauerlicherweise nie weiter verfolgt und präzisiert hat. Dieses Versäumnis hat zu manchen Unzulänglichkeiten geführt.

Holz ging von der Grundüberzeugung einer intendierten Identität zwischen Kunst und Natur aus. Darauf stützt sich ja auch der Begriff „Naturalismus", der zunächst einer unter vielen war, bis er dann mehr und mehr zur Sammelbezeichnung für eine gesamte, allerdings höchst heterogene Periode wurde. Holz wollte jedoch auf ihn nicht festgelegt werden. Zwar sah er eine bestimmte Entwicklungslinie in der Literatur seiner Zeit, aber trennte sie vom Begriffe. „Den Ausgangspunkt dieser Linie hatten die von mir mit Johannes Schlaf herausgegebenen ‚Neuen Gleise' gebildet, und ihr vorläufiger Endpunkt ist mein neuer ‚Phantasus'", schrieb Holz 1900 und fuhr fort: „Niemand hat das Recht, unter Naturalismus literarisch etwas Beliebiges zu verstehen, sondern seine Anschauungen sind dokumentarisch festgelegt worden durch Zola. Gegen das Prinzip dieser Anschauungen wandte ich mich als der Urheber jener Linie und fundamentierte in meiner Schrift ‚Die Kunst' ein neues. Dieses Prinzip leugnete den Naturalismus nicht, suchte ihn nicht ‚wegzudekretieren', sondern akzeptierte ihn und ging über ihn hinaus."[16] Holz' Gesetz, schien sich allerdings in seiner Formulierung kaum sehr weit von Zolas „Une œuvre d'art est un coin de la nature vu à travers un tempérament" zu unterscheiden. Unterschiede werden erst sichtbar, wenn einige Ansätze weiterverfolgt werden und die literarische Praxis einbezogen wird. Kunst, so hieß es in Holz' Gesetz, war Wiedergabe der Natur, und wenn ein völliges Zusammenfallen von beiden nicht erreichbar war, so lag das lediglich an den Unzulänglichkeiten, denen der Mensch schlechterdings durch die Begrenzung seiner eigenen Fähigkeiten und der Sprödigkeit des künstlerischen Materials ausgesetzt war. Das etwa sollte dann auch die berühmt gewordene Gleichung „Kunst = Natur – x" aussagen, die Holz in seiner Schrift aufstellte und von der er sein Gesetz ableitete.

Aus solchen Überlegungen entsteht zunächst der Eindruck, als wenn der alte Gedanke der Mimesis, der Kunst als dargestellter Wirklichkeit, hier lediglich in dem Gewand einer dem naturwissenschaftlichen Zeitalter angemesseneren Formel auftrat, und das noch dazu in einer statischen Gestalt, die offenbar „Natur" nur in ihrem momentanen Sein und nicht in ihrer dynamischen Entwicklung zu fassen schien, wie es immerhin in der aristotelischen Forderung von der „Nachahmung" handelnder Menschen angelegt war. Schon die Zeitgenossen haben mit Holz über diesen Punkt viel gestritten. Er selbst hat den Begriff Nachahmung weitgehend zu vermeiden gesucht und dafür den, wie ihm schien, komplexeren der

Wiedergabe gesetzt. Zwar erklärte Holz noch Jahre nach der Veröffentlichung seiner Schrift über die Kunst in einer Rezension von Henri Gartelmanns *Dramatik,* einer „Kritik des Aristotelischen Systems und Begründung eines neuen": „Dichtkunst ist Nachahmung. Dies Wort sie sollen lassen stahn. Nur freilich: sein erster Stipulant, der alte Aristoteles, hat es leider nie verstanden, aus ihm auch nur die einfachsten Konsequenzen zu ziehen. Hätte er sie gezogen, und zwar scharf, nach jeder Richtung hin und unerbittlich, seine ‚Poetik' würde noch heute dastehen, wie sie vor 2000 Jahren dagestanden." [17] Aber in der folgenden Korrespondenz mit Gartelmann über diesen Punkt nahm er die Gleichsetzung von Dichtkunst und Nachahmung dann doch zurück, sah Nachahmung erneut als spezielle Form der Wiedergabe an und wollte schließlich den Begriff Nachahmung ganz über Bord werfen, war er doch nur „ein mißverständliches ... Übersetzen des höchstwahrscheinlich ganz gesunden Sinnes des Aristoteles" [18], dem es nur an den rechten sprachlichen Unterscheidungsmöglichkeiten zwischen Wiedergeben und Nachahmen gefehlt hatte. Holz ging es also nicht nur wie anderen Ästhetikern vor ihm darum, Aristoteles richtig zu verstehen, sondern ihn besser zu begreifen, als er sich selbst begriffen hatte. Die Konsequenzen, die er nun seinerseits zog, waren allerdings schon einigermaßen von nichtaristotelischer Art.

Es ist inzwischen allgemein akzeptiert worden, daß das Fin de siècle Ausgangspunkt für die Kunst des zwanzigsten Jahrhunderts war, und es ist ebenso bekannt, daß in der modernen Kunst der Abbildcharakter hinter dem wirklichkeitsformenden Charakter zurücktritt. Eines der frühesten Dokumente für diese Entwicklung ist Oscar Wildes Dialog *The Decay of Lying,* der im selben Jahre wie Holz' Buch über die Kunst erschien und in dem Wilde rundheraus erklärte „that Nature, no less than Life, is an imitation of Art".[19]

Angesichts einer solchen provokatorisch vorgetragenen These mußte Holz' Kunstgesetz ziemlich hausbacken erscheinen. Holz hat das selbst nie recht gesehen, denn was ihm vorschwebte, wenn er den Aristoteles besser als dieser sich selbst begreifen wollte, war gewiß etwas, das dem Standpunkt von Oscar Wilde nicht ganz so diametral entgegengesetzt war, wie das aus dem Wortlaut seiner Formel Kunst = Natur – x zunächst erscheint. Die literarische Praxis in seinen späteren Jahren hat Holz sogar sehr weit auf die Gegenseite gedrängt. Aber er ist sich dessen nie völlig bewußt geworden, wie ihm auch die begriffliche Klarheit und intellektuelle Geschmeidigkeit fehlte, die Veränderungen in der eigenen Kunstpraxis und der seiner Zeit theoretisch zu fassen. Deshalb sind auch alle Diskussionen über Holz' Kunsttheorie, wenn sie für sich genommen wird, der Gefahr ausgesetzt, nur deren Bedeutungslosigkeit zu demonstrieren, oder aber dazu bestimmt, im Sande zu verlaufen. Nur im Bezug auf die schöpferische Produktion lassen sich Holz' theoretische Vorstellungen und Intentionen erkennen und einigermaßen gerecht in ihren Tendenzen beurteilen.

Wenn Holz den Grundsatz „Kunst = Natur" aufstellte, so dachte er bei „Natur" selbstverständlich nicht allein an eine äußere Realität, die sozusagen photographisch wiederzugeben war, sondern auch an eine innere, im Bewußtsein des Menschen, in seinen Empfindungen, Gefühlen und Gedanken existierende. „Ist denn, frage ich, die Empfindung, die ein Sonnenuntergang in mir wachruft, *kein* Naturvorgang? Nun also! Bitte!" [20] erwiderte er einem Kritiker seines Kunstgesetzes. Natur – das muß zunächst festgehalten werden – ist im Verständnis von Arno Holz nicht nur Äußeres, sondern vielmehr die Summe alles Äußeren und Inneren, nicht nur des sinnlich Wahrgenommenen, sondern auch des seelisch Empfundenen, Erlebten und des Gedachten, „Wirklichkeit unter natürlich selbstverständlichem Einbegriff auch aller unserer Innenvorgänge" [21]. Den Zusammenhang seines Naturbegriffes mit dem „jedesmaligen Gesamtzustand der Gesellschaft", die Relationen zwischen Bewußtsein und gesellschaftlichem Sein hat Holz, wie gesagt, zum Schaden nicht nur seiner Theorie, sondern auch der daraus folgenden Praxis nie untersucht.

Sein Interesse konzentrierte sich vorerst und mit Recht nicht auf den Gegenstand der Kunst, sondern auf die nähere Bestimmung des „x", in dem sich für ihn das Spezifikum aller Kunst zusammendrängte. Denn daß Kunst nie wirklich identisch mit der „Natur" werden könnte, war ihm klar, und er hat es gegen seine Kritiker, die ihm dergleichen unterschieben wollten, immer heftig betont. Jenes x: das waren die „Reproduktionsbedingungen" der Kunst, ihr Material – Klang, Sprache, Stein – und zugleich die „Handhabung" dieses Materials durch den Künstler, abhängig also von dessen Persönlichkeit, von seinem Geschick und Können. Eine Vielfalt von Bezügen entsteht, aber „gerade diese tausend und abertausend sich kreuzenden Motive in jedem Einzelfalle möglichst zu entwirren und so diese ‚Handhabung' als eine, wenn ich mich so ausdrücken darf, aus ihrem ‚Milieu' heraus *notwendige* darzustellen und somit die jedesmalige Größe der Lücke x *erklärt* zu haben, stellt mein Satz ja als eine der vielen großen Aufgaben unserer Wissenschaft hin!" [22] erläutert Holz. Der Begriff „Milieu" erscheint hier nur in übertragenem Sinne als Sammelbegriff für die verschiedenen, die Handhabung bedingenden Umstände. Daß dazu auch das echte Milieu gehört, also der historische, soziologische und geographische Ort eines jeden Künstlers, hat Holz nie geleugnet, aber er hat dieser Seite wiederum keine besondere Aufmerksamkeit geschenkt. Was ihn vielmehr faszinierte, war die Suche nach Ausdrucksmöglichkeiten für die Vielfalt dessen, was sich in seinem Empfindungsvermögen spiegelte. Für Holz war „Handhabung" trotz aller weiteren Bedeutung, die er dem Begriff in der Theorie gab, in der Praxis doch allein die Sprache; mit ihr vom Konventionellen loszubrechen, das „Sprachblut"[23] zu erneuern war seine konkrete Absicht. Die Erfahrung, die er bei seinen ersten Prosaarbeiten machte, wurde sozusagen sein künstlerisches Urerlebnis: „Bei jedem Satz, den ich niederschrieb, gähnten um mich Abgründe, jede Wendung, die ich aus mir riß, schien mir ein Ungeheuer, jedes Wort hatte die Niedertracht, in hundert Bedeutungen zu schillern, jede Silbe gab mir Probleme auf."[24] So wurde es sein Ziel, die Sprache wieder „natürlich" werden zu lassen, Klischeehaftes und damit Ungenaues, Vages zu tilgen und sie ausdrucksfähig zu machen für neue Dimensionen innerer und äußerer menschlicher Existenz. Getreue Wiedergabe der Natur bedeutete also letzten Endes die möglichst präzise Bezeichnung aller Bewußtseinsvorgänge, die, indem sie artikuliert wurden, ihrerseits eine Art Bewußtseinserweiterung bei dem das Kunstwerk Rezipierenden hervorrufen konnten und sollten. Aus solchen Voraussetzungen konnte er dann auch etwas verächtlich sagen: „Der ‚Inhalt', an dem ich diese neue Form damals aufwies, war mir vollkommen gleichgültig. Ob mir diesen Schlaf brachte, oder ein anderer, hätte absolut nichts zur Sache getan."[25] Auch er selbst hätte ihn sich schaffen können, nur sei so seine Arbeit vereinfacht und beschleunigt worden. Die Dinge waren jedoch etwas komplizierter, als diese polemische Simplifikation erkennen läßt.

Das, was Schlaf in das Bündnis einbrachte, waren nicht nur ein paar Handlungsskelette aus dem Studenten- und Kleineleutemilieu, die dem Erfahrungsbereich beider Schriftsteller nahestanden und deshalb zu literaturrevolutionären Studien für sie auch besonders taugten. Schlaf verfügte zugleich über ein feines Gespür für Nuancen und Schattierungen in den seelischen Beziehungen der Menschen untereinander, durch die erst Holz' Absicht einer Intensivierung und Präzisierung des sprachlichen Ausdrucks jenseits aller konventionellen Klischees wirklich gegenstandsvoll wurde. Beiden ging es im Grunde um den Menschen als Objekt der Kunst, um die tiefere und genauere Erfassung seines Wesens mit Hilfe der Sprache. Wenn Holz in seiner Schrift *Die Kunst* davon träumt, daß wir dermaleinst das werden sollen, „was zu sein wir uns vorderhand wohl noch nicht recht einreden dürfen, nämlich: ‚Menschen!'[26], so ist aus dem Zusammenhang offenbar, daß auch und gerade die Kunst diesem hohen Zwecke zu dienen habe und daß sie das, wie die Wissenschaften, am besten tun kann, wenn man ihre Gesetzmäßigkeiten aufdeckt und sie sich bewußt nutzbar macht. Auch Schlaf hat ähnliche Ziele und Absichten gehabt, wenn er etwa in seinem Roman *Der Kleine* eine der Gestalten bekennen läßt: „Handlungen und Entschlüsse! – Was für Handlungen und Entschlüsse? – Vor allem will der Mensch sich heute mal wieder selbst kennen ... Er will seine letzten Dunkelheiten lichten und will seine Seele sehen. Das ist *unser* Handeln. Das ist *unsere* Tat. – Das ist die Moderne."[27] Der Unterschied liegt allerdings darin, daß bei Schlaf Dichtung vorwiegend Ausdruck und Folge menschlicher Selbsterkenntnis ist, während Holz versucht hat, Dichtung zum Erkenntnismittel[28] selbst zu machen. Er hat es so nie formuliert und diese Konsequenz seiner eigenen Bemühungen und Absichten wohl auch nicht einmal klar für sich selbst begrifflich erfaßt. Aber alle seine sprachlichen Experimente wie seine ästhetischen Exerzitien haben doch schließlich zum Ziel, die „tausend und abertausend sich kreuzenden Motive in jedem Einzelfalle" im künstlerischen Produktionsprozeß nicht nur zu erfassen, sondern auch, wie Holz selbst sagt, zu entwirren, das heißt aber sie erkennbar zu machen und somit durch die Kunst eine höhere Reflexionsstufe zu erreichen. Es ist ganz offensichtlich, daß sich hier eine Vorstellung von Möglichkeiten und Aufgaben der Kunst anbahnt, die erst in den kommenden Jahrzehnten weiter entwickelt wurde, die den Standpunkt Oscar Wildes ebenso überwindet wie den einer simplen Imitation der Natur und die recht eigentlich modern zu nennen ist. Denn erst auf der Grundlage einer solchen aktiven Rolle der Dichtung als Erkenntnismittel lassen sich die Versuche, „den inneren Menschen zu erfinden",[29] verstehen – Versuche, die von Musil, Joyce, Broch und Döblin bis hin zu den Schriftstellern der Gegenwart angestellt wurden und weiterhin werden. Holz war in diesem Sinne bei der Koproduktion mit Schlaf tatsächlich der Progressivere, aber er täuschte sich ohne Zweifel, wenn er glaubte, daß ihm jeder beliebige andere die gleichen Dienste hätte leisten können. Erst aus dem Zusammenwirken von Holz' aggressivem Avantgardismus und seinen immensen sprachmimischen Fähigkeiten mit Schlafs außerordentlicher Sensitivität entstanden jene *Neuen Gleise*, die in der literarischen Welt der Zeit einiges Furore machten und ihren festen Platz in der deutschen Literaturgeschichte behauptet haben, auch wenn die einzelnen Teile der Sammlung von recht unterschiedlicher Bedeutung sind.

„Mit kleinen, völlig absichtslosen Studien direkt nach der Natur, ohne uns sozusagen um Gott und die Welt zu kümmern, hatten wir angefangen und schließlich mit der ‚Familie Selicke', durch die man in ein Stück Leben wie durch ein Fenster sah, aufgehört",[30] erinnert sich Holz 1897 in einem offenen Brief an Maximilian Harden. Solche „Absichtslosigkeit", ja Beiläufigkeit wird besonders deutlich in jenen Prosastücken, die aus Schlafs Studentenroman entnommen worden sind. Das erste Stück, das Holz und Schlaf gemeinsam bearbeiteten, war *Die kleine Emmi*, die anderen – *Krumme Windgasse 20* und *Ein Abschied* – folgten dann in loser Reihenfolge, aber durch die Person des Waisenkindes Emmi immerhin verbunden. Der Inhalt der Erzählungen ist disparat, soziale Problematik erscheint kaum, und in der Wertung der menschlichen Beziehungen dominiert eine konservative Note, die im Widerspruch steht zu den revolutionären Zielen, die mit diesen Geschichten von der Form her erreicht werden sollten. Ort ist die kleine Universitätsstädt, das „alte, verschrumpelte Nest", das verklärt wird durch Mondlicht oder eitel Sonnenschein. „Der Postillion blies auf seinem Horn in den stillen Abend hinein. Weit, weit über den spitzen Erkern und Dächern glitzerten ein paar weiße Sternchen." [31] Die betriebsame Metropole Berlin wird in bewußten negativen Gegensatz dazu gesetzt. Die Thematik entspricht dieser Szenerie, am deutlichsten in der *Krummen Windgasse 20*, wo sich der in Emmi verliebte täppische Heinz Kummer mit dem ebenfalls charakteristisch benannten erfahreneren Kommilitonen Wüstenhäuser über das Thema „Weib" unterhält. Heißt es für den Zyniker „Weib is Weib!" und „Nach meiner Definition ist die Liebe nischt weiter, als die Berührung zweier Schleimhäute!", so hält dem der Verliebte entgegen: „Du bist'n alter Sauigel!" [32] Und der Widerstand Emmis gegen die brutalen Angriffe und Verführungsversuche ihres Onkels *(Die kleine Emmi)* wie die aufkeimende und immer tiefer werdende zarte Liebe zu Heinz *(Ein Abschied)* sollen den Beleg dafür geben, daß Reinheit doch möglich und Liebe physiologisch so nicht begründbar ist. Man muß sich also deutlich machen, daß die ersten Versuche zu einem sogenannten „konsequenten Naturalismus" in der Prosa gerade in Erzählungen erfolgen, die in ihrer Thematik eine der wesentlichen Erkenntnisse des „naturwissenschaftlichen Zeitalters", nämlich die physiologische Bedingtheit aller psychischen Vorgänge, zu widerlegen trachten, nicht indem sie darüber hinaus nach den in der Tat vorhandenen sehr viel feineren Wechselwirkungen zwischen Seele und Körper suchen, sondern indem sie sich auf einen kleinbürgerlich beschränkten Romantizismus zurückziehen. Auch die Skizze *Ein Tod*, die thematisch nicht mehr mit den Emmi-Geschichten verbunden ist, aber ebenfalls den Stoff aus Schlafs Studentenroman bezieht, geht über diese enge und sentimentale Beschränkung nicht hinaus. Zusammen mit zwei Freunden des Sterbenden wird der Leser Zeuge der letzten Stunden eines im Duell verwundeten Studenten. Aber die Sinnlosigkeit dieses Todes wird kaum erkennbar. Gewiß stehen die Fieberträume und Ängste des Sterbenden im Gegensatz zu der „Ehrenhaftigkeit" des Duells, die die Freunde loben, und gewiß gibt es einen warmherzig-kopfschüttelnden Kommentar der Zimmerwirtin über die Sünde des Duellierens, aber insgesamt bleibt die Erzählung doch leer und im Rührenden verlaufend: die Mutter beugt sich über die Leiche – „draußen zwitscherten die Spatzen, die Tauben gurrten in der blendenden Morgensonne. Vom Fenster bis zum Bett zog sich ein lichter Balken wimmelnder Sonnenstäubchen. Nebenan noch immer die weichen Töne der Geige." [33]

Auch die von Holz allein verfaßte Erzählung *Der erste Schultag*, ein Kapitel aus seinem Kindheitsroman *Goldene Zeiten*, ist voll von Sonnenschein und rustikalen Requisiten wie schnäbelnden Tauben, gackernden Hühnern und kleinen, dicken rosa Ferkelchen. Aber die Naturidylle steht im ironischen Kontrast zu einer bitterbösen Geschichte von der Desillusionierung des kleinen Jonathan an seinem ersten Schultag. In verschiedenen Formen tritt ihm die Brutalität und Grausamkeit des Lebens entgegen, zuerst in Rektor Borchert, der sich in der Klasse die Nägel reinigt und den kleinen Juden zu Tode prügelt – eine faszinierende Studie der Trivialität des Bösen. Aber auch außerhalb der Schulstube ist der Mensch des Menschen Wolf. Jahrmarktszauber enthüllt sich in seiner Fadenscheinigkeit, und Kotel Thiel beraubt Jonathan seiner „schönen, harten, blanken Doppelkrone", bevor er sich davon macht, um einen Aufsatz über den seltenen Edelmut des Horatius Cocles zu schreiben. Die Irrfahrt des kleinen Jonathan endet beim alten Vater Lorenz, seinem Freund, den er tot in seinem „kleinen, roten Häuschen ... draußen dicht am Waldrand" findet: „Sein Kopf war lautlos vornübergewippt, die Kinnlade unten auf die rothe, eingefallne Brust gestoßen, der Mund gräßlich zugeklappt und die kleine, schwarze Fliege drin, die sich eben wieder auf seine Zunge gewagt hatte, begraben." [34]

Holz hat an anderer Stelle, im *Phantasus*, eine Kindheitsidylle gegeben, die – zum Teil unter Verwendung der gleichen Namen – ganz von der Harmonie mit der ländlich-kleinstädtischen Natur getragen ist; Spatzenlärm wie Hühnergegacker, Sonnenschein und kleine rote Dächer, summende Mücken und der Vogel Bülow sind überhaupt als Zeichen wehmütiger Verklärung beliebte Versatzstücke in seinem Werk, nicht nur in den mit Schlaf verfaßten Erzählungen und in seiner Lyrik, sondern zum Teil selbst noch in seinen großen Dramen. Hier jedoch, in der Geschichte von den verlorenen Illusionen des kleinen Jonathan, erstarren diese Requisiten in ihrer scheinbar friedlichen Existenz unter dem Eindruck der grausamen Menschenwelt; sie erscheinen wie Figuren in einem Zaubermärchen, die sich jederzeit in Höllengeister verwandeln können.

In aller grotesken Phantastik wird das deutlich besonders am Schluß der Erzählung, als der kleine Junge das Haus des toten Vater Lorenz betritt. „Die zwölf kleinen, kohlschwarzen Hühnerchen draußen, ab und zu, gackerten, der alte, dicke Pluto, der mit seinem grauen Hintertheil noch grade vorn in das rothe, warme Sonnenviertel reichte, schnarchte, die Tauben oben über dem Dache gurrten, die Tannen drüber rauschten." [35] Drinnen jedoch sitzt der tote Alte, der Raabe Jacob ist ihm auf den kahlen Kopf gesprungen und mit diesem vornübergefallen. Das „kleine, rothe Eichkaterchen" aber „drehte wieder wie toll sein Bauerchen", so daß dem kleinen verlorenen Sohn nur noch der Wunsch bleibt, aus so gespenstischer Atmosphäre zur Mutter zurückzulaufen. „Er wußte von nichts mehr! Nur noch die Mama, die Mama!“ [36] Ein Jugendtrauma von Arno Holz erhielt hier dichterische Gestalt.

An anderen Stellen in der Erzählung werden Naturwesen unmittelbar zur Folie für menschliches Leiden. Als sich der kleine Lewin auf dem Boden in Krämpfen windet, „ampelt“ ein dicker, blauer Brummer auf dem Fensterbrett „verzweifelt mit seinen sechs dickbehaarten, schwarzen Beinen umher“.[37] Die Menschen selbst werden starr in einer so brutalen Welt: „die kleinen Sträflinge saßen jetzt wieder alle da, wie schlecht angemalte Holzpuppen“,[38] und sogar die Unterschiede auf der Skala menschlicher Gefühlsäußerungen verschwinden im Zeichen des Bösen – der kleine Jude bricht in ein „gräßliches Lachen“ aus, um nicht weinen zu müssen.[39]

Holz fand bei den Kritikern seiner Zeit und auch später keine Anerkennung für diese seine eigene Geschichte. Äußerlich unterschied sie sich von den anderen, fast ganz in Dialog aufgelösten dadurch, daß sie relativ große beschreibende Teile aufwies und deshalb an der Oberfläche konventioneller wirkte als diese. Aber im Grunde war der *Erste Schultag* konsequenter als die aus Schlafs Roman hervorgegangenen Erzählungen. Formal war in der artistischen Verfremdung der Natur und des den Menschen umhüllenden „Milieus“ etwas geleistet, das nicht nur den restlichen Erzählungen, besonders dem *Papa Hamlet,* zugute kam, sondern das überhaupt eine neue Tendenz künstlerischen Gestaltens sichtbar machte, dem es um die Darstellung eines gebrochenen Verhältnisses zwischen dem Menschen und einer übermächtig werdenden Welt der Dinge ging. Denn in der Tat ließ die ins marionettenhaft Kalte verformte ländliche Idylle keinen Zweifel daran, daß die „goldenen Zeiten“ einer patriarchalisch-harmonischen Einheit zwischen Mensch und Natur vorüber waren. Holz steht hier am Anfang einer Linie, die in den meisterhaften frühen Erzählungen Hofmannsthals, im psychologischen Symbolismus der kleinen Prosa Musils und schließlich auch in der Parabolik Kafkas ihre Fortsetzung findet. Es muß allerdings dahingestellt bleiben, ob das bei Holz nicht nur ein besonderer „Glücksfall“ war, das heißt, ob Absicht und Einsicht wirklich soweit gingen wie die Wirkung der Geschichte auf den gegenwärtigen Leser. Immerhin gelangen ihm und dem Freunde Schlaf in den restlichen Werken der *Neuen Gleise,* in der *Papiernen Passion,* dem *Papa Hamlet* und der *Familie Selicke,* Studien, die einige der im *Ersten Schultag* angelegten Tendenzen weiterführten.

Mit der *Papiernen Passion* werden wir in die vom Naturalismus allgemein und insbesondere vom Dichter des *Buches der Zeit* so oft zitierte Atmosphäre der Großstadt geführt. Im Hintergrund stampft, dröhnt und

Die papierne Passion.

(Olle Kopelke.)

Eine Berliner Studie.

Von

Arno Holz und Johannes Schlaf.

Eine kleine berliner Küche, vier Treppen hoch, um die Weihnachtszeit. Es ist fast dunkel. Nur das Heerdfeuer, das oben über die Decke zittert, und unten ab und zu aus dem Aschenloch ein paar Funken, die bis in den Kohlenkasten spritzen.

Mutter Abendroth'n, eine große braunirdne Schüssel zwischen den Knieen, sitzt da und reibt Kartoffeln. Ihr dickes, rundes Gesicht ist in den Wiederschein der Heerdgluth vor ihr getaucht und puterroth; ihr Haar schwarz und glatt gescheitelt. Sie trägt eine dunkelbraune Tricottaille, die durch eine bunte Brosche zusammengehalten wird mit dem Bildniß der Königin Louise.

Die Uhr über dem Bett tickt, stoßweise weht der Wind den Schnee gegen das kleine Fenster. Dazwischen, zuweilen, leise in das dumpfe Geratter der Fabrik hinten auf dem Hofe, das Klirren der Scheiben ....

„Hach Jott ja! — Ick sag ja! So'nn Frooenzimmer!"

Das Reibeisen ist ihr in den Brei gerutscht, sie klopft es gegen den Schüsselrand ab.

„Ick sag't ja! Ick ärjer mir noch kaputt! An janzen Leibe! Ick kriej de Schwindsucht! So'nn Frooenzimmer!"

Die kleinen silbernen Ringe in ihren Ohrläppchen zittern, wieder kratzt es regelmäßig durch die kleine Küche ....

„Nee! Nee! So'nn Frooenzimmer! So'nn .... pfff?! Doch schlecht!! Ick sag't ja! Warum nich jleich lieberst in de Beene?? So'nn Miststicken!! Na komm du mir man! Ick weer dir schon inweihen! — — — Wat?? .... Eenzen .... Zweeen ...."

Die Uhr über dem Bett hat zu schlagen begonnen, Mutter Abendroth'n zählt.

„Vieren .... Fünwen .... Wat? Sechsen?! — Nanu wird's Dag! Nu schlag eener lang hin! So'nn Aas!" ...

„„Det jreeßte Portmanneh,
Det jreeßte Portmanneh,
Hat Ladewich, hat Ladewich,
Det jreeßte Portmanneh .....""

Mutter Abendroth'n hat aufgehorcht!

Draußen eine hohe, etwas heisere Stimme; langsam, singend, kommt es die Treppen in die Höhe gestapft.

„„Det jreeßte Portmanneh .....""

Jetzt geht die Entreethür.

„„Hat Ladewich, hat ......
Ach, wat!! —
Ettchen, dettchen, dittchen, dattchen,
Zebe de Bebe de bunte Klattchen,
Zebe de Bebe de Buff!""

Jetzt, endlich, ist auch die Küchenthür aufgegangen.

„'N Abend, Mutterk'n!"

„M!"

Verblüfft ist Wally an der Thür stehn geblieben. Sie ist ein kleines, blondes, vermeckertes Ding von elf Jahren. Den Schneeball vorn an ihrer Jacke hat sie sich noch so schnell als möglich wegzuwischen gesucht, sie stottert.

„Ick .... ick ..."

„M!!"

Unten vier Treppen tiefer aus dem Budikerkeller jetzt deutlich der dünne Ton einer Ziehharmonika: „Siste woll, da kimmt er, lange Schritte nimmt er" ... Mutter Abendroth'n hat sich die Hände in die Seiten, mitten in die dunkle Küche gestellt ... „Siste woll, da kimmt er schon, der besoffne Schwiegersohn ..."

„J! — Seh doch! — Also doch schon?!"

Erste Seite der Studie Die papierne Passion *in der Zeitschrift* Freie Bühne für modernes Leben *(1890)* quietscht tatsächlich die Fabrik, und im Armeleutemilieu der „kleinen berliner Küche, vier Treppen hoch, um die Weihnachtszeit“ bäckt Mutter Abendroth ihre Kartoffelpuffer, betrauert den Tod des kleinen Mariechens, einer von der Schwester angenommenen unehelichen Nichte, liest der ebenfalls angenommenen elfjährigen Wally die Leviten und füttert ihren Untermieter gutmütig ein bißchen durch. In solchem Milieu demonstriert denn auch der „olle Kopelke“, „Sozialanwalt“ und im Leben einigermaßen auf der Strecke geblieben, aus Zeitungspapier sein Puzzle-Spiel von der Passion Christi. Gleichzeitig wird irgendwo draußen im Hinterhof eine Frau von ihrem Manne halbtot geschlagen, während Kopelke erläutert: „Hier, diese beeden Schnitzelkens sind die beeden Schechers! Zu den Een'n sagt der Herr Christus: Wahrlich, ick sage Dir, heite noch wirst Du mit mir in't Paradiese sind!“ Aber am Ende wird „det janze Leiden Christi auseinanderjepust't“, und Kopelke meint behaglich: „Schließlich is det doch 'ne putzige Welt.“ [40] Die Symbolik der fragwürdig gewordenen Passion ist offenbar, zu offenbar eigentlich, um genügend Spielraum zu lassen für die Entfaltung und Wirkung dichterischer Einbildungskraft. Das Thema selbst war beliebt in der Zeit: Conrad hatte in einer Erzählung, Kretzer gleich in einem ganzen Roman Christus in die entchristlichte Realität des ausgehenden Jahrhunderts zurückkehren lassen; Panizza ließ ein Wachsfigurenkabinett zur Passionsgroteske aufmarschieren.[41] Dagegen bleibt die *Papierne Passion* allerdings nur mehr die breit angelegte Milieustudie und Vorarbeit zur *Familie Selicke,* wenn auch die sprachlich reichste und reifste im Vergleich zu den vorausgehenden Erzählungen. Literarhistorisches Interesse gewinnt sie außerdem durch eine Äußerlichkeit: schon im Erstdruck in der *Freien Bühne* ließen die Autoren alle beschreibenden Partien in Kleindruck setzen, um so den Dialog stärker als das Wesentliche zu exponieren [42] – ein Schritt zum Drama war getan, und es schien, wie auch oft behauptet worden ist, als ob sich in ihm erst erfüllen sollte und konnte, was Holz und Schlaf zu schaffen ausgezogen waren:

> Wir wollen die neue deutsche Kunst
> Dem deutschen Volke verkünden.[43]

Betrachtet man jedoch den *Papa Hamlet,* so wird fraglich, ob solche Entscheidung für eine Gattung tatsächlich zu rechtfertigen ist. *Papa Hamlet* erscheint als das eigentliche Meisterwerk aus der Koproduktion von Holz und Schlaf; an ihm läßt sich auch am besten das Ineinandergehen formaler Innovationen und aktueller Thematik nachweisen, da beide nur eigentlich hier zur Einheit verschmelzen.

Der *Papa Hamlet* geht ebenfalls auf einen Entwurf Schlafs zurück, auf die novellistische Skizze *Ein Dachstubenidyll,* die von ihm nachträglich noch in der *Gesellschaft* veröffentlicht wurde.[44] Die Unterschiede sind flagrant. Schlafs Held ist der kleine, an Auszehrung sterbende Sohn des heruntergekommenen Malers Kraft; in der gemeinsamen Arbeit dagegen ist es der Vater, der „große" Schauspieler Thienwiebel, der seinen Sohn mit eigener Hand tötet. Die Schwerpunktverlagerung trägt zur Entsentimentalisierung bei. Schlaf spricht mehrfach den lieben und geehrten Leser an; der Autor lenkt und leitet noch bewußt das Geschehen, beschreibt und erzählt von seiner Perspektive. Davon bleibt später wenig erhalten. Der unmittelbare Kontakt zwischen Autor und Leser wird weitgehend aufgehoben, der Dialog dominiert als möglichst getreue Wiedergabe einer „Sprache des Lebens",[45] und ein Prozeß der Ironisierung und Distanzierung ist allerorts bemerkbar. Der geniale Kunstgriff dafür war natürlich die Einführung des Hamlet-Motivs. Schon der Titel selbst enthüllt Ironie in aller Drastik: der Hamlet-Held, der auf der Bühne den ermordeten Vater rächen soll, wird in seiner eigenen Welt zum Mörder des Sohnes – das Urbild vom verlorenen Sohn erscheint in doppelter Brechung. Hamlet ist außerdem nicht mehr Prinz, sondern ein Schauspieler; der Hang zum Zögern entartet in einfaches Phlegma. Gibt der Bezug auf den großen Stoff der Weltliteratur der Skizze von Holz und Schlaf eine tiefere Dimension im Vergleich zu den recht flächigen anderen frühen Studien, so ist in der Behandlung zugleich ein parodistisches Element angelegt. Das große Heldentum ist heruntergekommen, und nur in all seiner Kläglichkeit ist Thienwiebels „ganze Wirtschaft bei ihm zu Hause" noch „der Spiegel und die abgekürzte Chronik des Zeitalters".[46] Durch diese den Hamlet-Stoff parodierende Thematik erhält die Erzählung aber wiederum größere Aktualität. Denn eben der Bohemien war so etwas wie der antibürgerliche Held seiner Zeit, sich scheinbar über alle Zeit und Vorurteile erhebend, in Wirklichkeit aber doch kleinbürgerlichen Genußvorstellungen und Vorurteilen besonders hinsichtlich der gesellschaftlichen Stellung der Frau und Familie aufs engste verhaftet. Sein Größenwahn ist – wie in manchen anderen Werken der Zeit und dann speziell bei Holz selbst – Symptom sozialer Orientierungslosigkeit. Die ganze Handlung des *Papa Hamlet* ist eine höchst charakteristische „Umfunktionierung" der Selbstzerstörung feudaler Bindungen bei Shakespeare zu einer Darstellung der Auflösung bürgerlicher Familienbande, wie sie die Literatur von Balzac bis zu Thomas Mann und darüber hinaus immer wieder zum Gegenstand hatte und hat. Denn auch im *Papa Hamlet* ist der „Verfall einer Familie" das eigentliche Thema, und das mit aller Konsequenz. Wo bei Shakespeare am Ende eine neue Ära sichtbar wird, ist es bei Holz und Schlaf das Nichts. „Lirum, Larum! Das Leben ist brutal, Amalie! Verlaß Dich drauf! Aber – es war ja alles egal! So oder so!"[47] Fortinbras heißt nicht am Ende die Truppen feuern, um dadurch die Tragödie des

Helden verklärend zu beschließen; vielmehr liegt Sohn Fortinbras tot in der Wiege, erstickt vom eigenen Papa. Keine „pathetische Rede“ [48] am Schluß, sondern Kläglichkeit, Brutalität, Sinnlosigkeit, Heruntergekommenheit, Parodie des Hohen überall. So wenig der *Papa Hamlet* direkt zeitkritisch sein will – etwa im Sinne von Kretzers Romanen – so sehr ist er es doch gerade indirekt von der Behandlung des Hamlet-Motivs her.

Entscheidend trägt dazu ein weiterer Kunstgriff bei: die beständige Einflechtung von Shakespeare-Zitaten in den Text. Im alten, zerrissenen Schlafrock, aus dem die Wattestücke fallen, meditiert der große Thienwiebel vor sich hin:

> „Er hatte seit kurzem – er wußte nicht wodurch? – all seine Munterkeit eingebüßt, seine gewohnten Übungen aufgegeben, und es stand in der That so übel um seine Gemüthslage, daß die Erde, dieser treffliche Bau, ihm nur ein kahles Vorgebirge schien. Dieser herrliche Baldachin, die Luft, dieses majestätische Dach mit goldnem Feuer ausgelegt: kam es ihm doch nicht anders vor als ein fauler, verpesteter Haufe von Dünsten. Welch ein Meisterwerk war der Mensch! Wie edel durch Vernunft! Wie unbegrenzt an Fähigkeiten! In Gestalt und Bewegung wie bedeutend und wunderwürdig im Handeln, wie ähnlich einem Engel; im Begreifen, wie ähnlich einem Gotte; die Zierde der Welt! Das Vorbild der Lebendigen! Und doch: was war ihm diese Quintessenz vom Staube? Er hatte keine Lust am Manne – und am Weibe auch nicht. Die Zeit war aus den Fugen! War es zu glauben? Aber – e – man hatte ihm noch immer nicht geschrieben. Man war undankbar in Christiania. Armer Yorick!“ [49]

Der arme Außenseiter in der Dachkammer muß sich schließlich der gesellschaftlichen Institution einer Kunstakademie als Aktmodell verdingen. „Sie haben da Leute, Leute – Leute? Pah! Stümp'rr! O Schmach, die Unwerth schweigendem Verdienst erweist!“ [50] Das Leben bleibt, wie sich zeigt, brutal. Der beständige Kontrast zwischen erhabenem Schein und miserablem Sein macht die eigentliche Spannung der Erzählung aus. Die Sprache Schlegels und damit der deutschen „Kunstperiode“ wird im Munde Thienwiebels durchmischt mit Theater- und Bohèmejargon und damit zum Schmierenpathos entstellt. Die Kritik am bürgerlichen Bildungsideal des wilhelminischen Zeitalters ist immanent. Umgekehrt erscheint der Alltagsjargon dadurch in noch größerer Banalität. Das literarische Zitieren, von Holz später im *Phantasus* bis zum Exzeß gehandhabt, wird hier zuerst als Mittel ironischer Kommentierung durch den Autor verwendet, eine Technik, die allgemein in moderner Literatur Schule gemacht hat. Das Besondere daran ist, daß auf diese Weise der

Kommentar in die sprechende, „zitierende" Gestalt selbst verlegt wird, daß also der Autor dahinter zurücktritt und die Charakteristik der Gestalten damit von innen nach außen geschieht.

Was die ersten Leser dieser frühen Skizzen von Holz und Schlaf so verwirrte, das war der Versuch, die im Realismus des 19. Jahrhunderts durchaus noch akzeptierte Rolle eines allmächtigen und seine Gestalten sicher führenden Erzählers aufzugeben. Es ist allgemein bekannt, daß der Roman des 20. Jahrhunderts weitgehend auf eine solche lenkende und leitende Funktion des Autors verzichtet hat, und zwar als Reaktion auf eine Wirklichkeit, die in ihrer Komplexität das Verständnis des einzelnen überwältigt und sich einer Deutung in einem geschlossenen Weltbild entzieht. Bei der Darstellung eines Menschenschicksals bedeutete das, daß der Autor sich auf gleiche Stufe mit seinen Gestalten stellen mußte und nur noch mutmaßender Beobachter, aber nicht mehr gottähnlicher Schöpfer sein konnte. Anfänge einer solchen Haltung sind unschwer bei Holz und Schlaf zu erkennen. Schlaf hat einmal versucht, Holz' Satz von dem Verhältnis zwischen Kunst und Natur gegen Zolas Definition zu stellen und die gemeinsame eigene Position so zu umschreiben: „Ein Kunstwerk ist ein Stück Leben, angesehen nicht durch das Temperament des Künstlers, sondern aller der Personen, die er geben will." [51] Das aber heißt, daß der „konsequente Naturalismus" von Holz und Schlaf die Absetzung des allmächtigen Erzählers beabsichtigte und damit zu einer Veränderung der Erzählperspektiven führte, die erst in der Epik des neuen Jahrhunderts fruchtbar weiterentwickelt wurde.

Im einzelnen bedeutet das etwa, daß in den Dialogen die Sprecher nicht mehr bezeichnet werden, sondern daß der Leser einer Art Stimmengewirr gegenübersteht, das sich erst rückbezüglich aus genauer Kenntnis der Charaktere entwirren läßt. Es entsteht in einigen Fällen ein Gemeng von Sätzen und Satzfragmenten, das weniger durch das, was im einzelnen ausgesagt wird, Bedeutung hat, das vielmehr die Impression eines chaotischen, fragmentarisierten, im Zwischenmenschlichen beziehungslosen Daseins schafft. An manchen Stellen artet das schon zur Manier aus, etwa in der Erzählung *Ein Tod,* wo es nicht gelingt, den drei Hauptgestalten der Erzählung wirklich menschliche Substanz zu geben, so daß die Gespräche und Gesprächsfetzen regelrecht ins Leere gehen und auch vom Ganzen her keinen Sinn ergeben. In *Papa Hamlet* jedoch ist es weitgehend gelungen. Die Eröffnung der Skizze geschieht mit dem folgenden Satz:

> „Was? Das war Niels Thienwiebel? Niels Thienwiebel, der große, unübertroffene Hamlet aus Trondhjem? Ich esse Luft und werde mit Versprechungen gestopft? Man kann Kapaunen nicht besser mästen? . . ." [52]

Das erscheint nicht als Teil des Dialoges, ist aber auch nicht Einführung durch die Autoren selbst, sondern erweist sich durch das „Ich"-Zitat im vierten Satz als erlebte Rede, als innerer Monolog des Helden selbst, wovon nun tatsächlich auch die Erzählung voll ist bis hin zur großen, bereits zitierten Klage des armen Yorick am Beginn des dritten Abschnitts. Aber nicht nur von Thienwiebels Perspektive her erfolgen solche Darstellungen und Kommentare. Auch durch Amalies, Oles und Frau Wachtels Augen sehen wir gelegentlich, und selbst wo es sich um eine scheinbar rein sachliche Szenenbeschreibung zu handeln scheint, begeben sich die Autoren durch eine kleine Seitenbemerkung auf das Niveau ihrer Gestalten. Von Amalie heißt es: „Ihre dünnen, lehmfarbenen Haare waren noch nicht gemacht, ihre Nachtjacke schien heute noch schmutziger als sonst und stand vorn natürlich wieder offen..." [53] Das „natürlich wieder" hat hier nicht nur die Funktion einer leicht ironischen Auflockerung der an sich trockenen Beschreibung, sondern es versetzt die Autoren zugleich in die Rolle der mit Darinstehenden, der Freunde und Nachbarn der Gestalten. Das Ende der Erzählung schließlich dreht nur noch Zitate durcheinander – Zitate aus Shakespeare ebenso wie die persönlichen Leitmotive aus dem Mund der einzelnen Gestalten:

„Wohlan, eine pathetische Rede!
Es war der große Thienwiebel.
Und seine Seele? Seine Seele, die ein unsterblich Ding war?
Lirum, Larum! Das Leben ist brutal, Amalie! Verlaß Dich drauf!
Aber – es war ja alles egal! So oder so!" [54]

Die Perspektiven vermischen sich, und der Erzähler hat sich ganz und gar zurückgezogen. „Mein Standpunkt, der nicht der ‚idealistische' ist, verbietet es mir, von ihm aus ‚Verdammungsurteile' zu fällen. Ich fälle überhaupt keine ‚Verdammungsurteile'; ich suche in erster Linie zu ‚verstehn'. Non ridere, non lugere, neque detestari, sed intelligere! Das ist meine Devise", schrieb Holz am 10. Februar 1889 in einem Brief. Daraus aber stellt sich ihm die künstlerische Aufgabe, die „Tatsachen nicht zu verneinen, sondern sie zu bejahen, ihnen gegenüber nicht zu fühlen, sondern aus ihnen heraus zu denken." [55] Die Methode des „consequenten Realisten" Arno Holz läßt sich nicht deutlicher bezeichnen.

Nun fehlt auch im *Papa Hamlet* allerdings eine letzte Folgerichtigkeit in diesem Verfahren; Funktion und Perspektive einiger Beschreibungen sind durchaus nicht klar, und die führende Rolle der Erzähler läßt sich besonders bei einigen idyllisch-melodramatischen Effekten in den Szenenbeschreibungen nicht leugnen. Alles in allem jedoch wurde aber hier hinsichtlich der epischen Technik wirklich Neuland betreten. Auch im Stil schlagen sich übrigens die Tendenzen zu einem Rückzug der Erzähler von ihrer überlegenen Position nieder. Wenn Hauptmann schon gleich nach dem Erscheinen der Skizzen an die Autoren schrieb: „Ihre Schilderung kommt mir sehr, sehr unbeholfen vor: ‚jetzt geschah das, jetzt machte er das, jetzt u. jetzt u. abermals jetzt“ [56], so weist er damit unabsichtlich auf einen entscheidenden Stilzug hin. Denn eben diese tatsächlich gehäuften „jetzt“ und „nun“ sind nicht Resultat eines schriftstellerischen Unvermögens, sondern vielmehr notwendig aus der Perspektive der Autoren, die nicht von oben herab ihre Figuren lenken und über sie zu Gericht sitzen, sondern die sich – weitgehend – auf ihre Ebene begeben und die Welt im Prisma des Augenblicks dieser Gestalten sehen wollen. Um die Charaktere geht es Holz und Schlaf in erster Linie. In seinen Gedanken zum Drama hat Holz später einmal bemerkt, daß die Menschen auf der Bühne nicht der Handlung wegen da seien, sondern die Handlung der Menschen wegen: „Darstellung von Charakteren“ sei das Gesetz des Theaters.[57] Im Grunde hat eine solche Feststellung aber nichts mit der Gattung „Drama“ zu tun, sondern eher mit der besonderen historischen Situation, in der sich der Schriftsteller Holz befand. Denn was er für das Drama fordert, gilt im Wesentlichen auch schon für diese Prosaskizzen. Auch sie sind Charakterexposition und müssen es sein, weil sie ja eben Menschen in der Befangenheit eines sinnlosen, leeren Kreislaufs darstellen sollen, in dem es eine echte, bewußte Tat und Handlung gar nicht geben kann. Getreu den zeitgenössischen Vorstellungen von der Milieubedingtheit des Menschen sind die Gestalten des *Papa Hamlet* nur Marionetten am Draht der Verhältnisse. Jede, eine innere Selbständigkeit voraussetzende Kommunikation zwischen ihnen ist unmöglich, und das ist es letzten Endes auch, was der sogenannte „Sekundenstil“ suggerieren soll, der so häufig mißverstanden wurde. Ein – beliebiges – Beispiel der Skizze zeigt das deutlich:

„‚Ich weiß ja! Du bist ja am Ende auch nicht Schuld dran! Nu sag' doch!‘

Er war jetzt wieder auf sie zugerückt.

‚Nu sag' doch! . . . Man kann doch nicht so – verhungern?!‘

Er lag jetzt dicht hinter ihr.

‚Ich kann ja auch nicht dafür! . . . Ich bin ja gar nicht so! Is auch wahr! Man wird ganz zum Vieh bei solchem Leben! . . . Du schläfst doch nicht schon?‘

Sie hustete.

‚Ach Gott, ja! Und nu bist Du auch noch so krank! Und das Kind! Dies viele Nähen . . . Aber Du schonst Dich ja auch gar nicht . . . ich sag's ja!‘

Sie hatte wieder zu schluchzen angefangen.

‚Du – hättest – doch lieber, – Niels . . .‘

> ‚Ja ... ja! Ich seh's ja jetzt ein! Ich hätt's annehmen sollen! Ich hätt' ja später immer noch ... ich seh's ja ein! Es war unüberlegt! Ich hätte zugreifen sollen! Aber – nu sag' doch!!'
>
> ‚Hast Du ihn – denn nicht ... denn nicht – wenigstens zu – Haus getroffen?'
>
> ‚Ach Gott, ja, aber ... aber, Du weißt ja! Er hat ja auch nichts! Was macht man nu blos? Man kann sich doch nicht das Leben nehmen?!'" [58]

Die Absicht solchen Verfahrens ist offensichtlich: der Dialog soll in der Alltagssprache aufgezeichnet werden mit Stockungen und Pausen, Interjektionen und der phonetisch getreuen Wiedergabe umgangssprachlicher Eigenheiten wie „is" und „nu". Satzzeichen sollen Intonation und Sprechrhythmus andeuten helfen – der Partiturcharakter eines erst im Lesen zu vollziehenden Textes wird deutlich. An anderen Stellen der Erzählung wird Dialekt einbezogen – kieken, klunkern, stippen, Putteken, Mäuseken und Poten. Interjektionen erscheinen als Laute: hä, he, hoo, ha, grr, ai. Das hat, wie gesagt, dazu geführt, daß man im Text nur noch ein akustisches Protokoll sehen wollte, das „Sekunde für Sekunde" [59] einen Vorgang festzuhalten versucht und damit in eine Häufung von Belanglosigkeiten und öde Kleinmalerei ausartet. Nun ist das in einzelnen von Holz' und Schlafs Studien tatsächlich der Fall, etwa in den allzu stilisierten und im Grunde nichtssagenden Fieberphantasien des sterbenden Studenten in *Ein Tod*. Aber gerade im *Papa Hamlet* wird die eigentliche Intention und Funktion dieses „Sekundenstils" greifbar. Denn natürlich ging es den beiden Autoren nicht um Kleinmalerei und Detailtreue, sondern darum, durch die Aufzeichnung der wirklichen „Sprache des Lebens" den Menschen in seinen vielfältigen Beziehungen zu Umwelt, Mitmensch und sich selbst besser darzustellen. So enthüllt das charakteristische Abbrechen der Sätze in unserem Beispiel eben jene tiefe innere Beziehungslosigkeit der Menschen untereinander, von der auch die Handlung zeugt, und ebenso die Hilflosigkeit einer solchen Situation gegenüber. So sehr sich die Menschen äußerlich aneinanderdrängen, so wenig erreichen sie sich innerlich. Das Fragmentarische im Sprechen bedeutet auch Fragmentarisierung des Lebens selbst, Ausgeliefertsein, Verlassenheit und Einsamkeit vieler „verlorener Söhne". Neben und über dem „jetzt" dominiert das „nicht" in diesem Stil.

Man hat diese Skizzen und Studien „szenische Erzählungen" genannt,[60] da in ihnen tatsächlich der Dialog überwiegt und in einigen die beschreibenden Teile auch drucktechnisch davon abgesetzt sind. Aber im wesentlichen ist dieser „konsequente Naturalismus", wie ihn Holz und Schlaf hier praktizieren, keine Gattungsfrage. Der Dialog ist vielmehr nötig, um jenes Auseinanderbrechen des Lebens und der menschlichen Beziehungen überhaupt anschaulich zu machen. Damit entsprechen Holz und Schlaf lediglich einer Notwendigkeit für die künstlerische Gestaltung unter historischen Umständen, die es ausschlossen, daß sich der Künstler in Träumen von einer harmonischen und heilen Welt wiegte, wo für den ehrlichen und kritischen Beobachter eher ein Prozeß der Weltvernichtung und menschlichen Vertierung bemerkbar war. „Man wird ganz zum Vieh bei solchem Leben!"

Der tatsächliche Gegenstand der Arbeiten von Holz und Schlaf war, wie schon in der Theorie, nicht das Detail, sondern der Mensch in seiner Gesamtheit. Holz hat das 1896 in seinem Vorwort zu den *Sozialaristokraten* noch einmal aufs deutlichste ausgedrückt: „Was die alte Kunst mit ihren primitiveren Mitteln, an die wir nicht mehr glauben, die uns keine Illusion mehr geben, schon einmal getan, diese neue Kunst mit ihren komplizierteren Mitteln, hinter denen wir mal wieder bis auf weiteres noch nicht so die Fäden sehen, wird es noch einmal leisten: den ganzen Menschen von neuem geben!" [61] Diesem Ziel aber diente der „Sekundenstil". Alle die kleinen Eigenheiten und Besonderheiten der Sprache sollen nicht um ihrer selbst willen da sein, sondern um differenzierter zu gestalten, das heißt Inneres nach außen zu bringen, für das es sonst keine Sprache gab. So sollten gerade diese naturalistischen Studien alles andere als Abbild einer äußeren Wirklichkeit sein; ihr Zweck war, Literatur als Erkenntnismittel einzusetzen. Daß dergleichen nicht auf den ersten Anhieb erreicht werden konnte, ist einzusehen und hat dennoch zu hartnäckigem Mißverstehen geführt, obwohl gerade der *Papa Hamlet* schon genügend Überzeugungskraft besaß, um die Zweifelnden und Verständnislosen eines Besseren zu belehren.

Obwohl die Erstaufführung der *Familie Selicke* am 7. April 1890 in der Freien Bühne zu Berlin einigermaßen turbulent verlief und die beiden Autoren sogar von einem Teil des Publikums mit einem „Raus" bedacht wurden,[62] geriet das scheinbar Schockierende bald in Vergessenheit. Das Drama, durch das man nach Holz' Intention „ein Stück Leben wie durch ein Fenster" sehen sollte,[63] fristet heute nur noch sein Dasein als Zeugnis seiner Zeit. Dennoch glaubten beide Autoren, hier ihr Konsequentestes gegeben zu haben. Fragen der Erzählperspektive waren nicht mehr zu bewältigen. Menschen sollten in ihrer Unmittelbarkeit auf die Bühne gestellt werden und für sich selbst sprechen. Das „Jetzt", das schon das epische Präteritum der Skizzen durchsetzt hatte, sollte ganz und gar dominieren. Eine Erzählung Schlafs mit dem Titel *Eine Mainacht* gab den Stoff, und die gemeinsame Skizze vom „ollen Kopelke" und seiner Papiernen Passion wurde teilweise hineingearbeitet. Sie war es übrigens, die schon in ihrer äußeren Form dem Drama am nächsten stand und in der auch das Präsens durchweg vorherrscht.

Was bei solcher Arbeit herauskam, schien auch vom Stoff her einigermaßen neu und „naturalistisch". Es war das Milieu der Kleinbürgerwohnung im Berliner Norden, in das der Zuschauer gerade am Weihnachtstag eingeführt wird und in dem er Zeuge der Familienzwistigkeiten bei Selickes wird, die weder durch den Tod der kleinen Tochter Linchen noch durch den Verzicht der großen Tochter Toni auf ihren Pfarramtskandidaten einigermaßen behoben werden. Das Thema ist also, wie im *Papa Hamlet,* der Verfall einer Familie, die Zerstörung menschlicher Bindungen und das Hinaustreiben der einzelnen in Kontaktlosigkeit und Einsamkeit. Die Menschen verstehen einander nicht mehr, aber „der Vater spricht mit dem Vogel, als wenn er ein Mensch wär'!" [64] Dort nur, bei der für Menschensprache tauben Kreatur kann man sich im Monolog Sympathien suggerieren. Charakteristisch für das Zerbrechen aller Beziehungen ist auch der Zug des Hand-an-die-Eltern-Legens. Als Toni ihren betrunkenen Vater zurückstößt, begehrt er auf: „Waaas?! Du – willst – Dich – an Deinem *Vater* – vergreifen?" [65] Hauptmann hatte genau zur gleichen Zeit in seinem *Friedensfest,* das knapp zwei Monate nach der *Familie Selicke* an derselben Stelle uraufgeführt wurde, das „Vergreifen" eines Sohnes am Vater zum Zentralmotiv des ganzen Dramas am Weihnachtsfest der Familie Scholz gemacht. Schließlich legte ja auch im *Papa Hamlet* – umgekehrt – der Vater seine Hand an den Sohn. Und wie im *Buch der Zeit* und allgemein in der Literatur dieser Jahre findet sich wieder das Motiv der Vertierung, einer Art rückläufigen Darwinismus also, wonach der Mensch, der sich entwicklungsgeschichtlich in seiner Gestalt höherentwikkelt hat, in seinem Wesen durch die gesellschaftlichen Verhältnisse wieder zurückgedrückt wird auf die Stufe des Tieres, von dem er sich doch hätte entfernt haben sollen. „Sie sind nichts weiter als Thiere, raffinirte Bestien, wandelnde Triebe, die gegeneinander kämpfen, sich blindlings zur Geltung bringen bis zur gegenseitigen Vernichtung!" [66] klagt Kandidat Wendt seiner Toni. In dieser Darstellung der Verkümmerung des Menschlichen wird also zweifellos ein aktuelles Problem berührt, aber zugleich geschieht das doch auf eine Art und Weise, die sich selbst einiger Überzeugungskraft beraubt. Fontane hat in seiner klassisch gewordenen Rezension dieses Stückes auf den wunden Punkt gewiesen: „Wenn nun der Jammer fortfällt, wenn der alte Selicke seine Bummelbrüderschaft abstreift, wenn Frau Selicke das Reißen in ihrem Bein verliert und das Gnauen und Stöhnen endgültig aufgibt, wenn Toni ihren Kandidaten kriegt und als Pastorsfrau nach Malchow oder Marienfelde kommt, und wenn, nicht zu vergessen, das arme kleine Lieschen, das immer so rührend ‚Mamachen' ruft, wenn das arme Lieschen *nicht* an der Schwindsucht stirbt, sondern nach Görbersdorf geht und auskuriert wird, und schließlich, weil die Kränklichen immer was Feines haben, einen Geheimen Hofrat oder gar (vom Mutter Selicke-Standpunkt aus kaum auszudenken) einen Bankier heiratet – wie steht es *dann* mit einem solchen realistischen Stück?“ [67] Die Ursache für die künstlerische Schwäche der *Familie Selicke* ist, daß Holz und Schlaf die gesellschaftlichen Kräfte, die zu dem Zerfall der Familie geführt haben, nicht sichtbar machen. Die wiedergegebene „Natur“ bleibt in dieser Hinsicht nur Oberfläche. Wohl meint Kopelke einmal: „Die ollen Fabriken rujeniren den kleenen Mann!“ [68], aber weder hat eine solche Bemerkung irgendwelche Funktion innerhalb des Stückes, noch sind Beziehungen zwischen der inneren Not der Familie Selicke und ihrem sozialen Status erkennbar. Die äußere Not war dagegen, wie Fontane schon zeigt, in diesem Falle nicht so schwerwiegend und unaufhebbar, daß sie den Konflikt hätte tragen und rechtfertigen können. Es ist weder extreme Armut, die die Familie in die Zerrüttung treibt, noch sehen wir ein Scheitern an der Hohlheit eines bürgerlichen Moralkodex, wie das Hauptmann in seinem *Friedensfest* darzustellen versuchte. Anstelle der Einsicht in gesellschaftliche Zusammenhänge tritt das Melodrama. Im Hinblick auf eben dieses Stück hatte Hermann Bahr die Bemerkung von der „Krankheit des kleinen Lieschen“ als dem „triebkräftigen Ereignis“ der dramatischen Aktion gemacht.[69] Tatsächlich wird damit eine politische Insuffizienz einer Anzahl deutscher Schriftsteller bloßgelegt; zum Lieschen – oder eigentlich Linchen im Text – und dem Mariechen gesellte sich bald auch das Hannele sowie eine siechende Kinderschar bei Kretzer und Gefährten. Und noch ein zweites Phänomen findet sich ein. Toni und ihr Pastor träumen sich hinweg von der Großstadt in ein „stilles, gesundes Landleben“ mit Dorfkirche, Obstgarten, Hühnerhof und einer großen Mauer drum herum[70]. Eine derartige Flucht in die Landidylle wird keineswegs ironisiert, sondern tief ernst genommen als der Ausweg aus einer Krise, deren Wurzeln zu erkennen doch offenbar über die Kraft der Autoren ging. Die „Heimatkunst“, die im deutschen Naturalismus schon von seinen Anfängen an immanent ist, hat in solchen Ausweichmotivationen ihren Ursprung.

Obwohl Holz und Schlaf im Drama gerade die eigentliche Erfüllung ihrer literarischen Erneuerungsversuche erblickten, raubte ihnen eben dessen Direktheit die Mittel, mit denen sie neue Literatur hätten schaffen können. Im *Papa Hamlet* gab die Bohème-Existenz des großen Thienwiebel den rechten Stoff, an dem sich durch ein geschicktes Spiel mit ironischen und parodistischen Sprachmitteln die Aushöhlung menschlicher Beziehungen in einer brutalen, unverständlichen Welt darstellen ließ. In der *Familie Selicke* dagegen sollte sie in aller Ernsthaftigkeit, Schwere und Konkretheit anschaulich werden, und dazu reichte der Autoren Einsicht in die Bewegungsgesetze dieser Welt nicht aus.

Es ist also im Grunde eigentlich auch wenig von Belang, die technischen

Errungenschaften der *Familie Selicke* hervorzuheben, denn sie finden sich ebenso und zum Teil besser und deutlicher in den Prosastudien, von denen zum Beispiel Hauptmann nach eigenem Zeugnis seine wesentlichen Inspirationen erhalten hat. In seinen bedeutendsten frühen Werken, den *Webern* vor allem, erfüllte sich, was Holz wohl vorgeschwebt haben mag, ohne daß er es praktisch vermocht oder in der Theorie klar hätte erfassen können. Der blasse Achtungserfolg der *Familie Selicke* und Fontanes freundliche Kritik veranlaßten Holz vielmehr dazu, nach und nach an die Ausarbeitung einer Theorie von der Evolution des Dramas zu gehen, die zu einer Art artistischem Perpetuum mobile wurde, mit dem sich die von ihm immer höher aufgetürmten Probleme, nämlich Berlin und „das Ende einer Zeit in Dramen" darzustellen, noch weniger bewältigen ließen als die Familiensorgen der Selickes mit den einfacheren Mitteln der ersten naturalistischen Stilexperimente.

Darüber ist jedoch nicht zu vergessen, daß auch die *Familie Selicke* bei allen Unzulänglichkeiten dazu beigetragen hat, ihrer eigenen Zeit neue Perspektiven zu eröffnen. Überhaupt sind die *Neuen Gleise,* alles in allem, eine wichtige Stufe in der Entwicklung der Kunst in Deutschland vor der Jahrhundertwende. Sie bezeichnen den Übergang von den vorwiegend auf die Einführung neuer Stoffe bedachten Reformversuchen im Frühnaturalismus zu spezifisch künstlerischen Aufgaben. Holz und Schlaf verstanden sich als ästhetische Experimentatoren – die *Neuen Gleise* seien „von Anfang an nie etwas anderes als ein einziges großes Experiment gewesen", heißt es in der Vorrede zu dem Band.[71] Das ist allerdings nur ganz wörtlich und nicht im Sinne Zolas gemeint, dessen Vorstellungen vom Experimentalroman, vom Beweis objektiver Gesetzmäßigkeiten im Kunstwerk, also vom „Experiment, das sich bloß im Hirne des Experimentators abspielt", Holz aufs schärfste als unmöglich und undurchführbar ablehnte.[72] Es ist Holz' besonderes und eigenes Verdienst, die Sprachproblematik zuerst in den Mittelpunkt der Aufmerksamkeit gerückt zu haben. Denn was dann später als sogenannte „Sprachkrise" erscheint, von Hofmannsthal scharfsinnig und feinfühlig diagnostiziert, das läßt sich hier in seinen ersten Symptomen schon klar erkennen. Von der Entpathetisierung und Ironisierung der Rede geht das Register bis zur dichterischen Inszenierung der Sprachlosigkeit als Ausdruck der Verlorenheit in einer übermächtigen Welt und Gesellschaft. Es wäre aber gerade deshalb entstellend, wollte man wiederum in den Sprachexperimenten der *Neuen Gleise* nur Formspielereien, nur eine Kunst um der Kunst willen sehen. Die Anatomen der Zeit sollen Dichter und ihre Dichter Anatomen sein, meint der fiktive Übersetzer des fiktiven Bjarne P. Holmsen in seiner Einleitung.[73] Das Objekt ist immer der Mensch, und auf die Erkenntnis der ihn leitenden und bewegenden Gesetze ist es abgesehen, um „die

So dieſerweiſe angeregt
Man ſchließlich dann des Dichtens pflegt.
Es theilt ſich mit der höh're Schwung
Der Hinterhemdenzipfelung.

Der Kaffee dampft, der Knaſter ſchmeckt,
Es ſummt das häusliche Inſekt.
Dazu von Phantaſiegeſtalten
Ein oben angedeutet Walten.

Arbeit an der Familie Selicke: *Szene aus* Der geschundne Pegasus *(1892)*

Menschheit, durch die Erforschung der Gesetzmäßigkeit der sie bildenden Elemente genau in dem selben Maße, in dem diese ihr gelingt, aus einer Sklavin ihrer selbst, zu einer Herrscherin ihrer selbst zu machen".[74] Holz sagt das in seiner Abhandlung über die Kunst mit Bezug auf die Soziologie, in der er aber ganz das „Wollen unserer Zeit" ausgedrückt sieht, dem sich für ihn das Kunstwollen zuordnet und einordnet, wie ihm die Kunstwissenschaft geradezu eine Spezialwissenschaft der Soziologie wird. Theorie und Praxis sollten sich gegenseitig bestätigen.

Zahlreich sind die Anregungen und Impulse, die durch die *Neuen Gleise* und durch Holz' Versuch zu einem neuen Kunstgesetz ausgegangen sind. Wenn auch ein wirtschaftlicher Erfolg nicht erzielt war, denn die Schriften verkauften sich ebenso schlecht wie das *Buch der Zeit*, und nur wenige Theater interessierten sich für die *Familie Selicke*, so hatte doch zumindest die literaturkundige Öffentlichkeit aufgehorcht. Die beiden Verfasser gerieten für einige Zeit sogar in einen Brennpunkt des Interesses, und Holz konnte sich in gewissem Sinne wirklich als „in den Sattel gehoben" betrachten. Aber er ritt allerdings nicht auf der großen Straße weiter, sondern bog erhobenen Hauptes und mit Waffengeklirr in einen Garten ab. Gewiß hatte damit zu tun, daß Schriftsteller wie Hauptmann, den Holz als Schüler und Nachahmer empfand und der ihm tatsächlich vieles schuldete, oder aber Halbe und Sudermann mit ihren Erfolgsstücken ins Rampenlicht traten und der Blick von ihm auf sie gelenkt wurde. Aber andererseits hatte auch die Verführung zum Abbiegen schon immer in ihm gesteckt. „In Holland mußten die Paradiesvögel entschieden schöner pfeifen und die Johannisbrotbäume noch viel, viel wilder wachsen!" Der Klang seines Satzes hatte den jungen Schriftsteller einst begeistert und ihn auf die Suche nach einem Gesetz für die Kunst ausgesandt. Hätte er sich besser gekannt, so hätte er wohl gesehen, daß hier nichts Ästhetisches herzuleiten war. Was ihn im Innersten berührte, war der Klangrausch des Exotischen, die Sehnsucht nach der fernen Idylle, da die Blütenträume des „verlorenen Sohnes" in der Atmosphäre des wilhelminischen Deutschland nicht reifen wollten. Im *Phantasus* konnte sich seine Sehnsucht dann voll ausleben.

Revolution der Lyrik

Mit seinen theoretischen Studien der Jahre 1891/92 glaubte Holz, Wesen und Gesetze der Kunst ein für allemal entschleiert zu haben. Die Überzeugung, trotz mangelnder Anerkennung mit seinen Theorien wirklich recht gehabt zu haben, hat ihn nie verlassen. Ohne sein Grundgesetz, schreibt er noch 1926, wäre er „keine drei Finger weit gekommen", und die Definitivfassung seines Sammelbandes über die *Neue Wortkunst* werde einst „naturgesetzlich ‚eisern'" dastehen.[1] In Wirklichkeit handelte es sich bei seinen Überlegungen allerdings mehr um Arbeitshypothesen, die ihm ermöglichten, seine eigenen besonderen sprachkünstlerischen Fähigkeiten in dem größeren Zusammenhang einer Veränderung und Erneuerung der Literatur überhaupt zu sehen. Das wurde schon an den frühen Prosaskizzen und der *Familie Selicke* offenbar, und das wird noch deutlicher im Bereiche der Lyrik, dem sich Holz nach der Trennung von Schlaf seit 1892 wieder stärker zuwandte. Motiviert hat er sein erneutes Interesse so, daß es mit dieser literarischen Gattung noch am meisten im argen läge, während das Drama durch seine und Schlafs Bemühungen bereits den „großen Weg zur Natur zurück"[2] betreten habe und der Roman außerhalb Deutschlands schon eine Generation früher auf neue Wege gegangen sei. Allerdings gab Holz auch gleichzeitig – 1898 in der Selbstanzeige seines *Phantasus* – zu, daß ihm von Jugend auf Kunst und Poesie und Poesie Lyrik gewesen sei,[3] und ihr hat er sich dann auch mit immer größerer Ausschließlichkeit gewidmet.

Das weite Feld der Lyrik in Deutschland war tatsächlich recht öde und wenig abwechslungsreich, als Holz um 1890 mit seinen Versuchen zur Revolution auf diesem Gebiete begann. Frühlings- und Kinderseligkeit, Waldesstille, Alpenglühen, „rauschende Bäche quellenden Lebens"[4] und die Wehmut der Vergänglichkeit wurden besungen, Scholaren zogen unverzagt den Rhein entlang, Schwerter blitzten aus Germaniens Vergangenheit herüber, und der Trompeter von Säckingen blies von Thule bis Sorrent. Es war eine veräußerlichte Romantik oder romantisierte Äußerlichkeit, die in Goldschnittbänden und Zeitschriften fürs Heim dominierte. Der gedämpfte Aufstand der modernen Dichtercharaktere verhallte weitgehend ungehört, denn das wenige Neue verschwand in einer Fülle von imitiertem Alten. Scheffel, Dahn, Heyse und Geibel – gewiß keine lyrischen Originalgenies – fanden nun ihrerseits schon Epigonen, und von den Älteren brachte eigentlich nur Liliencron durch seinen sensitiven Impressionismus Frische und Farbe in die eintönige Landschaft. Nietzsches Lyrik war nur erst verstreut in seinem Werk erschienen, und Conrad Ferdinand Meyer rangierte noch 1895 in einer Anthologie unter den Poeten, „die eine etwas abgesonderte Stellung einnehmen".[5] Es wucherte also weithin Dilettantismus, ein potenziertes Epigonentum, das Heinrich und Julius Hart schon 1882 im dritten ihrer *Kritischen Waffengänge* angeprangert hatten. Sie taten es dort in einer scharfen Auseinandersetzung mit Albert Träger, dem „Lyriker à la mode", in dessen weit verbreiteten Gedichten sie in endlosen Varianten Geibel, Uhland, Tieck oder Freiligrath hörten, nur eben als Poesie aus zweiter oder dritter Hand, verschwommen und ohne jedes eigene Leben. Eine Strophe wird zitiert:

> Das Leben ließ mein Herz erkalten,
> Nur in der Asche glimmt die Gluth,
> Wo still in seinen tiefsten Falten
> Dein heilig Bild begraben ruht.

Der Kommentar lautet: „Jedes Wort dieser Zeilen ist ein leuchtender Funke genialen Aftersinns." [6] Die Verse sind in der Tat ein bezeichnendes Beispiel für epigonale Lyrik in ihrer extremsten Ausprägung. Jede Zeile scheint nämlich aus einem anderen Gedicht zu stammen, und das heillose Gemisch der Metaphern, durch die Scheineinheit des Reims gebunden, läßt die Möglichkeit, einen Sinn zu erkennen, gar nicht erst aufkommen. Epigonendichtung bezieht nicht nur ihre Gedanken und Empfindungen, ihre Bilder und Reime aus zweiter Hand, sie zeichnet sich vor allem in ihrer gesteigertsten Form auch durch einen Metaphern-Eklektizismus aus, der die geliehenen Gedanken und Empfindungen ins völlig Nebulose verschwimmen läßt.

Holz' erster Schritt zu einer Revolution der Lyrik wird daraus verständlich. Im *Buch der Zeit* war er noch selbst weithin epigonalen Metaphern- und Gedankenklischees verfallen gewesen; nur zuweilen hatte er sich schon durch Neologismen, Parodie und Zitatmontage davon distanziert. Seine ersten Reformabsichten nach den *Neuen Gleisen* und dem neuen Kunstgesetz bestanden nun zunächst in dem Versuch, dieses Gesetz auf die Lyrik anzuwenden. Auch ihr sollte neues Sprachblut zugeführt werden, und das konnte, wie in der Prosa, nur durch eine Reorientierung an der „Natur" geschehen. Das erste Beispiel dafür bietet ein Gedicht, das 1891 in einer Zeitschrift erschien und das Holz dann auch in die zweite Auflage seines *Buches der Zeit* (1892) aufnahm; in seiner *Revolution der Lyrik* hat er später allerdings behauptet, daß es schon 1886 entstanden und in seiner Technik „noch bedenklich zurück" sei, aber psychologisch den ganzen Ausgangspunkt seiner späteren *Phantasus*-Dichtung schon darstelle.[7] Den Dichter besucht nachts in seiner Kammer der Geist der von einer kalten, unpoetischen Welt verachteten und getöteten Muse:

> Nacht.
>
> Der Ahorn vor meinem Fenster rauscht,
> Von seinen Blättern funkelt der Thau ins Gras
> Und mein Herz
> Schlägt.
>
> Nacht, Nacht, Nacht.
>
> Ein Hund bellt – – ein Zweig knickt – – still!
> Still!!
> Still!!!
> . . . .
>
> Du?
> Du??
> Ah, deine Hand! Wie kalt, wie kalt!
> Und – deine Augen: gebrochen! – –
> Gebrochen!!

Bei ihm jedoch soll sie eine Heimstatt finden:

> Hier! Hier!! Zu mir sollst du dich setzen,
> Nächtlich, allnächtlich,
> Bis der Morgen graut,
> Bis die Sonne scheint,
> Und die Welt,
> Die kluge Welt,
> Wieder plump über dein Grab rollt.[8]

Das Gedicht ist im Grunde nichts als eine Variation der Situation des „O Muse!" stammelnden Phantasus-Dichters in seiner Dachstube. Aber es zeigen sich charakteristische Veränderungen. Denn was in dem ersten Gedicht gesagt und beschrieben wird in einer flüssigen, aber keineswegs originellen Sprache –

> Ihm hatte leuchtend auf die Stirne
> Der Genius seinen Kuß gedrückt, –

versucht Holz hier von innen her zu gestalten. Noch immer ist es der Seelenzustand „eines jungen Poeten, der an der Trivialität seines Milieus" leidet, aber die soziale Relevanz der Situation tritt hinter dem Psychologischen zurück. Das Innere soll mittelbar nur durch das Äußere zum Ausdruck kommen; aus Angst vor dem bedeutungsentleerten Klischee wird metaphorische Sprechweise weitgehend umgangen, so weit, daß das Gedicht nur als der Besuch einer toten Geliebten und ein Stück Schauerromantik mißverstanden wurde. War der erste Phantasus-Poet noch ein verlorener Sohn „wie jener Gott aus Nazareth", so verschwinden mit diesem Gedicht die wie-Vergleiche fast völlig aus Holz' Lyrik. Mehr als 50 Jahre später stellte Gottfried Benn in seinen *Problemen der Lyrik* fest, man könne ein modernes Gedicht daran erkennen, wie oft oder besser wie selten darin das „wie" vorkommt. „Wie, oder wie wenn, oder es ist, als ob, das sind Hilfskonstruktionen, meistens Leerlauf." [9]

Nun ist es allerdings nicht nur die Scheu vor der Klischeehaftigkeit solcher Vergleiche, die den modernen Dichter davor zurückschrecken läßt, sondern auch die dahinterliegende Tatsache, daß Vergleiche auf Relationen und Zusammenhänge verweisen, die man nicht mehr ungefragt hinzunehmen bereit ist. Die „Dinge" bleiben schließlich fürs erste das einzig Verläßliche in einer Zeit, die offensichtlich in einer Umwertung der Werte begriffen ist. In einem Essay über *Die Moderne* erklärte Hermann Bahr 1891: „Ja, nur den Sinnen wollen wir uns vertrauen, was sie verkündigen und befehlen. Sie sind die Boten von draußen, wo in der Wahrheit das Glück ist. Ihnen wollen wir dienen. Jeden Wunsch, in dem sie sich leise regen, wollen wir verzeichnen. Jede Antwort, die sie der Welt geben auf jedes Ereignis, wollen wir lernen. Jeden Ton wollen wir behalten... Wir haben nichts als das Außen zum Innen zu machen, daß wir nicht länger Fremdlinge sind, sondern Eigentum erwerben." [10] Holz ist insgesamt philosophisch weniger anspruchsvoll als Bahr und mit Glücksutopien sowie der Zueignung der entfremdeten Welt zunächst nicht befaßt, aber die Überzeugung, daß einzig das sinnlich Greifbare und Sichtbare Zuverlässigkeit hat, spricht auch schon in gewissem Sinne aus seinem ersten „experimentellen" Gedicht. Reale Vorgänge ebenso wie die Phantasieerscheinung der Muse werden so konkret wie möglich beschrieben und nahezu kommentarlos hingesetzt. Aus dem Äußeren soll jedoch auf das Innere, den Seelenzustand, geschlossen werden, um den es allein geht. Jedes Wort erhält dabei seine emotionellen Untertöne. Aber nicht mehr die Hilfsmittel der „alten" Poesie – bezeichnende Bilder und Vergleiche – sollen bemüht werden, sondern allein das Arrangement in der Darstellung beobachteter Vorgänge hat die Spannung zwischen Oberfläche und Tiefe in der Sprache des Dichters sichtbar zu machen. Poesie bleibt Wiedergabe der Natur, Natur allerdings ist Äußeres und Inneres in untrennbarer Verbindung. Was hier entsteht, ist eine Art sprachlicher Impressionismus, der auf die Lyrik übertragene Sekundenstil der Prosaskizzen. Dabei muß natürlich jedes Wort seinen ganz eigenen Ton erhalten und kann nicht, wenn es wirklich Verborgenes enthüllen soll, der zufälligen Interpretation des Lesers überlassen bleiben. Wie schon in der Prosa, werden auch hier verschiedene Mittel der Betonung, Akzentuierung und Tempobezeichnung angewandt, vor allem Unterstreichungen sowie verdoppelte und verdreifachte Satzzeichen. Auch die Sprechpause, die „Sprachlosigkeit“ wird als Mittel dichterischer Gestaltung mit einbezogen. So unbeholfen und unfertig das bei Holz auch erscheint, es bleibt doch der Versuch, mit einfachsten sprachlichen Mitteln unter weitgehender Vermeidung poetischer Klischees eine psychologische Situation einzufangen und damit der Lyrik nicht nur neue Ausdrucksformen zu erschließen, sondern zugleich ihre Dimensionen in der Darstellung menschlichen Denkens und Empfindens zu erweitern, wie es auch schon in den *Neuen Gleisen* versucht worden war. Um das „geistig Komplizierteste des geistig Kompliziertesten“ [11] war es Holz ja im Grunde immer zu tun, wie er später bekannt hat, und er trifft sich hier mit den Bemühungen anderer seiner Zeitgenossen. In seiner Schrift *Die naturwissenschaftlichen Grundlagen der Poesie* aus dem Jahre 1887 schreibt Wilhelm Bölsche: „Ein ganzes Menschenleben bis in dieses feine Gewebe seines Schicksals hinein zu zergliedern: das wäre ein Kunstwerk, wie wir es noch nicht einmal ahnen.“ [12] Die Absicht der modernen Wissenschaft, Strukturen menschlichen Denkens, Fühlens und Handelns bloßzulegen, soll also mit den Intentionen einer neuen Kunst verschmelzen.

Es ist verständlich, daß Holz unter solchen Voraussetzungen und bei seinem Naturell für andere gleichzeitige Versuche zu einer Erneuerung der deutschen Dichtersprache, wie etwa denen Stefan Georges, wenig Verständnis aufbrachte. 1890 erschienen Georges *Hymnen,* ein Jahr später die *Pilgerfahrten,* 1892 *Algabal* und 1895 die *Bücher der Hirten- und Preisgedichte, der Sagen und Sänge und der hängenden Gärten.* Holz spottete darüber 1898:

> Das Kleid dieser wohlhabenden Jünglinge war schwarz vom schweren Violett der Trauer, sehnend grün schillerten ihre Hände, und ihre Zeilen – Explosionen sublimer Kämpfe – waren Schlangen, die sich wie Orchideen wanden. Der graue Regenfall der Alltagsasche erstickte sie. Sie wollten das schreckliche Leben der Felsen begreifen und erfahren, welchen erhabenen Traum die Bäume verschweigen. Aus ihren Büchern der Preis- und Hirtengedichte, der Sagen und Sänge, der hängenden Gärten und der heroischen Zierate, der donnernden Geiser und der unausgeschöpften Quellen dufteten Harmonien in Weiß, vibrierten Variationen in Grau und Grün, schluchzten Symphonien in Blau und Rosa. Noch nie waren so abenteuerlich gestopfte Wortwürste in so kunstvolle Ornamentik gebunden.[13]

Obwohl er in George immer einen „verehrten Antipoden“ [14] gesehen hat, blieb er selbst gegen heroischen Zierat und Ornamentik, gegen Orchideen, Gärten sowie die Macht, Grausamkeit und Schönheit algabalischer Herrscher doch nicht unanfällig. Daß im übrigen auch die Esoterik der Georgeschen Bilderwelt auf neue Ausdrucksmöglichkeiten in der Lyrik abzielte, verkannte Holz durchaus. Da er glaubte, das Entwicklungsgesetz aller Kunst entdeckt zu haben, setzte er auch seine Revolution der Lyrik absolut, verurteilte, was ihm nicht verwandt erschien, und verwickelte sich bei Verwandtem in endlose und fruchtlose Prioritätsstreitigkeiten.

Die Unzulänglichkeiten der in der Geibelnachfolge reimenden deutschen Lyrik des Tages waren nicht nur von Holz allein empfunden worden. Neue Gedanken ebenso wie echte und feinere Empfindungen in neuer Sprache und Form auszudrücken, wurde Ziel vieler junger Schriftsteller. Dehmels erster Gedichtband *Erlösungen* erschien 1891; Rainer Maria Rilke, Alfred Mombert, Paul Ernst und Ricarda Huch traten mit ihren ersten Gedichten hervor. Schon seit den achtziger Jahren hatte der Allgemeine Deutsche Reimverein mit seiner Zeitung *Die Aeolsharfe* und verschiedenen *Aeolsharfenalmanachen* seinen Spaß an den abgegriffenen Formen epigonaler Lyrik. Neugegründete Zeitschriften und Anthologien nahmen sich der Pflege neuer Lyrik an. 1893 und 1894 gab Otto Julius Bierbaum jeweils einen *Modernen Musen-Almanach* heraus, 1895 begann der *Pan* seine kurze Existenz, ebenfalls zunächst von Bierbaum ediert, und es folgten dann noch andere kurz- oder langlebige Blätter wie die *Jugend, Ver sacrum* oder *Die Insel.* Holz war Mitarbeiter aller dieser Schriften, und die Geschichte seiner Revolution der Lyrik läßt sich aus den einzelnen Jahrgängen deutlich ablesen.

War die Tendenz von Holz' ersten lyrischen Experimenten eine Reduktion, wenn nicht Abschaffung alles Metaphorischen zugunsten einer konkreten Wiedergabe gesehener Wirklichkeit, so blieb es allerdings später nicht dabei. Dichtung ist ohne Metaphorik schlechthin undenkbar, und außerdem war es ja nicht nur um die Nachahmung des Äußeren zu tun, sondern äußere Wirklichkeit sollte die innere Wirklichkeit menschlichen Denkens und Empfindens erkennbar werden lassen. So wurde zunächst das ganze Gedicht Metapher eines Seelenzustandes, wie etwa das Herbst-Gedicht, das 1893 in Bierbaums *Musen-Almanach* zusammen mit acht anderen erschien:

Eine Düne.

Auf ihr,
Einsam,
Ein Haus,

Draußen Regen,
Ich am Fenster.

Hinter mir,
Tiktak,
Eine Uhr,
Meine Stirn
Gegen die Scheibe.

Nichts.
Alles vorbei!

Grau der Himmel,
Grau die See,
Und grau
Das Herz.[15]

Die Identifikation von Bild und Empfindung wird allerdings am Schluß auch noch ausdrücklich vollzogen. Das Radikale war so radikal nun wieder nicht, obwohl die zeitgenössische Kritik sogleich von „Depeschenstil" sprach und die angebliche Identität dieser Gedichte mit jeder beliebigen Prosa betonte. Doch schon in den übrigen Gedichten war im einzelnen die Heranbildung einer neuen Metaphorik zu sehen, die Holz in den folgenden Jahren immer weiter entwickelte. Sein *Lied* beginnt:

Aus weißen Wolken
Baut sich ein Schloß,
Und in ihm wohnen
Die alten Götter.[16]

Die Gegenwelt zur Dachstubenexistenz des Phantasus ersteht neu, und die alte Dichotomie wird nun auch mit den Versuchen zu einer Erneuerung der Lyrik in Verbindung gebracht.

Im ersten Heft des dritten Jahrgangs der Zeitschrift *Pan* (1897) erschien das Gedicht „Vorfrühling", das zum erstenmal als Weiterentwicklung des Reformansatzes die Anordnung der Zeilen nach einer imaginären Mittelachse brachte. Das zweite Heft enthielt dann in dieser neuen Form zehn Gedichte, aber die Überschrift *Lyrik aus einem neuen Cyclus: Phantasus* gab zum erstenmal einen Hinweis darauf, daß Holz das alte Thema nicht aufgegeben hatte, sondern vielmehr neben der formalen und sprachlichen Regeneration der Lyrik auf höhere und größere Zusammenhänge aus war. Das vierte Heft des *Pan* brachte noch einmal zehn Gedichte unter dem Titel *Phantasus*, und 1898 folgte die *Jugend* mit weiteren zehn, bis dann im gleichen Jahr bei Johann Sassenbach in Berlin ein ganzes

Nr. 3 • JUGEND • 1898

Phantasus

Von Arno Holz

1.

Ich bin der reichste Mann der Welt.

Meine silbernen Yachten
schwimmen auf allen Meeren.

Goldne Villen glitzern durch meine Wälder in Japan,
in himmelhohen Alpenseeen spiegeln sich meine Schlösser,
auf tausend Inseln hängen meine purpurnen Gärten.

Ich achte sie kaum.

An ihren aus Schlangen gewundenen Bronzegittern
geh ich vorbei,
über meine Diamantgruben
lass ich die Lämmer grasen.

Die Sonne scheint,
ein Vogel singt,
ich bücke mich
und pflücke eine kleine Wiesenblume.

Und plötzlich weiss ich:
ich bin der ärmste Bettler.

Ein Nichts ist meine ganze Herrlichkeit
vor diesem Thautropfen,
der in der Sonne funkelt.

2.

In meinem schwarzen Taxuswald
singt ein Märchenvogel —
die ganze Nacht.

Blumen blinken.

Unter Sternen, die sich spiegeln,
treibt mein Boot.

Meine träumenden Hände
tauchen in schwimmende Wasserrosen.

Unten, lautlos, die Tiefe.

Fern die Ufer! Fern das Lied!

3.

Im Thiergarten, auf einer Bank, sitz ich und rauche;
und freue mich über die schöne Vormittagssonne.

Vor mir, glitzernd, der Kanal:
den Himmel spiegelnd, beide Ufer leise schaukelnd.

Über die Brücke, langsam Schritt, reitet ein Leutnant.

Unter ihm,
zwischen den dunklen, schwimmenden Kastanienkronen,
pfropfenzieherartig ins Wasser gedreht,
— den Kragen siegellackroth —
sein Spiegelbild.

Ein Kukuk
ruft.

4.

Auf einem vergoldeten Blumenschiff
mit Ebenholzmasten und Purpursegeln
schwimmen wir ins offne Meer.

Hinter uns,
zwischen Wasserrosen,
schaukelt der Mond.

Tausend bunte Papierlaternen schillern an seidnen Fäden.

In runden Schalen kreist der Wein.

Die Lauten klingen.

Aus unsern Herzen
jauchzt ein unsterbliches Lied
von Li-Tai-Pe!

5.

Ein kleines Haus mit grüner Thür
und Herzen in den Fensterläden

Abends,
unter den Silberpappeln,
sitzen wir mit unsern Jungens.

„Mutter, Mutter, der Mond is kaput!"

Der Kleinste kuckt auch.

„Biela!
Bist du ein Maikäfer?"

„Ja."

Bernhard Pankok (München).

Zehn Phantasus-*Gedichte in der* Jugend *(1898)*

Bernhard Pankok (München).

Heft mit 50 Gedichten als Teil eines Zyklus herauskam, der, wie Holz schrieb, „in endlich erster Ausgestaltung meiner alten Idee den alten Gesamttitel ‚Phantasus'" trug.[17] Der alte Gedanke und die neue Form hatten zusammengefunden, und im Jahr darauf folgte noch ein zweites Heft mit abermals 50 Gedichten. Holz betonte allerdings sogleich die Vorläufigkeit eines solchen Unterfangens und entwarf schon im Geiste ein gewaltiges Projekt: „Das erste Heft gab fünfzig, das zweite Heft gab wieder fünfzig, und das vollendete Werk, falls es mir glücken sollte, wird tausend geben." [18] Von da ab hat er die Ausgestaltung und Weiterentwicklung des *Phantasus* immer mehr zur Lebensaufgabe werden lassen, und es wurde im Laufe der Jahre wirklich ein monumentales Werk von mehr als tausend Seiten daraus.

Was die Kritik zunächst herausforderte, war die Ausschließlichkeit, mit der Holz seine neue Form als die neue Lyrik schlechthin präsentierte. Metrum, Reim und Strophe waren aufgegeben; die Mittelachse erschien als einziges Ordnungsprinzip für zweimal fünfzig Gedichte dieser Art:

Hinter blühenden Apfelbaumzweigen
steigt der Mond auf.

Zarte Ranken,
blaue Schatten
zackt sein Schimmer in den Kies.

Lautlos fliegt ein Falter.

Ich strecke mich selig ins silberne Gras
und liege da
das Herz im Himmel![19]

Es ist viel über die poetischen Vorfahren von Holz gemutmaßt worden, und manche große Namen aus der Literaturgeschichte wurden aufgeführt, darunter Fischart, Klopstock und vor allem Jean Paul mit seinen Streckversen. Holz hat solche Vorläufer abgelehnt, da er sie kaum oder gar nicht kannte, ebenso aber auch direkte Einflüsse von französischer oder ins Französische übersetzter chinesischer Lyrik, wie sie etwa Judith Gautier in ihrem *Livre de Jade* herausgebracht hatte. Zu Walt Whitman bekannte er sich als zu einem Künstler, der mit sich selbst eins war, während er sich von seinem Pathos und seiner speziellen Form distanzierte. Vieles von dem, was Holz mit den *Phantasus*-Gedichten in die deutsche Lyrik einbrachte, lag in der Luft; sowohl ihre Form wie ihr Inhalt wirkten deshalb auch nicht ganz so sensationell, wie es in Holz' Polemiken manchmal den Anschein hat. Leser von Zeitschriften wie *Pan* oder *Jugend* kannten nicht

von
Arno Holz

Berlin 1898 Sassenbach

Erstes Heft

Titelblatt der ersten Buchausgabe des Phantasus *mit einem Ornament von Fritz Rumpf*

nur Vorabdrucke einer Reihe von *Phantasus*-Gedichten, sondern konnten zugleich beobachten, wie die Mittelachse auch bei anderen Lyrikern Schule machte; im *Pan* zum Beispiel waren es Emil Alfred Herrmann und Paul Victor. Richard Dehmel, vermutlich von seinem damaligen Freunde Holz inspiriert, hatte schon 1896 die – reimenden – Gedichte in *Weib und Welt* auf die Mittelachse zu geordnet und dann auch die Eingangsgedichte zum „Roman in Romanzen" *Zwei Menschen* 1898 im *Pan* so setzen lassen.[20] Die Aufgabe eines festen Metrums und des Reims war ebenfalls längst kein Novum mehr. Besonders seit dem Anfang der neunziger Jahre waren die verschiedensten Versuche zur Annäherung zwischen Prosa und Lyrik zu finden, dem Vorbild französischer Symbolisten wie Rimbaud folgend. 1892 veröffentlichte Schlaf seine Kleinstadtidyllen *In Dingsda* und 1894 in Bierbaums *Musen-Almanach* den Prosahymnus *Frühling*. Es war der gleiche Band, der auch das lyrische Drama *Der Tor und der Tod* des jungen Loris zum erstenmal brachte. Die Gattungsgrenzen wurden unsicher. Von Caesar Flaischlen erschienen 1897 im *Pan* „aus einem Moenchguter Skizzenbuch" *Gedichte in Prosa;* gleichzeitig mit dem ersten Heft des *Phantasus* kamen die *Polymeter* von Paul Ernst heraus, und ähnliche „freie Rhythmen" finden sich auch in den Werken Morgensterns, Momberts und Dehmels aus dieser Zeit. Mit Otto zur Linde und dem Charonkreis hatte Holz sogar lange Auseinandersetzungen, obwohl die Parallelen nur äußerlich waren, denn zur Lindes anti-intellektualistisches, neoromantisches Konzept machte den Dichter eher zu einer Art passivem Mittler, dessen Arbeit ein „dumpfes", „unbewußtes" Geschäft war: „Der Dichter singt das physische ‚Lied' der Dinge, das Lied der Geschehnisse, das Lied seiner Seele, und ... sein Lebenslied. Die Physis, der ‚Leierkasten' das ists, was den Dichter als Dichter kennzeichnet."[21] Es war eine Rolle, die Holz kaum gelegen hätte.

Holz unterschied sich von den anderen vor allem dadurch, daß er seine neue Form absolut setzte und zum Prinzip erhob. Er tat das 1898 in einer *Selbstanzeige* des *Phantasus,* die er 1899 zusammen mit Polemiken gegen seine ersten Kritiker in die Streitschrift *Revolution der Lyrik* aufnahm, die zu einem der wesentlichsten literaturtheoretischen Programme der Zeit wurde.[22] Eine Revolution und nicht weniger hatte Holz im Sinne. Daß er damit bei seinen Zeitgenossen jedoch nur laues Interesse fand, kann allerdings wenig verwundern, denn weder war die äußere Form wirklich sensationell genug, noch der Stoff dazu angetan, als Auftakt einer poetischen Revolution zu überzeugen. Das wirklich Neue seiner Sprachbehandlung wurde aber nicht auf den ersten Blick, sondern erst nach und nach sichtbar. Schließlich wurde Holz' eigene Lyrik noch dadurch unabsichtlich diskreditiert, daß einige seiner Freunde im gleichen Verlag und gleichen Format ebenfalls Gedichte im Phantasus-Stil herausbrachten, die lediglich unfreiwillige Parodien waren. Holz jedoch hielt zu seiner „Zunft", wie die Kritik den Kreis um ihn mit Georg Stolzenberg, Robert Reß, Reinhard Piper und Rolf Wolfgang Martens nannte. Dehmel spottete über Holz als „Stefan Georges Gegenkreisler".[23] Die Bedeutung solcher Jüngerschaften ist gerade für den sich isoliert empfindenden Dichter eklatant. Hier konnte er unter wenigen Auguren und Verständigen jenen Beifall und jene Aufnahmebereitschaft empfinden, die ihm die Öffentlichkeit versagte oder der er sich – im Falle Georges – absichtlich entzog. Holz war absoluter Mittelpunkt seines Kreises, Führer und Lehrer zugleich, der an den Produkten seiner Eleven besserte und feilte. Der Erfolg war bescheiden; die qualitative Distanz zum Meister blieb gewahrt.

Metallisch glänzt der Abendhimmel.

Unter dunklem Geäst
bläst ein Hirt.

Noch springen munter die Zicklein.

Mücken tanzen.

Ein Schaf schaut in die untergehende Sonne.

Bäh![24]

Das findet sich als drittes – und für das Ganze durchaus charakteristisches – Gedicht in den Holz zugeeigneten *Farben* von Robert Ress. Wenig verschieden war auch, was bei allem aufrichtigen Bemühen in den Heften der anderen Freunde angeboten wurde. Es war kaum mehr als gutwilliges Mißverstehen einer Technik.

Holz jedoch war von seinem neuen Prinzip überzeugt, „daß es bereits morgen das der ganzen Welt sein wird".[25] Das Prinzip selbst aber war „eine Lyrik, die auf jede Musik durch Worte als Selbstzweck verzichtet und die, rein formal, lediglich durch einen Rhythmus getragen wird, der nur noch durch das lebt, was durch ihn zum Ausdruck ringt".[26] Im Reim sah er eine Verengung des möglichen Ausdrucks, denn durch den äußeren Zwang zur Klangentsprechung schien ihm auch der Gedanke vergewaltigt. „Wozu noch der Reim? Der erste, der – vor Jahrhunderten! – auf Sonne Wonne reimte, auf Herz Schmerz und auf Brust Lust, war ein Genie; der tausendste, vorausgesetzt, daß ihn diese Folge nicht bereits genierte, ein Kretin. Brauche ich den selben Reim, den vor mir schon ein anderer gebraucht hat, so streife ich in neun Fällen von zehn den selben Gedanken. Oder, um dies bescheidener auszudrücken, doch wenigstens einen ähnlichen." [27] Ebenso die Strophe: „Durch jede Strophe, auch durch die schönste, klingt, sobald sie wiederholt wird, ein geheimer Leierkasten. Und gerade dieser Leierkasten ist es, der endlich raus muß aus unsrer Lyrik." [28] Das Tor der Bastille, die Holz stürmen wollte, schien allerdings weit aufgetan, denn auch seine Dichterkollegen sangen nicht mehr lediglich in Geibel- und Scheffel-Tönen. Dennoch hatte Holz durchaus etwas spezifisch Neues im Sinne, nur war es in einem Wust von Polemik oder von Selbstverständlichem verborgen. Sein notwendiger Rhythmus hatte Zeile für Zeile jeweils neu aus dem Inhalt zu erwachsen. Den Worten sollten ihre „ursprünglichen Werte" gelassen werden, man sollte sie nicht mit falschem Pathos behaften, sie „aufpusten", „bronzieren" oder „mit Watte umwickeln". „Meer" sollte wie „Meer" und nicht wie „Salzwasser" oder „Amphitrite" klingen.[29] Wie dies zu erreichen sei, versuchte er zu erläutern: „Ich schreibe als Prosaiker einen ausgezeichneten Satz nieder, wenn ich schreibe: ‚Der Mond steigt hinter blühenden Apfelbaumzweigen auf.' Aber ich würde über ihn stolpern, wenn man ihn mir für den Anfang eines Gedichts ausgäbe. Er wird zu einem solchen erst, wenn ich ihn forme: ‚Hinter blühenden Apfelbaumzweigen steigt der Mond auf.' Der erste Satz referiert nur, der zweite stellt dar. Erst jetzt, fühle ich, ist der Klang eins mit dem Inhalt. Und um diese Einheit bereits deutlich auch nach außen zu geben, schreibe ich:

Hinter blühenden Apfelbaumzweigen
steigt der Mond auf.'

Das ist meine ganze ‚Revolution der Lyrik'." [30] Dabei war es ihm, wie er betonte, gleich, ob man seine Verse als Prosa ansah oder Lyrik. Den zitierten Satz hat Holz dann später noch so gegliedert:

Hinter blühenden Apfelbaumzweigen
steigt
der Mond auf.[31]

Über diese Zeilen ist viel gestritten worden. Otto zur Linde zum Beispiel erklärte den Satz in beiden Fassungen rundweg als Prosa, weil in ihm jede von der normalen Sprechweise abweichenden Stilfiguren fehlten. „Der Mondsatz ist ... aus einer Heimatkunde genommen, also zweifelsohne Prosa. Riecht ein bißchen nach poetischem ‚Gemüt'. Es müßte heißen, blühende Apfelbaumzweige drehen sich mitsamt der Erde, infolgedessen kommen unsre Augen immer tiefer untern Mond." [32] Aber eine genauere Untersuchung des Rhythmus der beiden Sätze zeigt doch, was auch Holz' veränderte Anordnung der Zeilen noch betont, daß nämlich erst in der zweiten, „lyrischen" Fassung das bestimmende Wort *steigt* in eine metrisch stark hervorgehobene Position kommt, also durch eine Art metrisches Kursiv Sinn und Rhythmus des Satzes zur Deckung bringt. In einer neuen Studie zur Gedichtrhythmik wird zu der poetischen Fassung des Satzes festgestellt: „Der spannungsvolle Ablauf assoziiert sich bei dem Hörer mit dem Bild der verzweigten, unregelmäßigen Äste des Apfelbaums im Vordergrund. Der Rhythmus der folgenden Zeile dagegen verbindet sich mit der Vorstellung des langsam aufsteigenden Mondes. Zugleich wandert der Blick des Betrachters von der Nähe in die Ferne, von den Zweigen im Vordergrund zu dem dahinter aufsteigenden Mond. Der Satzablauf gibt die Reihenfolge der erfaßten Bilder wieder." [33] Der Verscharakter des Satzes wäre damit durchaus gerechtfertigt, und zugleich wird hier auch schon etwas von der besonderen Funktion der Zeilenanordnung bei Holz greifbar.

Die Schwierigkeit für ein richtiges Verständnis bestand nun aber nicht so sehr darin, die spezifische Form der Phantasus-Gedichte überhaupt als lyrisch anzuerkennen. Schwierig war es vielmehr zu sagen, worin eigentlich das Lyrische dieser Zeilen bestand und was vor allem unter dem „ursprünglichen Wert" der Worte zu verstehen war, der ihnen belassen werden sollte. Denn zwischen diesem „wahren Wert" der Worte als Realien und ihrer Funktion im lyrischen Gedicht scheint eine prinzipielle Unvereinbarkeit zu bestehen, lebt doch das lyrische Gedicht gerade aus der Doppeldeutigkeit und mehrfachen Bezüglichkeit der Worte. Die Verflachung zum eindeutig-simplen Prosabericht war tatsächlich für Holz eine Gefahr, deren er sich bewußt war und die er durch immer erneutes Feilen an seinen Gedichten zu beseitigen suchte. Andere – wie das folgende – hat er ihres Prosacharakters wegen in die späteren Fassungen seiner Dichtung aus eben diesem Grunde nicht aufgenommen:

Der Mond
sieht den Dächern in die Schornsteine.

Der Ahorn
hinter der alten Sakristei
leuchtet.

Das ganze Städtchen liegt wie versilbert![34]

Was Holz weniger deutlich bewußt war oder was er zumindest noch nicht klar genug artikulieren konnte, war die wirkliche Absicht seiner „Revolution". Ziel aller Kunst sei, so sagt er in der *Revolution der Lyrik*, „die möglichst intensive Erfassung desjenigen Komplexes, der ihr durch die ihr eigentümlichen Mittel überhaupt offensteht".[35] Das war natürlich im Hinblick auf sein Kunstgesetz gesagt, wonach Kunst die Tendenz hatte, Natur zu werden nach Maßgabe ihrer jeweiligen Reproduktionsbedingungen und deren Handhabung. Die „eigentümlichen Mittel" sind also zweifellos identisch mit den spezifischen Reproduktionsbedingungen jeder Kunst, dem „Material“ [36] und dessen Handhabung, wie Holz seinen Begriff aufgefaßt haben wollte. Welcher Komplex aber soll intensiv erfaßt werden? In seiner ersten Schrift über die *Kunst* wäre die Antwort noch allgemein „die Natur“ gewesen. In der späteren Auseinandersetzung verfeinerten sich aber die Begriffe. In einer Polemik mit Rudolf Steiner kommt Holz zu dem Satz, daß alle Lyrik „Wiedergabe von Empfindungen“ sei, und, da er Lyrik auch in der Malerei und Musik für möglich hält, schließlich zu folgender Definition des Wesens aller lyrischen Dichtung: „Wortlyrik ist sprachliche Wiedergabe von Empfindungen.“ [37] Schon im zweiten Band der *Kunst. Ihr Wesen und ihre Gesetze* hatte er jedoch Empfindungen als „Naturvorgänge“ bestimmt und sie damit als Teil seines großen und allgemeinen Begriffes „Natur“ angesehen. Mit anderen Worten: sein Kunstgesetz war so weit gefaßt, daß es alle diese Definitionen ohne weiteres schluckte, aber eben auch entsprechend allgemein blieb. Immerhin läßt sich erkennen, daß der Komplex, um dessen Erfassung und Darstellung es Holz in seiner Lyrik geht, die menschlichen Empfindungen sind – und das verdient festgehalten zu werden, denn allzu häufig sind seine Gedichte allein als Momentaufnahmen und Strichskizzen einer äußeren Wirklichkeit verstanden worden. Wo sie es tatsächlich noch waren, hat Holz seine Unzufriedenheit bekundet und die Gedichte entweder ausgeschieden oder verändert. Der „Sekundenstil“ war auch hier wie in der frühen Prosa letztlich auf die Erfassung innerer Vorgänge gerichtet, nur daß dem Dichter allein noch das Äußere, die „Dinge“, unmittelbar faßbar erschien, es sei denn, er wollte in den „Leierkasten“ einer mit vorgeprägten Reim- und Metaphernklischees operierenden Epigonenpoesie verfallen.

Der Rhythmus sollte das einzige zentrale Kunstmittel der neuen Lyrik sein, und in der *Revolution der Lyrik* steht der Satz: „Du greifst ihn, wenn Du die Dinge greifst. Er ist allen immanent.“ [38] Auch das ist wieder mißverständlich, wenn man die „Dinge“ nur als Gegenstände der umgebenden Welt sieht, nicht jedoch, wie das Holz schon mit seiner Auffassung des Begriffes „Natur“ wollte, als etwas Äußeres, das aber zugleich teilhat an Innerem. Kunst bleibt ihm durchaus subjektiv und ein Relativum: „Es gibt für uns Menschen keine *Kunst* an sich, wie es für uns Menschen keine *Natur* an sich gibt.“ [39] Und wenn Holz also von einem „notwendigen Rhythmus“ spricht, der „jedesmal neu aus dem Inhalt“ [40] hervorwächst, so will das heißen, daß die jeweilige neue, einmalige und besondere Empfindung auch eines neuen, einmaligen und besonderen Ausdrucks bedurfte.

Was Holz hier anstrebte, ist wohl nur recht auf dem Hintergrund der intellektuellen Entwicklung vom neunzehnten ins zwanzigste Jahrhundert zu begreifen. Parallel zu der erweiterten äußeren Macht über die Erde, die sich der Mensch mit der industriellen Revolution verschaffte, ging auch der Drang einher, tiefer in das Wesen des Menschen selbst einzudringen. Waren entscheidende, die Geschichte und die äußere Natur bestimmende Gesetze gefunden worden, so stand man dem menschlichen Inneren noch weitgehend unwissend gegenüber. Die Auflösung des Rätsels Mensch erschien aber um so dringlicher, als man glaubte, der Lösung der „Welträtsel" um einen bedeutenden Schritt nähergekommen zu sein. Haeckels Buch *Die Welträtsel* erschien 1899, im gleichen Jahr wie das zweite Heft des *Phantasus*. Die letzten Jahrzehnte des ausgehenden Jahrhunderts waren durch einen beträchtlichen Aufschwung der Psychologie gekennzeichnet. In Leipzig begründete Wundt ein psychologisches Laboratorium und führte experimentelle Methoden ein, mit denen man sowohl die höheren Funktionen des Denkens wie den Bereich der Gefühle und Instinkte zu bestimmen versuchte. Die Beziehungen zwischen Genie und Irrsinn wurden Gegenstand der Forschung. Der Einfluß des Sexuellen auf menschliches Denken und Handeln wurde untersucht; die neunziger Jahre waren die Geburtsjahre von Sigmund Freuds Psychoanalyse. In seiner Kritik des Zeitalters hatte sich Nietzsche als großartiger Geschichtspsychologe erwiesen. Simmel erkannte, daß die „Folgen und Korrelationen des Geldes" die Dinge entwertet hatten und „eine tiefe Sehnsucht" entstanden war, „den Dingen eine neue Bedeutsamkeit, einen tieferen Sinn, einen Eigenwert zu verleihen" [41], – in der Philosophie Ernst Machs war die Beziehung zwischen Sinnesgegebenheiten und den Dingen und Gegenständen zu einem subjektiven Phänomenalismus entwickelt worden. In der Literatur der Zeit entstand, was Walther Rehm „Wirklichkeitsdemut und Dingmystik" nannte.[42] Im *Dorian Gray* (1891) schließlich hatte Oscar Wilde geschrieben: „The true mystery of the world is the visible, not the invisible." [43]

Holz' Intentionen als Lyriker und als Sprachkünstler überhaupt fügen sich in die Tendenzen seines Zeitalters ein. Ihm ging es darum, die ganze Vielfalt des Menschen und der menschlichen Psyche mit dem Mittel der Sprache auszuloten. War man sich aber erst einmal der Vielschichtigkeit des noch weithin unerkannten menschlichen Inneren bewußt, so war es auch verständlich, daß man zunächst den schon einmal dagewesenen Ausdruck meiden mußte wie das Feuer. Mensch – das war eine solche Fülle von Gefühlen, Empfindungen, Vorstellungen, von Erinnerungen, Träumen und Gedanken, daß eine Dichterexistenz nicht ausreichte, um all das zu erfassen, und daß jede Wiederholung von etwas Gesagtem als eine nutzlose, sinnlose Verschwendung erscheinen mußte. Originalität im weitesten Sinne war also, was der Künstler erstreben mußte. Natürlich hatte er immer wieder mit der Unzulänglichkeit seiner Mittel, dem alten x, zu ringen, aber der Abstand zwischen Erstrebtem und Dargestelltem wurde mit der Aufgabe nicht größer, da dem Künstler durch seine neuen Methoden auch eine vergrößerte Aufnahmebereitschaft des Lesers entgegenkam. In der *Revolution der Lyrik* spricht Holz davon, daß er seine bestimmte Form der Druckanordnung nach der Mittelachse gewählt habe, um „die jeweilig beabsichtigten Lautbilder möglichst auch schon typographisch anzudeuten".[44] Jede Zeile soll also in ihrer Selbständigkeit betont werden und idealerweise Bild für das von der Lyrik überhaupt Erstrebte, der menschlichen Empfindung oder eines Bruchteils davon, sein. „Was ich auf diese Weise gegeben, ich weiß, sind also gewissermaßen nur Noten. Die Musik aus ihnen muß sich jeder, der solche Hieroglyphen zu lesen versteht, allein machen." [45] Holz' Gedichte sind demnach Partituren, in denen das System der Sprache die Zeichen hergibt für das Gemeinte, wie er das später auch ausdrücklich für den *Phantasus* bestätigt hat; und die Regelsammlung für das System der Sprache, die Grammatik, spielt deshalb auch eine wichtigere Rolle für die Struktur der Holzschen Gedichte, als ihr Schöpfer es selbst wußte. Das wird deutlich in seinem eigenen Beispiel. Die Gliederung seines Satzes „Der Mond steigt hinter blühenden Apfelbaumzweigen auf" in die Form

Hinter blühenden Apfelbaumzweigen
steigt der Mond auf

ist zwar rhythmisch bedingt, aber der Rhythmus wird getragen von dem jeweiligen Bewußtseins- oder Empfindungsinhalt. In der Satzaufteilung des Gedichts wird eine Sukzession von Eindrücken erreicht, die auf die Entwicklung eines inneren Zustandes zielen, der der eigentliche Gegenstand, der „Inhalt" des Gedichtes ist. Die Gliederung, die Holz schafft, ist also nicht einfach rhythmisch, sie ist ebenso psychologisch; der von Holz gemeinte Rhythmus ist innere Bewegung im aufnehmenden Leser.

Die Aufteilung des Satzes in drei Zeilen, wie sie sich in den späteren Fassungen findet, entspricht nun auch der grammatischen Struktur des Satzes, d. h. der Dreiteilung von Umstandsbestimmung, Prädikat und Subjekt. Es ist beobachtet worden, daß eine solche Einteilung der Zeilen nach Satzgliedern, Satzgliedteilen oder Syntagmen in den späteren Bearbeitungen des *Phantasus* sogar immer mehr überhand nimmt. „Das Syntagma wird, veranschaulicht durch die Druckanordnung, zu einer autonomen ästhetischen Qualität." [46] Holz hat damit zunächst zweifellos zu erreichen versucht, daß die Riesensätze der späteren Fassungen leichter überschaubar werden. Diese sichtbar gemachte Gliederung der Satzstruktur, die Bindung des im engeren Sinne Zusammengehörigen und die Zerlegung des Ganzen eines Gedankens oder einer Aussage, ist aber auch überhaupt ein „Geheimnis" der *Phantasus*-Form. Dabei muß das bindende

Element allerdings nicht immer grammatikalischer Natur sein, auch phonetische, synonymische und etymologische Gesichtspunkte treten bei den seitenlangen Sätzen des großen *Phantasus* mit hinzu. Wichtig ist zunächst allein, daß Holz' eigene Definition von Rhythmus als dem einzigen Kunstmittel der neuen Lyrik, der nur durch das lebt, was durch ihn zum Ausdruck ringt, cum grano salis zu nehmen ist. Was er hier vielmehr auf dem Wege ist zu entdecken, sind in der Sprache verborgene ästhetische Qualitäten, an denen man bisher in der Tat vorbeigegangen war und deren Vielfalt erst die moderne und modernste Lyrik weiter erforscht hat. Holz ist sich solcher Möglichkeiten kaum bewußt gewesen. Er hat sich an die von ihm geprägten Kunstgesetze gehalten und sie wacker verteidigt als Grundlegungen einer Lyrik der Zukunft. Das wirkliche, ihm selbst nie völlig klar gewordene Ziel hat ihm schon Kurt Holm, einer seiner ersten Rezensenten, vorgehalten: „Seine Form selbst ist doch im Grunde nichts anderes, als das Bedürfnis, sich größere Dimensionen zu schaffen, um sich voller und freier ausleben zu können!"[47] Ausleben als Dichter natürlich, der mit der ganzen Vielfalt einer immer unübersehbarer werdenden Innen- und Außenwelt konfrontiert ist und dem als einziges Arbeitsmaterial zu deren Darstellung seine Sprache gegeben ist, die er demzufolge erst aus ihrer konventionellen Erstarrung und Simplizität glaubte befreien zu müssen.

Wie andere Dichter seiner Zeit empfand Holz, daß das Verhältnis des Menschen zu sich selbst und zu der Welt, die ihn umgab, neu zu fassen war. Aber erst die Sprache ermöglicht das; sie fixiert durch das Bezeichnen Inhalte und Zusammenhänge. Deshalb war auch der Drang nach äußerster sprachlicher Präzision verständlich. „Meer" durfte wirklich weder allein nach „Salzwasser" noch nach „Amphitrite" klingen. Der Sprachkünstler hatte dem Nichtkünstler die Welt neu zu zeigen: „Für jede Kleinigkeit, und sei es auch nur die besondere Biegung eines Grashälmchens, oder die ‚verlorene Schönheit' von einem Paar Klotzkorken, das im Sonnenschein auf einer roten Diele steht, müssen immer erst die Künstler kommen und ihnen die balkendicken Hornhäute von neuem operieren."[48] Aus solch einem neuen, in der Sprache sich manifestierenden Verhältnis zwischen der äußeren Wirklichkeit und der inneren, psychologischen des Dichters entstand dann bei Holz allerdings auch die nie aufgegebene epiphanische Hoffnung, durch die sprachliche Formung neuer Relationen zwischen dem Menschen und den Dingen zu neuen Werten und Offenbarungen zu kommen. Auch hier befindet er sich in guter Genossenschaft. In Hofmannsthals *Chandos-Brief* heißt es an einer Stelle: „Eine Gießkanne, eine auf dem Felde verlassene Egge, ein Hund in der Sonne, ein ärmlicher Kirchhof, ein Krüppel, ein kleines Bauernhaus, alles dies kann das Gefäß meiner Offenbarung werden. Jeder dieser Gegenstände und die tausend anderen ähnlichen, über die sonst ein Auge mit selbstverständlicher Gleichgültigkeit hinweggleitet, kann für mich plötzlich in irgend einem Moment, den herbeizuführen auf keine Weise in meiner Gewalt steht, ein erhabenes und rührendes Gepräge annehmen, das auszudrücken mir alle Worte zu arm scheinen!“ [49]

Auf dem Glauben an die Enthüllung neuer Erkenntnisse aus der dichterischen Neuschöpfung der Welt ist der ganze *Phantasus* gebaut, mit dem Holz letzten Endes nichts Geringeres im Sinne hatte, als ein neues Weltbild zu geben. Das allerdings trat in der ersten Fassung noch nicht deutlich zutage, den Versuch, „durch diese Fragmente die geplante Komposition durchschimmern zu lassen“,[50] habe er noch nicht unternehmen zu dürfen geglaubt. Das gereicht manchen dieser Gedichte durchaus zum Vorteil. In der Unabhängigkeit von einer umgreifenden Idee können sie ihr lyrisches Eigenleben erst recht entfalten, das später in der Fülle der Ausarbeitung und Erweiterung erstickte. Aber sie bleiben natürlich Perlen, die an einem, wenn auch zunächst noch unsichtbaren Faden aufgereiht sind; nur sind Schönheit und Wert durchaus nicht von dem Ort in dieser Kette bedingt, so sehr das Holz gern haben wollte.

Die hundert Gedichte der ersten Fassung des *Phantasus* haben eine eigene Bilder- und Motivwelt, die erst im Zusammenhang betrachtet, das Verständnis für die Eigentümlichkeit dieser Lyrik und für die dahinterstehenden Vorstellungen des Dichters aufschließt. Vieles davon findet sich schon vorgeprägt in Gedanken und Motiven des *Buches der Zeit* und dort natürlich wieder in dem Phantasus-Zyklus selbst. Dessen Antithetik von Wirklichkeit und Traum bestimmt auch die kleine Gedichtsammlung, und die Zauberkraft des sich in alles verwandeln könnenden Dichters wird ihr zunächst noch unsichtbares Thema und Zentrum, das erst in den späteren Bearbeitungen deutlicher hervortritt.

Die Ausgangssituation ist wieder die Dachkammer des Dichters; den nächtlichen Besuch der von der kalten Welt gemordeten Muse – sein erstes experimentelles Gedicht – hat Holz an den Anfang gestellt. In der Dachkammer finden wir den Dichter immer wieder, am Morgen lesend, am Abend träumend oder seine Freunde empfangend. Die drei am häufigsten gebrauchten Requisiten sind dabei die Lampe, das Bett und das Fenster, das „innere“ Licht, die Wiege der Träume und die Brücke von der Nähe zur Ferne.[51] Denn auf Erhellung, Befreiung, Entgrenzung oder zumindest auf die Sehnsucht danach ist nahezu jedes Gedicht abgestimmt. Das Haus mit der Dachkammer darin ist nach wie vor Teil der modernen Großstadt, aber diese selbst erscheint, wie schon früher, nur vage umrissen und ausnahmslos als feindlich, kalt, versnobt. Sie ist der Ort des Lärms und Trubels, voll Arroganz und leerer Konventionen; Prostitution gedeiht in ihr ebenso wie neureiche Geschmacksverirrung. Vielseitiger und differenzierter also war Holz' Verständnis des Milieus, das ihn unmittelbar umgab, seit dem *Buch der Zeit* gewiß nicht geworden. Im Gegenteil, die „soziale Frage", die gespenstisch ihr rotes Drachenhaupt gereckt hatte, schien nun eher den Kopf eingezogen zu haben; und „der verhungernde Dichter war als pappernes Requisit in die Rumpelkammer gewandert", wie er 1922 in der Einführung zum *Phantasus* selbst schrieb.[52]

Zwar war die Berliner Wirklichkeit nicht ganz verschwunden: Friedrichstraße und Tiergarten, Landwehrkanal, der Grunewald, Spandau und die „schimmernde Havel" waren noch vertreten ebenso wie die Leutnants und Fin-de-Siècle-Krabben, die Kleingärtner und Turner, die Dirnen und Salondamen, die diese Städte bevölkerten. Aber nichts war von dem Mietskasernenelend übriggeblieben. Das kleine Lieschen ist inzwischen zu den Engeln entflogen:

Unten grämt sich der Vater,
unten schluchzt die Mutter,
ich sitze und flechte mir einen Kranz aus Himmelsschlüsselchen.[53]

Der vormärzliche Schwung ist dahin, und die politische Atmosphäre des wilhelminischen Reichs wird allenfalls spürbar in der Erinnerung an die Opfer der Märzrevolution 1848, deren Gräber verwachsen sind und für deren Geist die Gegenwart offenbar wenig Sinn und Verständnis hat:

Die alten Buchstaben sind kaum mehr zu lesen.
Mit Mühe nur entziffre ich:
„Ein ... un ... be ... kann ... ter ... Mann." [54]

Aus der leidenschaftlichen, wenn auch allgemeinen Anklage gegen Brutalität und menschliche Vertierung im Maschinenzeitalter ist milder Spott über die Abgötter des Bürgertums geworden: wenn der Leutnant über die Brücke reitet, ruft irgendwo im Park der nichtsnutzige Kuckuck, wozu in späteren Fassungen noch unmißverständlich das Affengekreisch vom nahen Zoo tritt. Und wo viktorianischer Prüderie ein Schlag versetzt werden soll, tritt Holz mit seiner Forderung

Mädchen, entgürtet euch und tanzt nackt zwischen Schwertern![55]

nicht als Ankläger, sondern eher als Bürgerschreck auf, der sein Selbstgefühl durch den Anruf an antike Lebenslust steigert, ein Einfall, der allerdings erst dem Gedicht seinen Schwung gibt. Hatte Holz im übrigen seinen Frieden mit der Welt gemacht?

Den *Phantasus*-Gedichten ist eine Polarität immanent, die sich bei einigen schon in ihrer äußeren Struktur erkennen läßt:

Durch die Friedrichstraße
– die Laternen brennen nur noch halb,
der trübe Wintermorgen dämmert schon –
bummle ich nach Hause.

In mir, langsam, steigt ein Bild auf.

Ein grüner Wiesenplan,
ein lachender Frühlingshimmel,
ein weißes Schloß mit weißen Nymphen.

Davor ein riesiger Kastanienbaum,
der seine roten Blütenkerzen
in einem stillen Wasser spiegelt![56]

Der trüben städtischen Realität steht eine strahlende Traumsphäre gegenüber, die schön und friedlich, bunt und froh, reich und glücklich ist. Dergleichen bildet mit Wiesen, Bäumen, Himmel, Schloß und Marmorbildern allerdings nur die stilisierte Fortsetzung einer schon im *Buch der Zeit* angelegten Gegenwelt zur Großstadt, aber als Weiterführung früherer Gedanken erweist sich überhaupt der ganze *Phantasus* in seiner Thematik. Holz' gesellschaftskritische Pose war von Anfang an bei aller Engagiertheit oberflächlich und unreflektiert, so daß es nicht verwunderlich ist, wenn er sie schließlich ganz aufgibt und es mit einer generellen Opposition gegen eine unbequeme Gegenwart bewenden läßt. Die Ursachen dafür liegen nun freilich nicht in wachsender Selbsterkenntnis über die Grenzen seines Weltverständnisses; es muß bezweifelt werden, daß Holz je die Schwäche seiner frühen Angriffsposition gegen die Gesellschaft eingesehen hat. Die Realität des zwischen den Fronten stehenden Dichters verführte ihn vielmehr dazu, Energie und Talent dem Ausbau einer Fluchtwelt zuzuwenden, was er dann als Schaffung eines neuen Weltbilds deklariert hat. Man wird damit auf den Grundwiderspruch seiner Person zurückgeführt, den Widerspruch zwischen Messiastraum und Misere, der für ihn unaufgelöst geblieben ist.

Abzuleiten aus solcher inneren Gegensätzlichkeit ist auch Holz' immer stärkere Isolation von der Gesellschaft und die Konzentration auf die Verteidigung seiner literarischen Errungenschaften. Was ihm an Angriffsgeist zur Verfügung stand – und das war nicht wenig –, verwandte er nun hauptsächlich auf seine literarischen Kritiker, die stärkere oder gelindere Bedenken über die weittragende Bedeutung seiner Formversuche und Kunstgesetze geäußert hatten. Kritiker, Verleger, Theaterleiter oder Verwalter von Stiftungen wurden seine eigentlichen Feinde und Gegner. Anstelle des Kampfes gegen eine hypokritische, vermassende Gesellschaft waren literarische Fehden getreten, und so verengte sich sein Gesichtskreis. Das war um so bedauerlicher, als er sich mit seiner neuen Form in der Lyrik gerade ein Instrument der Freiheit und Entgrenzung des Ausdrucks geschaffen hatte, das einer gänzlich neuen Musik fähig gewesen wäre. Statt dessen blies Holz darauf weitgehend alte Melodien, wenn auch in neuen und vielfältigen Variationen.

Dort, wo er sich beschränkte auf das fragmentarisch Erfaßte eines unverstandenen Ganzen, wo er die eigene Widersprüchlichkeit zum Thema des Gedichtes selbst werden ließ, ohne sie deutlich in einem forcierten höheren Zusammenhang aufzuheben, konnte er auch die Möglichkeiten seiner freien, offenen, Ungesagtes anklingen lassenden Zeilenkomposition am besten ausnutzen. In den frühen *Phantasus*-Gedichten gelangen Arno Holz seine vollendetsten lyrischen Leistungen. Mit ihren Themen und Motiven stand er aber zugleich auch in engem Bezug zu den Themen und Motiven zeitgenössischer Kunst und Literatur überhaupt, und wenn die zehn in der *Jugend* veröffentlichten Gedichte mit Schmuckrahmen und Zeichnungen des Jugendstilkünstlers Bernhard Pankok erschienen, so war damit äußerlich eine Verbindung hergestellt, die auch innerlich bestand.

Die freie, ruhige, idyllische Natur steht allerorts im Kontrast zu Hast und Funktionalisierung des Menschen in der Großstadt des Industriezeitalters. Natur als Asyl oder Traumparadies findet sich überall in Holz' *Phantasus*-Gedichten. Immer wieder werden Adverbien wie „fern", „hinter" und „draußen" benutzt, um auf diese andere Sphäre zu weisen, die dann jenseits von Dachkammerfenster und Friedrichstraße irgendwo aus Wiesen, Wäldern und Wasser entsteht. Obwohl da draußen auch die blaue Blume der Romantik blüht, erscheint das Paradies jedoch zumeist konkret. Nicht weniger als achtundzwanzig Spezies von Blumen und Blüten gibt es in den hundert Gedichten, von Rosen und Lotus über Schwertlilien und Tausendschönchen bis zu Butterblumen und Disteln. Auch die Bäume rauschen nicht einfach wie bei Eichendorff; es sind Ahorn und Kastanien, Weiden, Linden und Silberpappeln, um nur einige der beliebtesten zu nennen. Geordnet ist diese Natur vor allem in Gärten oder Parks – das Eden ist erkennbar –, und bevölkert wird sie mit einer reichen Zahl von Lebewesen, darunter arkadischen Lämmern und Ziegen, ein paar braven Haustieren und hin und wieder einem Märchenwesen, einer Kröte oder einem Wolf. Weit in der Überzahl sind jedoch beflügelte Wesen, Bienen, Käfer, Schmetterlinge und rund zwanzig Arten Vögel. Gänse und Enten sind da, Spatzen und Kuckucks, Schwäne und Schwalben, Nachtigallen und Lerchen.

Die Natur in den *Phantasus*-Gedichten läßt sich nicht auf einen Nenner bringen. Ein Teil davon entspringt aus der verklärten Erinnerung an die Kindheit des Dichters in ländlicher Idylle. Ein anderer ist stilisierter

Traum aus der Gegenwart hinaus zu einem entlegenen Fluchtort, umhegt und verborgen wie Garten oder Park. Als drittes schließlich ersteht nur erst in Umrissen das von mythischen Bildern und Gestalten durchzogene Reich einer großen Natur, eines Vergangenheit, Gegenwart und Zukunft umgreifenden Ganzen, dessen Demiurg die Phantasie des Dichters ist und mit dem er sich zugleich als Proteus-Phantasus identifiziert. Das letztere ist, wie gesagt, nur erst in Ansätzen, besonders in den zweiten fünfzig Gedichten, vorhanden, sollte aber später als Phantasus-Mythos die Dichtung immer mehr beherrschen.

In dieses Konzept einer dreifachen Natur sind nun verschiedene andere Motivbereiche verschmolzen. Die ländlich-idyllische Natur verbindet sich mit dem Bild der friedlichen, schläfrigen Kleinstadt und Kleinbürgeratmosphäre in der ostpreußischen Heimat, in die sich der Dichter aus seiner Dachkammer zurückträumt:

Gottseidank!

Die Hausthür ist zu, mich kann Niemand mehr besuchen.

Ich öffne ein Päckchen „Blaubienenkorb“
und stopfe die lange Pfeife.

Es regnet so schön.

In den Schlafrock gewickelt,
die Tapete entlang,
fährt sichs jetzt prächtig nach alten Ländern.

Alles versinkt!

Aus einem stillen, himmlisch blauen Wiesenwässerchen
mit bunten, gespiegelten Blumen und Wolken
lande ich in ein Städtchen.

Die dünnen Gräserchen über die bröckelnde Rundmauer blinken noch.
jedes sich drehende Wetterfähnchen
erzählt mir eine Geschichte.[57]

Die Mittagsstille im Städtchen und der friedvolle Feierabend, Judenkringel zu Weihnachten und Eierkuchen am Sonnabend, Großmutter im Lehnstuhl und die alte Apotheke – das alles ebenso wie Liebesglück und Leid, ein kleines „Jahr der Seele“ gehört zu jener „Lang lang ist's her“-Stimmung, die sich durch viele der Gedichte zieht. Holz versucht nun, diese Welt wie auch die Natur allgemein in ihrem Detail zu erfassen mit Hennen und Tauben, Kürbissen, Schnittlauch und Mohdrickers Garten,

Kupferschmied Thiel und Konditormeister Knorr. Die Absicht solchen Verfahrens wird aus den theoretischen Voraussetzungen deutlich: fern vom sprachlichen Klischee und der abgenutzten Metapher soll die Komplexität menschlicher Gefühle dargestellt und die Poesie aus den konkreten Dingen neu erweckt werden. Aber da das Verhältnis des Dichters zu diesen Dingen das alte geblieben ist, geht es nicht ohne Sentimentalität ab, denn Sentimentalität schwelgt in unbestimmten Gefühlen, wo Klarheit des Denkens mit dem Empfinden eine Einheit bilden sollte. Etwas Spielerisches tritt hinzu. Holz stellt nirgends eine Arbeitswelt dar, und selbst wo der Kupferschmied Thiel hämmert, ist das nur Hintergrundsmusik für die Träumereien des Dichters. Vom Gesang der Maschinen ist nichts zu vernehmen, allerdings auch nichts von Pflug und Sense. Holz' Natur ist nicht die der Heimatkünstler, es sind nicht die ewigen Wälder oder die fruchtbare Scholle, die ihn bezaubern – nur ein Kornfeld rauscht zuweilen in seinen Zeilen. Es sind vielmehr die biblischen „Vögel unter dem Himmel" und die „Lilien auf dem Felde", denen wir hier begegnen; es ist die Natur als Gegenwelt zur imperialistischen Gegenwart, aber blühend in deren „machtgeschützter Innerlichkeit".

Dem zweiten Bereich, der Natur als stilisiertem Asyl, ordnen sich vor allem exotische und Seemotive zu. Überall im *Phantasus* funkeln stille Seen und leuchtet die weite, offene Freiheit des Meers:

Aus weißen Wolken
baut sich ein Schloß.

Spiegelnde Seeen, selige Wiesen,
singende Brunnen aus tiefstem Smaragd!

In seinen schimmernden Hallen
wohnen
die alten Götter.

Noch immer,
abends,
wenn die Sonne purpurn sinkt,
glühn seine Gärten,
vor ihren Wundern bebt mein Herz
und lange ... steh ich.

Sehnsüchtig!

Dann naht die Nacht,
die Luft verlischt,
wie zitterndes Silber blinkt das Meer,

und über die ganze Welt hin
weht ein Duft
wie von Rosen.[58]

In diesem Gedicht ist nahezu alles versammelt, was zu dem entrückten Paradies der Sehnsucht gehört: das Umhegte des Gartens und die Freiheit des Meeres, die stille Friedlichkeit der spiegelnden Seen und die Schönheit der Blumen. Darüber aber thront der Herrschersitz des Phantasus, das Luftschloß aus Wolken, in dem die Götter Griechenlands sich angesiedelt haben wie zu den Zeiten, da sie noch glücklichere Menschenalter an der Freude leichtem Gängelbande führten. Und wie schon dem Phantasus des *Buches der Zeit* die „seligen Inseln“ als arkadisches Refugium aus dem „dunkelblauen Griechenmeer“ aufgetaucht waren, so auch hier – nur daß sich jetzt exotische Bilder hineinmischen, denn das Interesse an den alten Kulturen Asiens ebenso wie das an den primitiven Paradiesen der Südsee hatte in den neunziger Jahren stark zugenommen.

Auf einem vergoldeten Blumenschiff
mit Ebenholzmasten und Purpursegeln
schwimmen wir ins offne Meer.

Hinter uns,
zwischen Wasserrosen,
schaukelt der Mond.

Tausend bunte Papierlaternen schillern an seidnen Fäden

In runden Schalen kreist der Wein.

Die Lauten klingen.

Aus fernem Süd
taucht blühend eine Insel ...

Die Insel – der Vergessenheit![59]

1897 erschien Gauguins *Noa Noa* als Bericht von seiner Flucht in die unverderbte Natürlichkeit Tahitis; Holz ergötzte sich, zu Hause geblieben, an einer „Masse herrlichste japanische Buntdrucke“.[60] Im Oktober 1899 erschien das erste Heft der Zeitschrift *Die Insel,* und die Herausgeber meinten, sie wollten mit solcher Titelgebung andeuten, wie wenig sie geneigt seien, „in das jetzt so vielerorts übliche Triumphgeschrei über die glorreichen Resultate irgendwelcher moderner Kunstbestrebungen einzustimmen“,[61] wobei wohl in erster Linie an die staatlich gepriesene pompöse Drapierung deutscher Kaiserherrlichkeit in Bildhauerei, Malerei und

Auf einem vergoldeten Blumenschiff
mit Ebenholzmasten und Purpursegeln
schwimmen wir ins offne Meer.

Hinter uns,
zwischen Wasserrosen,
schaukelt der Mond.

Tausend bunte Papierlaternen schillern an seidnen Fäden

In runden Schalen kreist der Wein.

Die Lauten klingen.

Aus fernem Süd
taucht blühend eine Insel...

Die Insel — der Vergessenheit!

Seite aus dem ersten Heft des Phantasus *(1898)*

historischem Schauspiel gedacht war. Allerdings war auch die Inselsehnsucht und Exotik nicht ganz von dem Machtstreben des europäischen Imperialismus zu trennen, der gerade um diese Zeit an China und an Koloniegründungen in der Südsee sein Interesse zeigte.

Ebenso wie Gauguin die französischen Zivilisationsbemühungen in Papeete verachtete und sich in ein Eingeborenendorf zurückzog, so ist diese Fluchtmotivik in der Literatur als Opposition gegen eine das Individuum versklavende Massengesellschaft gemeint, ohne daß der Gegner jedoch genauere Umrisse bekäme. Der Drang nach Freiheit, Ungebundenheit und paradiesischer Unschuld dominiert. Die Jugenderinnerungen werden dadurch doppelt motiviert, denn Kind und Kindheit sind auch alte Symbole der Reinheit und Nähe zum göttlichen Ursprung. Desgleichen gehört hierhin die Lust an der Nacktheit, die Holz' Gedichte genau wie die Jahrgänge der *Jugend* oder des *Pan* durchzieht. Die ersten Kolonien der Nudisten oder „Sonnenfreunde" wurden um eben diese Zeit gegründet, und die Sonne ist übrigens auch das statistisch dominierende Gestirn im *Phantasus*.

Sonne und Nacktheit leiten über zu dem dritten Bereich einer großen, über alle Zeiten ins Kosmische hinausgehenden, alles in sich aufsaugenden Natur, mit der sich ein Mythos vom starken Leben verbindet. Dahinter steht der Gedanke, den Defaitismus des Rückzugs und der Flucht ins Positive und Schöpferische umzuwandeln. Der Dichter sieht sich als eherner Held und Drachentöter, als Befreier der „schönsten Frau der Welt":

Fest,
in den grünen Gischt,
drückt meine Faust das Steuer;
keine Wimper zuckt.

Zu dir! Zu dir![62]

Erotische Omnipotenz hat es ihm besonders angetan. Rausch, Tanz und Ekstase werden halb ernst, halb spöttisch inszeniert:

Auf seiner lustigen Hallelujawiese
duldet mein fröhliches Herz keine Schatten.

Rote, lachende Rubensheilige
tanzen mit nackten Wiener Wäschermadeln Cancan.[63]

Und so wird Phantasus schließlich selbst Übermensch, Schöpfer und Gott: „Millionen Lippen dürsten" nach ihm,[64] und er schwingt sich auf ins Kosmische, um sein geflügeltes Poetenroß durch „rote Fixsternwälder" ins Unendliche zu peitschen:

Hinter zerfetzten Planetensystemen, hinter vergletscherten Ursonnen,
hinter Wüsten aus Nacht und Nichts
wachsen schimmernd Neue Welten – Trillionen Crocusblüten![65]

Sterne flimmern auf, die Zeit verliert ihr Gewicht, mit Jahrhunderten, Jahrtausenden, Billionen, Trillionen und Septillionen wird frei umgesprungen: die menschliche Existenz ist nur Teil einer ungeheuren, ewigen Verwandlung.

Auch solche Gedanken korrespondieren mit anderen zeitgenössischen Anschauungen, und wenn Herr Fiebig in den *Sozialaristokraten* den jungen Herrn Hahn fragt: „De janze Welt redt jetz von Ibermenschn! Nitschkn ham Se doch jelesn?",[66] so ist die eine Quelle deutlich genug bezeichnet. Parallelen finden sich zu dem Münchner Kosmiker-Kreis mit Klages, Schuler, Wolfskehl und zeitweilig George, zu Momberts Gedichtbüchern seit dem *Glühenden* (1896) und ebenso schließlich zu Däublers großem *Nordlicht*-Mythos, der 1898 begonnen wurde.

Die Suche nach einer neuen Weltanschauung auf dem Hintergrund einer allein um materielle Macht und um Erwerb bemühten Gesellschaft

Auf seiner lustigen Hallelujawiese
duldet mein fröhliches Herz keine Schatten.

Rote, lachende Rubensheilige
tanzen mit nackten Wiener Wäschermadeln Cancan.

Unter fast brechenden Leberwurstbäumen
küsst Corregio die Jo.

Niemand geniert sich.

Goethe, der Hundsfott, langt sich quer über den Schooss die dicke Vulpius.

Kleine, geflügelte Lümmels rufen Prost,
Jobst Sackmann, mein Liebling, setzt n lüttn Kümmel Aquavit drup!

Seite aus dem zweiten Heft des Phantasus *(1899)*

kennzeichnen Dichtung und Philosophie der Jahrhundertwende, und Holz' *Phantasus* fügt sich durchaus in diesen Rahmen ein. Das gilt vor allem für die Gesamtkonzeption des Zyklus, die vom ersten zum zweiten Heft deutlicher sichtbar wird, denn während die Sehnsuchtsmotivik noch weitgehend die ersten fünfzig Gedichte bestimmt, dringt in den zweiten eine selbständig werdende Phantasie- und Traumwelt immer weiter vor. Waren Mond und Sterne zuerst Naturerscheinungen zur Stimmungszauberei, so werden sie später Requisiten eines großen Kosmos. Die Natur wird metaphorisch verfremdet, Märchen, Mythen und Träume breiten sich aus, und die Zeitbegriffe weiten sich ins Unendliche. Die Beziehungen der *Phantasus*-Gedichte zu Motiven und Themen des Jugendstils gehen bis ins einzelne. Alle wesentlichen Versatzstücke sind vorhanden: weiße Schlösser, Parks und Statuen, stille Weiher mit Schwänen, Boote auf dem weiten Meer, die zu fernen Inseln steuern, „aus Bronze gewundene Schlangengitter", erlesene Blumen mit Ornamentcharakter wie Schwertlilien, Lotus, Wasserrosen, Narzissen, dazu Ebenholz, Sandelholz, Zypressen und Taxus, Korallen- und Zitronenwälder. Mythologien werden mit einem Schuß Ironie durcheinandergemengt: Faune, Nymphen, Neptun, Venus, der Olymp überhaupt begegnen Buddha und dem christlichen Herrn, Sagengetier ist auch dabei: der Vogel Phönix und der Behemot, Pegasus und sehr viele Drachen. Die Ansammlung ist charakteristisch für den Eklektizismus, mit dem sich die Künstler des Jugenstils ihr Traumparadies zusammenstellten, und für den Mosaikcharakter ihres Weltbildes. Tanz, Rausch, religiöse Ekstatik, Macht, Gewalt, Reichtum, Pracht und

Üppigkeit werden gefeiert, aber neben dem Großen ebenso das Kleine. Das Verfeinerte, zuweilen Raffinierte der menschlichen Empfindung steht neben dem Elementaren und Gewaltigen. Der „reichste Mann der Welt" ist überwältigt vom einfachen Leben der Natur:

Die Sonne scheint,
ein Vogel singt,
ich bücke mich
und pflücke eine kleine Wiesenblume.

Und plötzlich weiß ich: ich bin der ärmste Bettler!

Ein Nichts ist meine ganze Herrlichkeit
vor diesem Thautropfen,
der in der Sonne funkelt.[67]

Holz hat dieses Gedicht „eines der für mich mit am meisten ‚bezeichnenden' meines ganzen Buches" genannt,[68] und er hat den Gedanken dann später in seinem Drama *Sonnenfinsternis* weiterzuführen versucht. Daß

Gott im Großen nicht allein,
Nein, sondern auch in Dingen, welche klein,
Unendlich groß und herrlich ist,[69]

hatte schon Barthold Heinrich Brockes erkannt, aber das irdische Vergnügen in Gott ist bei Holz eher einer Hilflosigkeit solchen Manifestationen gegenüber und einer daraus entspringenden mißvergnügten Unerfülltheit gewichen.

Um sie zu überwinden, baute man sich als Synthese ein inneres Reich. Natur wird zur Kunst, Kunst zur Natur; das Ornament triumphiert in den Windungen von Blumenstengeln und Gittern, in Schwanenhälsen und in den Figuren des Tabakrauches: „Du bist der blaue, verschwebende Rauch, der sich aus deiner Cigarre ringelt." [70] Die Realität erscheint häufig nur noch verfremdet als zweidimensionales Bild im Spiegel. Kastanien spiegeln ihre „roten Blütenkerzen" im „stillen Wasser", Schlösser werfen ihr Bild in Alpenseen, der Mond „schaukelt" zwischen Wasserrosen – nicht weniger als vierzehnmal hat Holz dieses Motiv in den hundert Gedichten verwendet. Die Intensivierung des Optischen ist überall bemerkbar: in der Lust an den Farben und überhaupt am Visuellen, das in den *Phantasus*-Gedichten allen anderen Sinneseindrücken statistisch weit überlegen ist, in der Ornamentik der Motive und schließlich in der Form der Gedichte selbst. Obwohl Holz immer den Rhythmus, also etwas akustisch Empfindbares als für seine Zeileneinteilung entscheidend angesehen hat, läßt sich nicht leugnen, daß er doch in erster Linie für das Auge geschrieben hat. Die Mittelachse selbst ist für das Auge bestimmt: „Warum sollte das Auge am Drucksatz eines Gedichts *nicht* seine besondere Freude haben? Jedenfalls diese Frage einmal aufgeworfen, ziehe ich eine besondere Freude einem besonderen Mißfallen entschieden vor ... ein solches Mißfallen würde durch die alte Anfangsachse bei meinen ‚Kreiselgedichten' unbedingt erregt werden. Denn wenn vielleicht die eine Zeile nur *eine* Silbe enthält, enthält vielleicht bereits die nächste Zeile *zwanzig* Silben und *mehr*. Ließe ich daher die Achse, statt in die Mitte, an den Anfang legen, so würde dadurch das Auge gezwungen sein, immer einen genau doppelt so langen Weg zurückzulegen. Nach dem unbestreitbaren Prinzip des kleinsten Kraftmaßes aber et cetera!" [71]

Die Begründung mag nicht ganz das umspannen, was wirklich dahintersteht, denn auch in dieser Beziehung bleibt Holz nicht allein. Untersuchungen haben gezeigt, wie um die Jahrhundertwende überall ein gesteigertes Interesse am Sichtbaren einsetzt.[72] Die Zahl der Maler-Dichter wächst beträchtlich: Leistikow, Morgenstern, Kubin, Kokoschka, Hesse, Kirchner, Schwitters. Es wird immer mehr für das Auge geschrieben und publiziert. Mit der Entwicklung der Photographie entstehen illustrierte Zeitungen. Schmuckleisten, Illustrationen und Vignetten breiten sich in Büchern und Journalen immer mehr aus. Man wird wählerisch hinsichtlich des Papiers und der Buchtypen, sucht sich besonders fremde und ornamentale für seine Werke aus; kunstvolle Einbände werden geschätzt.[73] In einem Brief aus dem Ende der neunziger Jahre spricht Holz von einer „Sammelmanie vis-à-vis allen Erzeugnissen (auch den unscheinbarsten, wenn sie nur irgendwie künstlerisch sind) der Graphik." [74] Die Wahl einer speziellen, der eigenen Handschrift nachempfundenen Drucktype für den *Phantasus* zeigt, daß die Entfernung zwischen ihm und George gar nicht so groß war, wie er sie gern haben wollte.

„Horche nicht hinter die Dinge. Zergrüble dich nicht." [75] beginnt eines der *Phantasus*-Gedichte, und damit wird nun auch die Dominanz der Dinge, deren immanenter Rhythmus die Form bestimmen sollte, für die Philosophie des Dichters in Anspruch genommen. Denn das Zentrum und die letzte Einheit liegt im Regisseur dieses künstlerischen Spiels, im Dichter selbst, der sich mit seiner besonderen Form ein Instrument geschaffen zu haben glaubt, das ihm ermöglicht, alle Facetten dieser reichen und komplizierten Wirklichkeit adäquat einzufangen und nach und nach als Ganzes zu verschmelzen. Das war die Absicht, die Holz mit der weiteren Ausgestaltung seines *Phantasus* verfolgte.

Im Glauben, das große Weltgedicht seiner Zeit zu geben, hat er mit verbissener Zähigkeit noch dreißig Jahre an seinem *Phantasus* gearbeitet. Aber wo ihn die in der selbstgeschaffenen Form verborgenen Potenzen zu immer kühneren Experimenten vorwärtstrieben, geriet ihm aus den Reproduktionsbedingungen seiner immer hermetischer werdenden gesellschaftlichen Position die Wiedergabe der „Natur“ zu einer Mischung aus Idealität und Trivialität.

Evolution des Dramas

Daß es in der Kunst „Höchstes“ und „Letztes“ zu erreichen gab, war seine feste Überzeugung. Holz, dem Freunde nachsagten, er habe wie ein Turnlehrer ausgesehen, hat immer gern in Rekorden geschwelgt, ja, er mag wohl sogar an etwas wie einen Weltrekord im Dichten geglaubt haben, in der Hoffnung, sich diese Krone einmal selbst aufsetzen zu können. Bisher waren ihm allerdings mehr Enttäuschungen als Erfolge beschieden gewesen, und Bitteres stand ihm noch bevor. Der ästhetische Naturalismus, den er einst mit Schlaf initiiert hatte, war zwar inzwischen durch die Werke von Autoren wie Hauptmann, Halbe, Sudermann oder Hartleben allgemein in das Bewußtsein der Öffentlichkeit gedrungen, aber Holz' eigener Anteil trat dabei allmählich in den Hintergrund. Der Bruch 1890 mit Brahm und der folgende Austritt aus der Redaktion der *Freien Bühne* hatten diese Entwicklung ebenso begünstigt wie finanzielle Sorgen, die Holz zwangen, sich in den folgenden Jahren auf alle mögliche Art und Weise Geld zu verdienen. Vor Hauptmanns leuchtendem Aufstieg waren ohnehin die meisten anderen Sterne – zu recht oder zu unrecht – verblaßt. Aber Holz wollte den Anspruch darauf, Führer der Moderne zu sein, nicht aufgeben. Da er glaubte, auf dem Gebiet der Prosa und des Dramas die entscheidenden Anstöße bereits gegeben zu haben, hatte er sich Anfang der neunziger Jahre seiner Revolution der Lyrik zugewandt. Die *Phantasus*-Gedichte zwischen 1892 und 1899 waren das Resultat. Erst ein äußerer Anlaß, der Mißerfolg von Hauptmanns *Florian Geyer,* sowie eine Diskussion darüber mit Paul Ernst führten ihn auf das Drama zurück.[1] Anfang 1896 entstand der Plan zu einem gewaltigen Dramenzyklus mit dem apokalyptischen Titel: „Berlin. Das Ende einer Zeit in Dramen.“ „Lassen's die Umstände, dann sollen's nach und nach – 25 werden. Jedes Jahr immer eins“, schreibt er im August 1896 einem Freunde.[2] Ein Jahr später ist er schon etwas vorsichtiger: „Ich denke an zwölf, verteilt auf einen Zeitraum von vierundzwanzig Jahren.“ [3] Fertiggeworden sind tatsächlich nur drei Werke, 1896 die Komödie *Sozialaristokraten,* 1908 die Tragödie *Sonnenfinsternis* und 1913 die Tragödie *Ignorabimus.*

Holz' Ansprüche und Erwartungen waren hoch. Die Vollendung des Zyklus „würde zehn Kleists wert sein“,[4] meinte er, und er zweifelte nicht daran, daß ihm das Zeug dazu gegeben war, wenn nur die pekuniären Voraussetzungen genügend Arbeitszeit garantierten. Ungeniert verkündete er 1909, mit den *Sozialaristokraten* die „beste bisherige Komödie" und mit der *Sonnenfinsternis* die „beste bisherige Tragödie" geschrieben zu haben; mit beiden habe er sich „in erster Linie auf die Schaffung zweier Rekorde gespitzt".[5] *Ignorabimus* sollte sich als dritter anschließen, und 1916 hieß es dann auch tatsächlich: „Ich schlug mit meiner letzten Tragödie ‚Ignorabimus' den letzten bisherigen ‚Weltrekord'. Ich meine Ibsens ‚Gespenster'", und er war nicht bereit, das Werk für die ganze übrige Weltliteratur herzugeben.[6] Als die Zeitgenossen keine Anstalten machten, diese Rekorde auch nur im mindestens anzuerkennen, erklärte sich Holz für den Ausnahmefall eines Menschen, der „seiner Zeit weit voraus geht, und der grade deshalb, seiner abnormen Leistungen wegen, nicht von ihr verstanden und begriffen wird".[7] Im *Phantasus* läßt er sich anläßlich der dort geschilderten Uraufführung der *Sozialaristokraten* sogar einen Lorbeerkranz mit der Inschrift überreichen:

„Dem einsamen Bahnbrecher, dem genialen Pfadfinder, dem
großen Erneuerer und Wiedererwecker
unserer Literatur".[8]

Es ist müßig, sich über Holz' Maßlosigkeit und Überheblichkeit in der Einschätzung seiner eigenen Leistungen zu empören oder zu amüsieren. Solcher Mangel an Distanz gegenüber sich selbst ist ein konstanter Faktor seiner Persönlichkeit, und er wirkt eher mitleidheischend angesichts der so offensichtlichen Schwächen seiner dramatischen Produktion, die sich auch nach mehr als einem halben Jahrhundert nicht hat durchsetzen können. Gerade im Hinblick auf die Dramen von Arno Holz stellt sich die Frage, ob es für die Literaturwissenschaft überhaupt sinnvoll ist, Werken Aufmerksamkeit zu schenken, deren Unzulänglichkeiten schon beim ersten Lesen in die Augen fallen und die auch bei genauerem Studium jenen tiefen Sinn nicht erkennen lassen, den ihr Autor in ihnen enthüllen wollte. Es bleibt ihnen in ihrer Gesamtheit nur dokumentarischer Wert. Dennoch läßt sich eine ausführlichere Untersuchung rechtfertigen, da es sich um Dokumente wesentlicher Stadien in der Entwicklung eines Schriftstellers und der Literatur seiner Zeit handelt, besonders wenn man den Kreis erweitert und auch jene Werke hinzunimmt, die Holz zwischen 1900 und 1908 gemeinsam mit seinem Freund Oskar Jerschke verfaßte, nämlich die fünf Stücke *Frei!, Gaudeamus!, Heimkehr, Traumulus* und *Büxl.* Obwohl sie erklärtermaßen nur geschrieben wurden, um Geld für die Fortsetzung der großen Dramenpläne und des *Phantasus* einzubringen, sind sie doch etwas anderes als nur literarische Kavaliersdelikte, für die man sie gemeinhin ansieht. Sie sowohl wie die Stücke aus dem Berlin-Zyklus enthüllten Seiten von Holz' Persönlichkeit, die sich nirgendwo sonst so eindeutig zeigen und die zu kennen unerläßlich für ein kritisches

Verständnis seines Gesamtwerkes ist. Ebenso lassen alle diese Dramen Einblicke zu in bezeichnende Entwicklungsvorgänge innerhalb der deutschen Literatur zwischen der Aufhebung des Sozialistengesetzes und dem Ausbruch des ersten Weltkrieges, Vorgänge, die gesehen werden müssen, denn sie ergeben Perspektiven auch für die übrige literarische Produktion der Zeit.

In seiner Lyrik hatte Holz den Weg von politischem Engagement über Formexperimente zu der Stilisierung einer Fluchtidyllik genommen, die sich alsbald zu einer Weltanschauung verdichtete. Wenn sich auch dazu in seinen Schauspielen keine direkten Parallelen ergeben, so ist doch der Prozeß, der sich in der Entfaltung und Ausführung der dramatischen Pläne vollzieht, dem Vorgang in der Lyrik verwandt. In seiner Besprechung der Uraufführung der *Sozialaristokraten* 1897 erinnert Maximilian Harden an die Premiere der *Familie Selicke* sieben Jahre vorher, zu einer Zeit, als der Berliner „Freisinn" „über Bismarcks Sturz eben Jubellieder erschallen" ließ und hoffte, „nun werde endlich in Stadt und Land die ersehnte Sonnenaera des bürgerlichen Liberalismus anbrechen". Dergleichen sei heute vorüber, meint Harden, der Freisinn sei zerrüttet und habe sich „auf der staubigen Diele des Caprivihofes" längst prostituiert.[9] Harden bezeichnet mit dieser Gegenüberstellung sehr genau den Prozeß einer Enttäuschung und Erschütterung jener liberalen Hoffnungen, die bürgerliche Intellektuelle und Künstler zunächst an den jungen Kaiser geknüpft hatten. Daß man überhaupt solche Erwartungen hegen konnte, mag ursächlich mit der politischen Unreife und Unmündigkeit des deutschen Bürgertums zusammenhängen, das durch die Bismarcksche Verfassung an jeder verantwortlichen Mitarbeit im Staate gehindert wurde. Wesentlich ist, daß der Selbsttäuschung weithin Enttäuschung, Rückzug in die Innerlichkeit, Resignation, Mystizismus oder blanke Korrumpierung folgten. Die liberalen Künstler und Kritiker, die in den achtziger Jahren nach einer Erneuerung von Kunst und Literatur im Zeichen von Begriffen wie „Realismus" oder „Naturalismus" drängten, kehrten den früheren Idealen mehr und mehr den Rücken. Das ursprüngliche soziale Engagement oder gar die aktive Mitarbeit in den Reihen der Sozialdemokratie wichen einer Nietzscheschwärmerei und dem Drang nach der Konstituierung neuer Weltanschauungen, die sich je nach Charakter und Temperament aus verschiedenen Ingredienzen zusammensetzten – ein Prozeß, der durch die Verständnislosigkeit sozialistischer Parteifunktionäre gegenüber den jungen Intellektuellen nur noch gefördert wurde. Darwin, Mill, Spencer und Marx werden nun bunt mit Nietzsche vermischt, und man versucht, das eine für das andere zu retten: Darwin wird gegen den Sozialismus ins Feld geführt oder mit Marx liiert, Nietzsche wiederum nach Geschmack mit beiden verschwistert. Man sucht den neuen Menschen und erhofft solche Erneuerung aus der „freien Sittlichkeit“ des individuellen Bewußtseins, wie es etwa Bruno Wille in seiner *Philosophie des reinen Mittels* ausdrückte.[10] Individualismus und Exklusivität koppeln sich teilweise auch mit rassistischen und chauvinistischen Gedanken, wofür der unerwartete Erfolg von Langbehns *Rembrandt als Erzieher*, von dem 1890 im Jahre seines Erscheinens allein 60 000 Exemplare verkauft wurden, ein unmißverständlicher Beleg ist.[11]

In der Literatur der Zeit reichte die Skala von der exklusiven Welt des Jugendstils über die dampfenden Schollen der Heimatkunst bis zu nationalistisch-heroischen Fanfarentönen. Etwas von diesen Tendenzen und Strömungen wollte Holz als Symptom für das „Ende einer Zeit“ in seinen *Sozialaristokraten* einfangen.[12]

Holz' Komödie schildert Aufstieg und Verfall des „Sozialaristokraten“, einer Zeitschrift, die der junge, hoffnungsvolle Poet Hahn mit einer kleinen Erbschaft finanziert. Geraten hat es ihm ein väterlicher Freund, der berlinernde Gelegenheitsdichter Oskar Fiebig, der ihm auch in dem Schriftsteller Dr. Benno Gehrke gleich den Chefredakteur bestellt. Dessen politische Karriere steht im Mittelpunkt der Komödie. Gehrke war zunächst Sozialdemokrat gewesen, aber die Partei hatte sich von ihm wegen seiner individualistisch-elitären Anschauungen getrennt. Im Begriff der „Sozialaristokratie“ sollten sich nun politisches Bekenntnis und die Hoffnung auf Welterneuerung in einer leuchtenden Zukunft niederschlagen: der „*Klassen*kampf ums Dasein“ würde zu einer „Aristokratie von *Morgen*“ führen. Diese Formel findet sich allerdings nicht bei Holz selbst, sondern steht in einem Rezensionsartikel zum Thema „Sozialaristokratie“, den Bruno Wille 1893 veröffentlichte.[13] Wille aber wurde für Holz zum Modell seines Gehrke; Holz griff also mit seinem Stück direkt in den ideologischen Streit des Tages ein. Im Verlaufe der Handlung enthüllt sich nun Gehrke als schamloser Karrierist. Wegen unbefugten Anbringens von Werbeplakaten für die neue Zeitschrift erhält er eine Strafe von dreißig Mark oder drei Tagen Haft. Er benutzt diese Gelegenheit sofort, sich zum politischen Märtyrer zu machen. In der guten Stube des Amtsvorstehers von Friedrichshagen sitzt er seine Strafe feuchtfröhlich ab und schließt zugleich einen Kontrakt mit dem Journalisten Dr. Moritz Naphtali alias Löwenthal alias Wahrmann, der ihn seiner neuen Popularität wegen als Kanidaten der antisemitischen Volkspartei im Wahlkreis Arnswalde anwirbt. Gehrke wird tatsächlich gewählt, und das Stück endet, untermalt von den Klängen des Deutschlandliedes, mit markigen Worten gegen „Mammonismus und Überkultur für germanisches Volkstum und die antikratische, sozialitäre Gesellschaftsform der Zukunft“.[14]

Die Zeitgenossen hatten Schwierigkeiten, dergleichen in der rechten

Perspektive zu sehen. In der ersten Fassung 1896 hatte Holz Gehrkes politisches Konjunkturrittertum noch keineswegs folgerichtig entwickelt und Naphtali nur eine peripherische Figur sein lassen. Die deutlichen politischen Akzente wurden erst in der überarbeiteten Neuauflage 1908 gesetzt. In der Uraufführung 1897 kulminierte die ganze Komödie in einer Verlobung Herrn Hahns mit Fiebigs Tochter Anna; Holz hatte den 5. Akt speziell dafür umgeschrieben.[15] Die Zuschauer sahen das Stück zunächst also hauptsächlich als Schlüsselliteratur an, denn die Bezüge zu dem Friedrichshagener Literatenkreis um Wille, Bölsche und die Brüder Hart, der sich zu einem Zentrum des literarischen Lebens in der Nähe der Hauptstadt Berlin entwickelt hatte, waren unverhohlen und deutlich erkennbar. Benno Gehrke entsprach tatsächlich Bruno Wille mit seinem gebrochenen Verhältnis zur Sozialdemokratie, seiner Neigung für Nietzsche und für eine „Sozialaristokratie". Wille war 1891 auf dem Erfurter Parteitag der SPD wegen elitärer Tendenzen aus der Partei ausgeschlossen worden, und Ende 1895 wurde er außerdem ohne Richterspruch und nur auf Befehl des preußischen Kultusministers in Haft gesetzt, weil er sich weigerte, seinen Unterricht für die Berliner Freireligiöse Gemeinde aufzugeben. In Gehrkes Adlaten Bellermann und Styczinski erkannte man damals mühelos Karikaturen von John Henry Mackay und Stanislaw Przybyszewski. Auch für die meisten anderen Gestalten gab es identifizierbare Modelle; in Herrn Hahn wollte sich der Dichter sogar selbst ein Denkmal setzen.[16] Daraus entstand dann der Eindruck, es handle sich mehr um einen „Bierulk" als um eine ernstzunehmende Komödie. Die angedeuteten Mutationen des Werks zwischen 1896 und 1908 zeigen überdies, daß Holz selbst die politischen Motivationen ursprünglich nicht als zentral angesehen hatte, sondern daß sie sich erst bei der späteren Überarbeitung mit einiger dramatischer Logik entwickelten. Da er aber, wie die anspruchsvolle Selbsteinschätzung seines Stückes erweist, es gewiß nicht auf einen Ulk hin angelegt hatte, der politische Aspekt sich jedoch erst in der Überarbeitung herauskristallisierte, entsteht die Fage, was Holz' wirkliche Intentionen waren, als er sein Stück begann, das als einziges der Dramen noch hin und wieder seiner politischen Satire wegen aufgeführt wird.

Da heute die unmittelbaren Personenbezüge nicht mehr verstanden werden und – abgesehen von den Literaturhistorikern – niemand mehr Wille, Mackay oder Przybyszewski kennt, erscheint es möglich, die politischen Bezüge des Stücks um so deutlicher zu sehen. Einem Kritiker zeigen sich in diesem Sinne die *Sozialaristokraten* in einer Berliner Aufführung von 1955 als Dokument für „die erste Phase in jenem ideologischen und politischen Verlumpungsprozeß, den das deutsche Kleinbürgertum im Zeitalter des Imperialismus durchgemacht hat".[17] Das ist zweifellos richtig, besonders wenn man den Begriff „Kleinbürgertum" hier auf die Schicht der Intellektuellen einschränkt, um deren Karikierung es sich hauptsächlich handelt. In der „Entwicklung" Gehrkes hat Holz typische Züge einer Depravation der deutschen Intelligenz in der wilhelminischen Ära festgehalten, das heißt also Züge eines Vorgangs, der einsetzte, nachdem sich die Hoffnungen auf den jungen Kaiser als trügerisch erwiesen hatten und die euphorischen „Jubellieder" des liberalen Bürgertums verklungen waren. Dennoch bleibt das Gefühl einer gewissen Brüchigkeit und Unstimmigkeit zurück, wodurch die Satire entschärft und ihrer durchschlagenden Kraft beraubt wird.

Dieses Gefühl läßt sich nun auf einen besonderen Widerspruch der Komödie zurückführen, der darin besteht, daß Holz dem gleichen politischen Enttäuschungsprozeß wie seine Gestalten unterworfen war, diesen Prozeß aber bei sich nicht wahrnimmt und ihn deshalb auch nicht reflektiert oder selbstironisch einbeziehen und gestalten kann. Daß er sich selbst als einundzwanzigjährigen Naivling einführt, der von den anderen rücksichtslos ausgenutzt und ausgebeutet wird, führt geradenwegs auf diesen Widerspruch im Werke. Weniger deutlich als die anderen, noch folgenden Stücke der Berlin-Trilogie, aber doch immerhin erkennbar sind auch die *Sozialaristokraten* ein Versuch von Arno Holz, ein Bild von sich selbst als Künstler zu entwerfen. Das geschieht nicht allein dadurch, daß er einen jungen Schwärmer, wie er selbst einer gewesen war, auf der Bühne von dem eitlen, nur auf seine Karriere bedachten Literatenklüngel ausnehmen läßt, sondern daß auch Arno Holz als der Verfasser des Stückes im Hintergrunde ständig anwesend ist. Er ist es, der diesen ganzen Jahrmarkt der Eitelkeit inszeniert hat, sich von ihm distanziert und sich über ihn lustig macht als der einzige nicht Korrumpierte in einer von Geldgier und Charakterlosigkeit bestimmten Welt. Die aufrechte, unbestechliche Kämpferhaltung des Autors ist für ihn selbst und für seine Gestalten das Maß aller Dinge. Dieses beständige Drängen nach Geltung und die Stilisierung zum mutigen, kompromißlosen Fechter für das Rechte und Echte sind jedoch nichts anderes als Holz' eigene, in seiner Persönlichkeit und Herkunft begründete Reaktion auf den allgemeinen Desillusionierungsprozeß, dem auch seine Charaktere ausgesetzt sind. Daß ihm die Einsicht dazu fehlt, läßt die Satire stellenweise zur Farce werden. Man sieht die Figuren in ihrem Egoismus durcheinandertaumeln und muß, da andere Anhaltspunkte und Beweise fehlen, allein deren Charakterschwäche dafür verantwortlich machen, nicht aber ein politisches System und geschichtliche Konstellationen. Gewiß wimmelt es in den *Sozialaristokraten* von direkten Bezügen auf Zeit und Geschichte. Vom Kaiser, von Bismarck, Virchow, Liebknecht, Bebel ist die Rede, und eine ganze Phalanx von Persönlichkeiten des literarischen und gesellschaftlichen Lebens von

Berlin marschiert im Hintergrund auf, aber die Namen bleiben ohne tiefere Beziehung zur Handlung. Ihre Funktion besteht darin, Zeitkolorit zu sein.

Noch deutlicher wird die grundsätzliche politische Beziehungslosigkeit des Stückes, vergleicht man die tatsächlichen Vorgänge um Bruno Wille mit dem, was Holz seinem Bühnenhelden Benno Gehrke auferlegt. Wille wurde wegen der Fortsetzung seines freien Religionsunterrichts ohne jeden Richterspruch in Haft genommen, Gehrke erhält eine – immerhin gesetzliche – Haftstrafe wegen eines Verstoßes gegen die Polizeiverordnung, d. h. wegen unerlaubten Anbringens von Plakaten. Wille muß eine zunächst unbestimmte Zeit und schließlich mehrere Wochen in Haft bleiben, Gehrke nur drei Tage. Wußte sich Wille eine Reihe von Erleichterungen seiner Gefängniszeit zu verschaffen, wodurch die Aktion schließlich lächerlich wurde, so ist Gehrkes „Märtyrertum" von vornherein eine Posse. Eine Hummermahlzeit mit Freunden im „Gefängnis", der guten Stube des Amtsvorstehers, wird spöttisch kontrastiert mit der Widmung eines Kranzes „Dem Kämpfer für Wahrheit, Freiheit und Recht! Die vereinichtn Schuhmacherjeselln von Friedrichshagen und Umjejend!"[18] Als Gehrke später – zu Unrecht – noch einmal fürchtet, mit der Staatsmacht in Konflikt zu geraten, erklärt er pathetisch: „Wieder scheint administrative Willkür einer asiatischen Politik mich ohne Richterspruch verdammen zu wollen. Nicht genug, daß man mich, einen friedlichen Bürger, dem das Wohl seiner Mitmenschen über das eigene ging, ins Gefängnis geworfen und mich so an Freiheit, Erwerb und Gesundheit geschädigt, nein, die rohen Emissäre der Gewalt bedrohen vielleicht schon, ich kann wohl sagen, selbst die schlichte Schwelle meines Heims." [19] Das soll hohl, heuchlerisch und falsch klingen und wird auch so verstanden. Man lacht über den sich heroisch drapierenden Opportunisten, der, während er dergleichen sagt, schon nach seinem Mandat bei der antisemitischen Volkspartei schielt und dem der Wahlspruch „Deutsch bis ins Mark! Die Religion, die Monarchie, das Eigentum und die Ehe!" [20] bereits auf der Zunge liegt. Aber nicht nur Gehrke wird auf diese Weise Gegenstand der Lächerlichkeit, sondern ebenso die „empörenden Zustände",[21] die „asiatische Politik", die er scheinheilig anprangert. Damit aber enthüllt sich die eigentliche Schwäche des Stückes: die „empörenden Zustände" einer „administrativen Willkür" waren für das Preußen-Deutschland des ausgehenden Jahrhunderts durchaus eine ernstzunehmende Realität, selbst wenn sie im Einzelfall wie bei Wille nur relativ harmlos wirkten. Die relative Harmlosigkeit wird jedoch bei Holz zur absoluten. Die gesellschaftlichen Zustände sind bei ihm gemütlich-komisch, und nur die Charakterschwäche der einzelnen stiftet Übles und ist der Motor, der die Gestalten treibt. Daß die bedrückende Atmosphäre jener „asiatischen

Politik" überhaupt erst Kreaturen wie Gehrke produziert und möglich gemacht hat, ist nirgends erkennbar und auch indirekt nicht herauszulesen, da solche Kausalität von Holz eben selbst nicht erkannt worden ist. Die als charakteristisch für das „Ende einer Zeit" gedachte Komödie ist in der Tat über weite Strecken nichts anderes als ein Ulk und die Inszenierung von Holz' Groll gegen die Friedrichshagener.

Das ist noch besser zu sehen, wenn man jene Komödie dagegenstellt, die drei Jahre vor den *Sozialaristokraten* erschien: Hauptmanns *Biberpelz*. Dieses Stück hatte Holz bei seiner Antipathie gegen den erfolgreichen Kollegen doch wohl selbst im Sinne, wenn er die eigene Komödie als das beste bisherige Werk dieses Genres herausstrich. Aber Hauptmann ist eben gerade deshalb erfolgreich, weil es ihm gelingt, die entscheidenden, gegeneinander wirkenden gesellschaftlichen Kräfte seiner Zeit, im Konflikt karikaturistisch zugespitzt, in der Amtsvorstehersstube von Erkner zu versammeln, während bei Holz der einzige Gegenspieler der Autor selbst ist, der sich spottend über seine Gestalten erhebt. Holz' Amtsvorsteher ist ein gemütlicher Trottel, Wehrhahn dagegen – wie Bruno Wille in einer Rezension schreibt – „ein gewisser Typus, wie er durch die Aera eines Putkamer, durch politische Machenschaften von der Art des Septennat-Rummels geradezu gezüchtet wurde".[22] Was Holz andererseits mit seiner Komödie tatsächlich gelang, ist die Darstellung des Charakterbildes von Karrieristen in verschiedenen Spielarten. Gehrke, Styczinski, Bellermann und Naphtali sind in ihrer Mischung von Schwärmerei und Gerissenheit, von heroischem Pathos und Opportunismus Typen schlechthin, die ihre Wahrheit und Überzeugungskraft über alles momentan Historische hinaus in sich tragen. Das gilt auch für den das ganze Stück wie eine Art Conférencier leitenden Oskar Fiebig, in dem Holz das Berliner Original Hugo Krügel porträtiert hat. In seinen Kommentaren wird der pathetische Schwulst der anderen immer wieder parodiert und komisch gebrochen. Naphtali zum Beispiel kleben nach Fiebigs Beobachtung „doch ooch de fünf Finger von Nitschkn noch deutlich in de Jehirnschale".[23] Auch Fiebig ist auf seine Art Opportunist, denn vor allem will er sein Epos vom Weltuntergang verkaufen – „Mein janzer Weltunterjank liecht in de Schupplade!"[24] Aber er ist im Unterschied zu den anderen ein Opportunist mit Selbstironie und damit die komischste Gestalt des ganzen Stückes. „In de Jrinderjahre ham mer in de Stallschreiberstraße zusammn Romane jeschriebn. In de Blaue Jardine. Bei Knackstädtn. Jraf Jriebenow de Paderna, oder der Sektonkel in de Weißbierkneipe. T Urbild von de Ballhausanna! Mit den ham mer dn sozialn Roman bejrindt. Zola un Kretzer kam erst später."[25]

Wenn die *Sozialaristokraten* brüchig im dramatischen Konflikt bleiben, so geben sie also doch den satirischen Entwurf einiger überzeugender

Charaktere. Beides, Mißlingen und Gelingen, steht in bezug zu Holz' Vorstellungen von Sinn und Funktion des Dramas. In dem Vorwort zu seiner Komödie fordert Holz als Sprache des Theaters die „Sprache des Lebens" und behauptet, daraus werde ein Drama hervorgehen, „das das Leben in einer Unmittelbarkeit geben wird, in einer Treffsicherheit, von der wir heute vielleicht noch nicht einmal eine entfernte Vorstellung besitzen".[26] In der darauffolgenden Auseinandersetzung mit Maximilian Harden erklärte er dann ergänzend: „Die Menschen auf der Bühne sind nicht der Handlung wegen da, sondern die Handlung der Menschen auf der Bühne wegen." Und: „Nicht Handlung ist also das Gesetz des Theaters, sondern Darstellung von Charakteren." [27] Der Ausgangspunkt für diese Axiome waren seine früheren Gedanken zu einer Revolutionierung der Kunsttheorie. Dort war es ihm darum gegangen, die „tausend und abertausend sich kreuzenden Motive in jedem Einzelfalle" sprachlich zu erfassen und damit erkennbar zu machen, Kunst also als ein Erkenntnismittel einzusetzen, durch das die unbekannte Größe Mensch durchschaubarer und verständlicher wurde. In diesem Sinne mußten ihm für das Drama Handlung und Konflikt tatsächlich von zweitrangiger Bedeutung sein; seine Äußerungen zur Dramatik, die wesentlich auf die angeführten zwei Axiome hinauslaufen und die Holz später unter der Überschrift „Evolution des Dramas" [28] in sein Werk aufgenommen hat, sind eine logische Fortentwicklung seiner frühen Ausgangsposition. Mit dieser aber teilen sie auch die Unzulänglichkeiten; war es dort der vage Naturbegriff, der ihm eine tiefere Erkenntnis des Menschen als gesellschaftlichen Wesens verbaute, so war es hier der ebenso vage Begriff „Leben". Holz' Hauptaufmerksamkeit blieb auf die „Sprache des Lebens" gerichtet, die er wirklich mit Geschick und Genauigkeit einzufangen und bei den Charakteren untereinander abzustufen wußte. Aber parallel zur sprachlichen Perfektionierung wachsen Desorientierung und Richtungslosigkeit. Der aus eigenen Gnaden eingesetzte Kämpfer gegen Opportunismus und Korruption wird auf diese Weise offen für Kompromisse, zu denen sich diejenigen, über die er sich in den *Sozialaristokraten* erhob, in Wirklichkeit nicht hinreißen ließen. Die Gesellschaftsfeindlichkeit von Arno Holz, die Attitüde eines einsamen, verkannten Fechters findet in seiner literarischen Praxis einen Gegenpart in der geradezu krankhaften Sucht, der Gesellschaft zu gefallen, von ihr angenommen zu werden und bei ihr Erfolg zu haben. Es sind die alten Gegensätze in dem um Anerkennung ringenden „verlorenen Sohn". Mit zunehmendem Alter verhärteten sie sich jedoch bei Holz in einem Maße, daß sie zu einem Circulus vitiosus führten, von dem er ganz und gar eingefangen wurde und aus dem er sich zum eigenen Schaden nicht mehr befreien konnte. Die wachsende Opposition besonders der Kritiker und Literaturwissenschaftler sowohl gegen seine herausfordernde Selbstüberschätzung wie gegen seine aggressive Polemik drängte Holz immer weiter in die Isolation und trübte ihm den Blick für die Vorgänge in der Welt um sich herum. Zuweilen konnte er sich auch wirklich als der zu Unrecht Verfolgte sehen, wenn es ihm etwa nicht gelang, für seine *Sozialaristokraten* einen repräsentativen Verleger zu finden oder eine Bühne für die Aufführung zu gewinnen.[29] So teilte sich die Welt für ihn mehr und mehr in Feinde und Freunde. Aber der Kämpfer wurde eben nicht nur kämpferischer; er machte auch extremere Anstrengungen, seine Isolation zu überwinden. Das beste Beispiel dafür sind jene fünf Stücke, die er zusammen mit seinem Freund Oskar Jerschke schrieb und die zwar kaum noch in die Literaturgeschichte, wohl aber in die Charaktergeschichte von Arno Holz gehören. Die Stücke wurden verfaßt, um – wie Holz es selbst ausdrückte – die „Gelddienermaschine" anzudrehen und „*nur* auf den Erfolg zu arbeiten".[30] Kerr sagte das etwas drastischer in seiner Rezension des *Traumulus:* Holz sehe „nicht mehr auf den konsequenten Realismus, sondern auf reale Konsequenzen".[31]

Dennoch, auch hier stellte Holz sein Licht nicht unter den Scheffel und schrieb rundheraus: „Die Dinger sollen noch alle Mal besser sein, als der gesammte Kaff der Übrigen!"[32] Und der kritiklos verehrende Robert Reß ließ es sich nicht nehmen, 1913 in seiner von Holz gebilligten und wohl auch inspirierten Werbeschrift zum 50. Geburtstag des Meisters zu deklarieren: „Dialog, Aufbau und Charakterführung in allen diesen Stücken ... sind so absolut meisterlich, daß sie haushoch über dem Besten stehn, was die gesamte übrige, zeitgenössische, deutsche Dramatik, und zwar ausnahmslos, geschaffen."[33]

Bei Koproduktionen dieser Art ist es natürlich unmöglich zu sagen, wieviel dem einen und dem anderen Autor gehört, besonders da es hier nicht einmal wie sonst bei Holz zu Prioritätsstreitigkeiten gekommen ist. Jerschke, zwei Jahre älter als Holz, war schon seit der ersten Berliner Zeit sein Freund, obwohl er bald wieder nach Straßburg zurückkehrte, wo er aufgewachsen war und wo er dann auch bis zum Ende des ersten Weltkriegs im Justizwesen arbeitete. Aus einem Bericht über sein Leben geht hervor, daß er sich stark in Studentenkorporationen engagierte und in seiner politischen Einstellung zum Deutschnationalen tendierte.[34] Von der frühen poetischen Kooperation in den *Deutschen Weisen* hatte Holz ausdrücklich berichtet, daß „die allenfalls ein wenig nach der verpönten ‚Tendenz' schmeckenden patriotischen Lieder" inhaltlich auf Jerschke zurückzuführen gewesen seien. Für die gemeinsamen Dramen gibt es solche Erklärungen von Holz nicht; er hat sich zu diesen Stücken bekannt und sie als sein Produkt angenommen. Man traf sich zumeist in den Sommerferien, und 1905 heißt es in einem Brief an den Freund: „Immer – zum

,Frei!', zum ,Gaudeamus', zum ,Traumulus', ja in gewissem Sinne sogar zur ,Heimkehr' – war ich fröhlich gekommen und fröhlich wieder abgezogen." [35]

In ungefähr dieser Reihenfolge waren die Stücke auch verfaßt worden: 1900 *Frei!*, und zwischen 1901 und 1903 dann hintereinander *Gaudeamus!*, *Heimkehr* und *Traumulus. Büxl* folgte 1908 als eine Art Nachzügler. Im Druck erschienen sie, in etwas veränderter Ordnung, zwischen 1903 und 1911. Die Bühnen interessierten sich allein für *Heimkehr, Traumulus* und *Büxl,* von denen wiederum nur das zweite ein wirklicher Kassenerfolg wurde, der es Holz ermöglichte, sich eine stilvolle bürgerliche Wohnung einzurichten und eine Reihe von Schulden abzuzahlen.

Betrachtet man die Stücke heute, so erscheint der Mißerfolg leichter als der Erfolg erklärbar. Das wird schon am ersten Stück deutlich, der „Männerkomödie" *Frei!*. Honoratioren einer „großen Stadt im Reichsland" haben eine Volkskreditbank auf genossenschaftlicher Basis gegründet, werden aber, da sie geschäftlich unerfahren sind, von ihrem Syndikus, dem Rechtsanwalt Dr. Bruck, weidlich ausgenützt und in gewagte Geschäfte gestürzt. Nur einer erhebt sich mutig dagegen, der Rechtsanwalt Wölbling, der sogar so weit geht, die Machenschaften des betrügerischen Kollegen in der sozialdemokratischen Zeitung anzuprangern. Sein Kämpfermut hilft ihm aber nichts – die Bank wird stillschweigend und friedlich liquidiert, und seine Kritik an Dr. Bruck trägt ihm nur ein Ehrengerichtsverfahren mit 1000 Mark Geldstrafe ein. Jedoch auch das kann den wackeren Kämpen nicht beugen. Mit einer flammenden Anklage gegen die Plattheit und Selbstsucht seiner Kollegen – „Winseln Sie, wimmern Sie, winden Sie sich um Schutz! Meine Karbattsche trifft Sie doch!!" [36] – wirft er die Robe ab und ist „frei".

Was zunächst den Eindruck eines gesellschaftskritischen Stückes erwecken mag, erweist sich bei näherem Zusehen eher als die Charakterexposition eines Psychopathen. Schon der Vorwurf – die Volkskreditbank – ist kaum typisch für die zum Monopolkapitalismus tendierende ökonomische Entwicklung im kaiserlichen Deutschland. Bei ähnlichem Milieu hat Heinrich Mann etwa in seinem *Untertan* die Verquickung von politischen und ökonomischen Tendenzen der Zeit sehr viel schärfer und treffender erfaßt. Bei Holz haben weder Autor noch Held eine rechte Einsicht in die Klassenstruktur der Gesellschaft und mithin in Ursachen und Folgen des Übels. Die Sozialdemokratie erscheint nur als eine Art harmloses Drohgespenst im Hintergrund; Sozialdemokraten treten nicht auf, das Volk besteht aus Handwerksmeistern, Kellnern, Schutzleuten, Landwirten und schließlich mauschelnden Juden, die vom Helden denn auch postwendend die Treppe hinuntergeworfen werden:

„Herr Dokter! Herr Dokter! Se bringe mer üm,
Se bringe mer üm!“ (verschwunden unter Gepolter).[37]

Leitmotiv der Wölblingschen „Gesellschaftskritik“ ist „Dieser Bruck, dieser Bruck, dieser Bruck!“,[38] ist also Kampf gegen persönliche Ranküne und nicht Enthüllung sozialer Mißstände. Mit anderen Worten: worum es Holz hier – wie schon implizite in den *Sozialaristokraten* – geht, ist die Exposition eines freien, mutigen, unbeugsamen Kämpfers für Wahrheit und Recht. „Die Wahrheit bin *ich!*“ [39] verkündet Wölbling, und gegenüber seinen Feinden gilt das Kaiserwort „Pardon wird nicht gegeben!“ [40] Was immer an Stofflichem und an tendenziös-antisemitischen Einschlägen von Jerschke herrühren mag, es kann kein Zweifel darüber sein, daß Holz hier wiederum eine Selbststilisierung als einsamen, unverstandenen Fechters gegen eine Welt von Feinden versucht hat. Wölbling ist ein früher Verwandter der Hollrieder (in *Sonnenfinsternis*) und Dorninger (in *Ignorabimus*), mit denen er auch schon die ins Psychopathische übergehende Rechthaberei und das Wüten gegen die gesamte Umwelt teilt: „Empörend, oder nicht... skandalös, oder nicht! Meine Überzeugung ist mir mehr wert als Ihre Verachtung!“ [41]

Es ist überdies zu fragen, ob die Neigung zum Antisemitismus nicht bei Holz selbst vorhanden war, denn auch die *Sozialaristokraten* treiben damit ein schillerndes und im Grunde nicht ganz eindeutiges Spiel. Erklärbar wäre es durchaus wieder mit Holz' permanentem Ringen um Erfolg und mit seiner alten Eifersucht auf Hauptmann, dessen Ruhm er hauptsächlich durch Juden gemacht sah, durch Persönlichkeiten wie Samuel Fischer, Otto Brahm, Max Reinhardt und Alfred Kerr also, die sich Holz und seinem Werk weitgehend verschlossen. Holz' Unfähigkeit, in eigenen Angelegenheiten differenziert zu denken, trieb deshalb den scheinbar freien Kämpfer bald in Verbindungen und Abhängigkeiten, die ihm kaum zur Ehre gereichten.

Das zweite Stück, *Heimkehr*, später aufgeführt unter dem Titel *Die Perle der Antillen*, ist ein Ableger des ersten – naiv, verworren und belanglos. Ein als Millionär heimkehrender Kleinstadtbürger will zum Wohle der Bürger Volkshochschule, Krankenhaus und Krematorium bauen lassen, aber nur unter der Bedingung, daß die moderne Technik der Stadt fernbleibt. Als dergleichen notwendigerweise im Debakel endet, heiratet der Held eine arme Waise und läßt eine Mauer um sein Haus bauen. Nicht zu Unrecht hat Holz das Elaborat später als ein Scheusal bezeichnet, das er am liebsten einstampfen lassen möchte,[42] obwohl natürlich auch hier einige Leitmotive sichtbar werden: der Held ist Sozialschwärmer ohne Einsicht in historische und ökonomische Zusammenhänge, dabei kompromißlos und von den anderen verkannt. Die einzige vernünftige, die Ideale des Helden begreifende Gestalt des Stückes ist bezeichnenderweise ein die Obrigkeit repräsentierender Regierungsrat von Reichlin-Meldegg.

Solche Anerkennung gütiger Staatsmacht läßt nun wieder Verbindungen herstellen zu dem dritten, schon vor der *Heimkehr* im Sommer 1901 entstandenen *Gaudeamus!*, das als „Festspiel zur 350jährigen Jubelfeier der Universität Jena" deklariert ist. Obwohl das Stoffliche weitgehend aus Jerschkes Studentenerfahrung stammen mag, ist die Neigung zum Akademischen bei Holz ein oft wiederkehrendes Motiv, für das sich vielfältige Belege in seinem Werk von seinen frühesten Gedichten und Geschichten an bis in die späten Fassungen des *Phantasus* finden lassen. Er hat sich immer gern mit Wendungen aus dem Studentenjargon geschmückt und, da er selbst nie auf einer Universität war, Literatur sozusagen als eine Art persönliche Ersatzhandlung dafür genommen. Auch seine rüden Ausfälle gegen Akademiker in Amt und Würden, besonders gegen Richard M. Meyer, den „literarischen Ehrabschneider", lassen sich psychologisch in diesen Zusammenhang einordnen. *Gaudeamus* stellt unzweifelhaft den Höhepunkt in der Geschichte eines unabgegoltenen Wunsches dar.

Aufführung und Erfolg blieben dem Werk allerdings versagt, denn am 22. November 1901 war Wilhelm Meyer-Försters Stück *Alt-Heidelberg* in Berlin über die Bühne gegangen, und dessen überwältigender Erfolg hatte dann nach Holz' Worten das eigene Werk „für den Augenblick lahm gelegt". Dennoch ließ sich Holz in der Überzeugung nicht irre machen, daß kein anderes Studentenstück „auch nur annähernd den Ton so getroffen hat, wie unsers" und daß „sein stürmender Patriotismus" sein „eigentlichster, natürlichster Grundnerv" sei.[43] Geplant war das Stück zunächst als „Ouvertüre zu einer machtvoll instrumentierten, nationalen Tetralogie" über den Krieg von 1870/71;[44] was herauskam, blieb immer noch monströs genug.

Im Sommer 1870 soll an einer mitteldeutschen Universität die 300jährige Jubelfeier vorbereitet werden, aber Burschenschaften und studentische Corps können sich über die Rangordnung im Festzug nicht einigen. Es kommt zu Prügeleien und Mensuren, bis der Burschenschaftssenior Spangenberg verkündet: „Kommilitonen! Der Krieg ist erklärt!" und: „All unser Hader liegt begraben, alles ist vergessen! Wir sind nicht Arminen, nicht Teutonen, nicht Borussen mehr, nicht Corps, nicht Burschenschaft, wir sind nur noch die begeisterten Söhne unsrer bis über den Tod hinaus geliebten deutschen Heimat! Wir gehören nicht mehr uns, wir gehören nur noch dem Vaterland!"[45] Worauf die Menge „Hurrah!" jauchzt und feierlich das Deutschlandlied anstimmt.

Das alles ist ohne die mindeste Ironie und Verfremdung dargestellt im

Gegensatz zu jenem Absingen des Deutschlandliedes am Ende der *Sozialaristokraten,* wo immerhin die mögliche chauvinistische Auslegung dieser Verse, die damals noch nicht Nationalhymne waren, von Holz erkannt und in seine Satire einbezogen wurde. Im *Gaudeamus* bleibt es bei einem banalen, penetranten Patriotismus ohne Nuancierungen in Charakterzeichnung und Handlung. Die Sprache ist platt und phrasenhaft, und schließlich fehlt es auch hier nicht an dem jüdischen Händler, an dem man seinen Spaß haben oder sein Mütchen kühlen kann. Als Ephraim Tulpenstock auftaucht, singt man „Lasset die verdammten Manichäer klopfen, ich verriegle meine Stubenthür, der Gestank von solchen Wiedehopfen kommet meiner Nase unerträglich für!" [46]

Es zeigt sich, daß der einsame Kämpfer für Recht, Wahrheit und Freiheit, um von der Gesellschaft seiner Zeit respektiert zu werden und bei ihr Erfolg zu haben, tatsächlich zu Konzessionen wie kein anderer bereit war. Noch betrüblicher ist, daß Holz nicht einmal sah, wie sehr er sich kompromittierte. Der Trieb, in den „Sattel gehoben" zu werden und schlechthin zu gelten, verdrängte zuweilen alles andere in ihm, von liberalen Prinzipien bis hin zum künstlerischen Geschmack. Zu Beginn des ersten Weltkrieges verschickte Holz an Zeitungen folgendes „Deutsches Schnaderhüpfel":

Alldeutschland, du mußt wandern!
Durch die Hölle ins Paradies!
Heut stehen wir noch in Flandern,
doch morgen schon vor Paris!

Heut zwacken uns noch die Kosacken,
tut nichts, wir brechen durch!
Wir helfen euch auf die Hacken
bis nach Sankt Petersburg!

Bataille um Bataille,
und jeder steht seinen Mann!
England, du falsche Kanaille,
dich kriegen wir auch noch dran!

Ihr übrigen Hallunken –
noch einen Momang! Noch einen Momang!
Wir werden euch tunken, tunken!
En avant, en avant, en avant!

Wir haben einen Kameraden,
der hilft uns tapfer mit;

der ist wie wir geladen,
in gleichem Schritt und Tritt –
in gleichem Schritt und Tritt![47]

Unter eine Kopie schreibt er resigniert: „An 400 Blätter gesandt; von einem gebracht!" Gewiß ist bekannt, daß auch andere Schriftsteller 1914 dem Ruf der „großen Zeit" nicht widerstanden haben, aber was immer Thomas Mann, Rainer Maria Rilke, Paul Ernst, Gerhart Hauptmann oder Hermann Hesse an Begeisterung zu verkünden hatten, es bewegte sich auf einem höheren, nicht nur vom Ehrgeiz motivierten Niveau. Holz hat im übrigen noch weitere Pläne zu nationalen Stücken gehabt, so über Friedrich Wilhelm I. als dem „Schöpfer Preußens", die aber liegen blieben.[48] Auf fast groteske Weise verschmelzen also bei Holz Außenseitertum und Konformismus, und das nicht nur zum Schaden seines Charakterbildes in der Literaturgeschichte, sondern auch seiner künstlerischen Überzeugungskraft.

Selbst das erfolgreichste Stück aus der Produktion mit Jerschke, der *Traumulus*, hat seine Schwäche in diesem unbewältigten Miteinander und Gegeneinander von Protest und Einverständnis. „Die Bibel, Homer und das deutsche Kommersbuch"[49] sind die Stützen der Gesellschaft auch in diesem Werk. Gymnasialprofessor Dr. Niemeyer lebt in einer eigenen Welt klassischen Edelmuts, in einem „haarsträubenden Idealistendusel", wie sein Gegner, der Landrat von Kannewurf, es ausdrückt, weiß er doch „in der Topographie der Ilias besser Bescheid ... als in dem letzten Winkelgewirr hinter unsrer Fischerbrücke".[50] Dort aber spielen sich die Abenteuer der ihm anvertrauten Zöglinge ab, die republikanische Clubs gründen, sich mit jungen Damen angefochtenen Rufs einlassen und Mantegazzas *Physiologie der Liebe* lesen. Die Wirklichkeit überholt den Schwärmer. Er erfährt von diesen Sünden und auch von solchen im eigenen Hause. Mit der Ungerechtigkeit des Hilflosen verdammt er nun aber gerade denjenigen unter seinen Schülern, der eingesehen hatte, welch gutes Herz in dem vertrottelten Idealisten schlug. Der Schüler begeht Selbstmord, Niemeyer bricht zusammen, gibt sein Amt auf und schließt Frieden mit dem Landrat. Sein vaterländisches Festspiel – „Siejesjöttin, Jewehrfeuer, Nationalhymne, Schluß!"[51] – verfaßt anläßlich des kurz bevorstehenden Kaiserbesuches, wird nun allerdings nicht aufgeführt werden.

Der nicht unbeträchtliche Erfolg des Stückes zur damaligen Zeit läßt sich wohl aus Verschiedenem erklären. Bildung war nahezu die einzige Möglichkeit für den Bürger im wilhelminischen Staate, sich sozialen Rang zu erwerben. Der akademische Grad war so etwas wie der Adelstitel für den Mann des dritten Standes. Zugleich eröffnete sich ihm durch den gehobenen Bildungsgang die Aussicht, Zugang zu finden zu dem Privileg des Adels: er konnte Reserveoffizier werden. Erzählungen, Romane und Dramen, die sich mit Rolle und Einfluß der höheren Schule und der Universität im damaligen Deutschland beschäftigen, finden sich in beträchtlicher Anzahl. Es sei, abgesehen von Holz' und Jerschkes eigenem *Gaudeamus,* an einige der bekanntesten erinnert: an Wedekinds *Frühlings Erwachen* (1891), an Bierbaums *Studentenbeichten* (1893 und 1897), an Dramen wie Dreyers *Probekandidat* (1899) und Otto Ernsts *Flachsmann als Erzieher* (1901), an Romane schließlich wie Thomas Manns *Buddenbrooks* (1901), Hesses *Unterm Rad* (1906), Musils *Verwirrungen des Zöglings Törleß* (1906) und vor allem natürlich Heinrich Manns *Professor Unrat* (1905). Gerade in diesem letzteren Werk vollzieht sich, wie auch bei Holz, ein groteskes Spiel zwischen den pathetisch gelehrten und verkündeten Moralvorstellungen des staatserhaltenden Bildungsbürgers und einer Halbwelt des Tingeltangel und der Schmiere, die als geheimer Reiz geduldet, aber öffentlich verdammt wurde. Während Berlin zum Beispiel von Prostituierten wimmelte und dubiöse Nachtcafés mit Damenbedienung an allen Ecken blühten, wurden Wörter wie „Dreck" oder „verdammt" als anstößig vom Zensor aus Bühnenmanuskripten gestrichen.

Was die Zuschauer des *Traumulus* ebenfalls aktuell berühren mußte, war jene Unruhe und Gärung unter den Schülern und jungen Intellektuellen, die mit sozialen, demokratischen und republikanischen Gedanken umgingen in einer Zeit, da Deutschland noch nicht einmal eine wirklich mündige und den Lauf der Dinge mitbestimmende Volksvertretung hatte.

Das Bezeichnende für Holz und Jerschke allerdings ist – und auch das hat schließlich zu dem zeitweiligen Erfolg des Stückes ohne Zweifel beigetragen –, daß sie diese Konflikte nicht wirklich in ihren Wurzeln bloßlegen, das heißt sie weder satirisch noch tragisch zuspitzen, sondern nur mehr darauf anspielen. Niemeyer könne, so meinte Holz selbst, „in seinem tiefsten Sinne ... nur ‚komisch' genommen werden! Und grade, daß diese ‚Komik' sich zuletzt in Tragik auflöst, ist der letzte und feinste Reiz des Stückes!" [52] Was Holz und sein Publikum als Tragik ansahen, war jedoch eher Melodramatik. Niemeyers pathetisches „Ich bin sein Mörder!" [53] am Ende des Stückes verrät, daß seine Weltblindheit um nichts anders geworden ist. Denn nicht seine mangelnde Menschenkenntnis, seine frühere Vertrauensseligkeit und sein späterer unbilliger Zorn sind die Ursachen für den Tod des Schülers, sondern jener Moralkodex, in dem mit Begriffen wie Ehrgefühl, Treue und Untreue, Glauben, Wahrheit und Reinheit beliebig umgegangen wird, wenn es sich darum handelt, gesellschaftlichen Gehorsam zu erzwingen. Niemeyer macht sich zum Instrument dieser Scheinmoral, ihr Hüter aber ist der Landrat, halb

Zyniker, halb guter Kerl. Mit ihm versöhnt sich der Held am Ende des Stückes, und von ihm sagt Holz: „Der Landrat *muß* Recht haben!"[54] Daß er es nach dem Willen der Autoren hat, daß ihnen also das Verständnis für die wirklichen Ursachen der Tragödie von Schüler und Lehrer fehlt, macht die Beschränktheit des Stückes aus. An die Stelle der Einsicht in historische und gesellschaftliche Zusammenhänge, aus der Tragik erst erwachsen könnte, tritt wie schon in gewissem Sinne in der *Familie Selicke*, nur gröber und banaler, wiederum Sentimentalität. Und was sich als Komik gibt, ist wesentlich die fade Witzelei über den Intelligenztrottel, der versponnen in seiner antiken Welt lebt. Schon 1890 hatte der junge Kaiser verkündet: „Wir sollen nationale junge Deutsche erziehen, und nicht junge Griechen und Römer."[55] Landrat von Kannewurf sorgt dafür, daß auch der letzte Lehrer seines Bezirks diese Lektion lernt. Es kann kein Zweifel sein, daß auch eine derartige Abwertung kosmopolitischen Intellektualismus' mit zu den Bestandteilen des Stückes gehört, die ihm seinen Erfolg in der Gesellschaft des wilhelminischen Reiches gesichert haben. Das vaterländische Festspiel, das Niemeyer nur zögernd übernommen hatte und das er nun nicht mehr aufführen kann, hatten die Autoren mit *Gaudeamus* schon im voraus geliefert.

Augenfällig ist der Unterschied dieses Werks zu dem frühen Prosastück *Der erste Schultag* aus dem Jahre 1889, in dem Holz scharfe Kritik an der Vergewaltigung des Individuums durch ein brutales Schulsystem zum Ausdruck brachte, das als Teil einer brutalen Welt gesehen wurde. Noch ein anderer Vergleich drängt sich auf; genau im gleichen Jahr wie der *Traumulus* entstand ja eben auch Heinrich Manns Roman *Professor Unrat oder Das Ende eines Tyrannen*, in dem in grotesker Übersteigerung am Schicksal eines Gymnasialprofessors nun wirklich jene doppelte Moral satirisch bloßgestellt wird, die Holz und seine Gestalten ohne weiteres noch als etwas Heiles und Ganzes ungefragt annehmen. Bei Heinrich Mann entsteht so eine wirkliche Tragikomödie – „eine komische Handlung tragisch bestimmt, die lustige Fratze, darunter die harte Wahrheit selbst",[5] wie es der Autor sah. Bei Holz und Jerschke dagegen wird eben jene „harte Wahrheit" der Realität nicht erfaßt, und so ist es eigentlich nur konsequent, daß sie in ihrem letzten gemeinsamen Stück gänzlich ins Unverbindlich-Märchenhafte ausweichen.

Das geschah in der Komödie *Büxl*, die um 1908 entstand und 1911 aufgeführt und veröffentlicht wurde. Sie sollte zur Exposition des außerhalb und über der Gesellschaft stehenden Helden werden. Büxl, ein ehemaliger Fremdenlegionär und Taugenichts, ist wegen der Ermordung eines leuteschindenden Unteroffiziers zum Tode verurteilt worden, weiß sich aber im letzten Moment durch einen Trick aus der Schlinge zu ziehen. Er flieht und verbarrikadiert sich in dem Schloß eines Prinzen. Den

Schloßherrn erpreßt er durch ein Päckchen Liebesbriefe von der Hand einer jüdischen Rechtsanwaltsgattin, so daß er schließlich über die Grenze nach Frankreich entkommen kann. Dort wird er auf abenteuerliche Weise zum Nationalhelden und zum Geliebten einer alternden, aber reichen Schönheit. Man spricht ihn wegen Notwehr frei, denn man haßt preußische Unteroffiziere, und das Ganze endet in einer Apotheose Büxls, der sich schließlich sogar für den Nobelpreis vorschlagen lassen will.

Was eine Bloßstellung von Heuchelei und Scheinmoral hätte werden können, erstarrt im Klischee. Ein Prinz als Playboy, eine schöne, geile Jüdin, ihr beruflich gerissener, aber sonst etwas bornierter und deshalb zu Recht gehörnter Ehemann und schließlich der alle übers Ohr hauende Tausendsassa – das sind die Hauptfiguren der Handlung. Gewiß ist sie darauf angelegt, durch die Verklärung des außerhalb der Gesellschaft stehenden Helden Spott über die Gesellschaft auszugießen, aber wiederum wird, wie in den anderen Stücken, „Gesellschaft" so oberflächlich und ohne Abstufungen gefaßt, daß von den sie wirklich bestimmenden Kräften kaum etwas sichtbar wird. Wie in *Frei!* wird auch hier das sozialdemokratische Lokalblättchen als Schreckgespenst verwendet. Büxl schreibt einen Leserbrief an das „geehrte Volksblatt": „Ich hoffe und will ... daß dieser Brief in deine klassenbewußten, unbestechlichen Hände fällt. Ich vertraue auf das Glück der Gerechtigkeit! Und wenn *nicht,* so werden sie sich *auch* ärgern! Nämlich die Bande, die mir jetzt den Kopf abhacken will, weil ich eine heilige Rache verübt habe!" [57] Aber da Büxl natürlich alles andere ist als ein ziel- und klassenbewußter Freiheitskämpfer, bleibt das Possenreißerei und endet im Leeren. Im Grunde ist Büxl vielmehr ein – allerdings weniger seriöser – Verwandter des Rechtsanwalts Wölbling in *Frei!* Auf beide hat Holz eine Reihe von eigenen Wunschvorstellungen übertragen, nur daß er seinen Büxl auf höherer Ebene wieder in eine imaginäre Gesellschaft einordnet, die ihm Respekt und Anerkennung zollt und ihm womöglich noch den Nobelpreis verschafft. Auch hier also biegt alle scheinbare Gesellschaftskritik ins Private ab und läßt die Zeitsatire zur Randerscheinung werden.

Es ist nun allerdings nicht zu übersehen, daß sich Holz und Jerschke im Laufe ihrer gemeinsamen Arbeit eine gewisse technische Meisterschaft angeeignet haben, so daß einiges Lob der Literaturkritik gerade für *Büxl* verständlich wird, denn sowohl im dramatischen Aufbau wie in der Dialogführung zeigt dieses Stück eine gewisse Artistik: im zweiten der drei Akte ist Held Büxl überhaupt nicht auf der Bühne und ist doch durch das Gespräch der anderen plastischer anwesend als diese selbst. Aber solches technisches Gelingen im einzelnen kann nicht darüber hinwegtäuschen, daß diese fünf Stücke einen für Holz' weitere schriftstellerische Tätigkeit fatalen Entwicklungsgang demonstrieren. Verdrängte, durch

Desinteresse oder Opposition seiner Zeitgenossen ständig neu provozierte Inferioritätsgefühle leiten über zu Geltungsdrang als Trotzreaktion, und so wurde Holz selbst immer mehr zum einzigen Gegenstand seines Dichtens und Denkens. Was seinem Werke dadurch an Allgemeingültigkeit abging, hat er dann durch maßlose Selbstfeier auszugleichen versucht. Der Sinn für Proportionen ging ihm weitgehend verloren, bezeichnenderweise auch im Künstlerisch-Formalen. Aber zugleich blieb ihm doch im Untergrunde das Gefühl, hier in einem tragischen Kreislauf gefangen zu sein. Eben dies Gefühl wird das Thema seiner beiden großen Dramen *Sonnenfinsternis* und *Ignorabimus*.

Beide Werke waren als Fortsetzung des mit den *Sozialaristokraten* begonnenen Berlin-Zyklus gedacht, nur daß der neue Untertitel jetzt „Die Wende einer Zeit in Dramen" hieß. Der unheilverkündende Unterton, mit dem die Komödie 1896 ans Licht trat, war einer gemessenen Hoffnung auf die Zukunft gewichen, obwohl es gerade Tragödien waren, die Holz nun zu gestalten versuchte. Wie schon die Stücke mit Jerschke augenfällig demonstrierten, waren in Holz' Einstellung zu der Gesellschaft seiner Zeit Veränderungen vor sich gegangen, die sich nun auch deutlich in diesen beiden großen, selbständig verfaßten Werken niederschlugen. Denn beide Dramen – *Sonnenfinsternis* und *Ignorabimus* – gehören aufs engste zusammen; sie zeigen Parallelen in Struktur und Technik und haben vor allem ein gemeinsames Thema: die Lebens- und Schaffenskrise eines Künstlers und eines Wissenschaftlers als die Lebens- und Schaffenskrise von Arno Holz. Gewiß sind die beiden Hauptgestalten Hollrieder und Dorninger Holz' Geschöpfe und nicht nur schlechthin seine Spiegelbilder, aber sie gleichen ihm ganz in ihrer monomanischen Besessenheit mit sich selbst. So sehr Holz hier und da durch Bezug auf weltliterarische Themen, auf Mythen und Musik die Dimensionen zu erweitern getrachtet hat, so sehr bleiben beide Dramen doch vor allem auf ihn selbst bezogen. Sie sind der Versuch, die offenbar unüberwindliche Isolation, in der er sich sah, als tragisches Schicksal zu fassen. Trugen die *Sozialaristokraten* noch den Sammeltitel „Berlin" zu Recht, so wird die Großstadt in den beiden anderen Werken mehr und mehr zur Kulisse. Daß es „in der protzigen Parvenustadt Berlin ... sehr große Klassen und Kreise" gibt, die „Herr Holz gar nicht kennt und in deren geheimste Winkel er schwerlich je eindringen wird", hatte Maximilian Harden schon 1897 zu bedenken gegeben.[58] Seine Befürchtungen bewahrheiteten sich mit der *Sonnenfinsternis:* nach einem „häuflein ästhetischer flaneure" sollte jetzt „ein häuflein maler" die Wende einer Zeit verkörpern. So jedenfalls sah es Leo Trotzkij in einer Rezension des Stückes, und er fügt hinzu: „Auf diesem wege geht es nicht weiter." [59]

Sonnenfinsternis erschien zuerst 1908 und dann wieder 1919 in einer stark veränderten Auflage. Holz versuchte bei der Umarbeitung vor allen Dingen die Symbolik der Gestalten und die Allgemeingültigkeit der Problematik zu intensivieren, indem er ganze Partien in den „Phantasus-Stil" umschrieb oder neue in dieser stark rhythmisch bedingten, von Synonymik überwucherten Sprache hinzufügte. Die Substanz des Werkes blieb im wesentlichen unverändert. „Sonnenfinsternis" ist das Meisterwerk des Berliner Malers Hollrieder, eines Schülers des Bildhauers Professor Lipsius. Hollrieder hatte schon früh Berühmtheit erlangt durch das gemeinsam mit seinem Freunde Musmann geschaffene naturalistische Bild „Kameraden". Musmann, der noch bei ihm wohnt, ist inzwischen zum nervenkranken und bösartigen Epigonen seiner selbst degeneriert, während Hollrieder gequält nach neuem Ausdruck sucht. Da wird ihm von dem Freund und bankrotten Millionär Url die Tänzerin Beatrice Cenci ins Haus gebracht, die sich als die entlaufene Tochter von Lipsius entpuppt. Als es einst zum Inzest zwischen ihr und ihrem Vater gekommen war, hatte sie es nach einem gescheiterten Selbstmordversuch zu Hause nicht länger ausgehalten; als Ballerina fand sie Weltruhm. Ihre Persönlichkeit beflügelt Hollrieder nun zur Vollendung seines Bildes, und nach der allgemeinen Anerkennung, die es auf der Sezession findet, heiraten die beiden und gehen nach Paris. Musmann, der das frühere Verhältnis von Vater und Tochter ahnt, treibt Lipsius inzwischen erpresserisch in den Freitod. Als Hollrieder dies erfährt und Andeutungen erhält, daß die Tochter offenbar die inzestuöse Beziehung nicht nur schlechthin erlitten hat, sondern auch den Vater liebte, bricht er mit seiner Frau. Sie kehren nach Berlin zurück, wo Musmann gerade die „Sonnenfinsternis" neidisch zerstückt hat. Hollrieders Kälte und Musmanns Tücke treiben Beatrice schließlich dazu, sich verzweifelt vom Balkon zu stürzen. Hollrieder erkennt zusammenbrechend: „Ich ... Mörder!" [60]

Holz hat betont, daß sich der Inhalt eines Dramas von Ibsen „in Fabel, psychologischem Detail und geistiger Perspektive" seinem Stück gegenüber „wie 1 zu 3" verhalte,[61] womit er meinte, daß sein Stück trotz seiner Länge von nahezu 300 Seiten eine äußerste Kondensation aufweise. Er hat auch Kürzungen aufs energischste abgelehnt und aus solchen Motiven 1911 sogar die erste Aufführung in einer Inszenierung von Max Reinhardt verhindert. Tatsächlich ist das Netz der Handlung so dicht geknüpft, daß jede Zusammenfassung des Inhalts nur ein sehr ungenaues Bild gibt. Ob allerdings die Detailfülle wirklich zu einem Ganzen wird, bleibt eine andere Frage, denn bei näherem Zusehen lösen sich Handlungs- und Motivfäden heraus, deren Sinn und Notwendigkeit für die im Zentrum stehende Problematik Hollrieders doch einigermaßen in Frage gestellt werden müssen.

Der offensichtlichste autobiographische Bezug ist die Beziehung zwischen Hollrieder und Musmann, in dem sich in grotesker Verzerrung das Verhältnis zwischen Holz und Schlaf spiegelt. Seit 1898 befanden sich die beiden ehemaligen „Kameraden“ in einer Artikel- und Pamphletfehde über den jeweiligen persönlichen Anteil an den gemeinsamen Studien aus der frühen naturalistischen Zeit. Dieser Streit nahm immer extremere Formen an und führte bei Holz dazu, daß er Schlaf als unheilbar geisteskrank erklärte, während Schlaf seinerseits dem ehemaligen Freunde vorwarf, er habe ihn durch Fernsuggestion in seine Gewalt zu bekommen versucht. 1909 erschien eine zweite, vermehrte Auflage von Holz' Streitschrift *Johannes Schlaf. Ein nothgedrungenes Kapitel*, also ein Jahr nach der ersten Fassung der *Sonnenfinsternis*, und es steht außer Zweifel, daß das Drama von dieser Polemik beeinflußt ist. Eine ganze Reihe von gegenseitigen Vorwürfen in dem Streit finden sich im Drama wieder: auf die „mentale Suggestion“ [62] wird angespielt und ebenso auf eine Art Sexualneid, den Holz früh schon bei Schlaf gegenüber seiner ersten Frau Milli Holz konstatiert hat. Gewiß hatte Holz im Sinne, zwei Künstlertypen einander entgegenzustellen, einen einfallslos auf dem einmal Errungenen Beharrenden und einen immer weiter nach Neuem Drängenden. Aber die Kontraste sind derart geschmacklos übertrieben, daß sie jede Glaubwürdigkeit verlieren. Musmann ist ein „trauriger Tropf“, „giftig“, „bösartig“, „heimtückisch“, „hämisch“, „perfid“, „voll ohnmächtiger Wut“ und „kläglich“, so daß unverständlich bleibt, warum Hollrieder sich nicht längst von ihm getrennt hat. Holz brauchte ihn jedoch als Folie für seinen Helden, denn Hollrieder ist ganz und gar das Gegenteil des Freund-Feindes: von „rauher Außenseite“, aber zartestem Kern, dabei stolz, kühn und kompromißlos: „Man *schließt* keine Kompromisse! Man setzt sich *durch*, oder man *krepiert!*“ [63] Kurz: er ist die Holzsche Idealgestalt des aufrechten Wahrheitskämpfers gegen eine verständnislose Welt, die ihn – übrigens wegen seines Autodidaktentums, das bezeichnenderweise für Hollrieder festgestellt wird – mißachtet, bis sie durch wirkliche Leistung dazu gezwungen wird, ihre Meinung zu ändern. Wie weit Holz in solcher Selbststilisierung geht, zeigt die kontrastierende Personenbeschreibung von Hollrieder und Musmann. Der erste ist eine „große kraftvolle Erscheinung; das leicht gewellte Haar rötlich germanisches Blond“, der andere ist „mittelgroß“, „schmuddlig-salopp“ und hat „schwarzes, glattglänzend gescheiteltes Slawenhaar“ mit „mottenzerfressenem Vollbart“.[64] Die Jerschke-Dramen werfen ihren Schatten, und es ist geradezu infernalisch, wie bedenkenlos Holz sich seiner Zeit als Held empfiehlt und dabei ungescheut die gängige Terminologie einer rassistisch-nationalistischen Subliteratur gebraucht.

Erklärungen für eine solche Haltung lassen sich letzten Grundes nur im Psychologischen finden. Daß sich hier bei Holz ebenso wie bei seinen

Gestalten, dem schon im Namen auf ihn anspielenden Hollrieder und dem dazu assonierenden Dorninger, psychopathische Symptome zeigen, kann nach alledem nicht mehr übersehen werden. Der Psychiater beschreibt den Psychopathen als einen extravertierten Menschen, der seine innere Problematik nach außen projiziert, seine Spannungen an anderen abreagiert und die Umstände überhaupt für sie verantwortlich macht. Es zeigt sich bei ihm Starrsinn, Querulantentum ebenso wie Uneinsichtigkeit und Fanatismus. „Es kommt zu gewaltsamen Alles-oder-nichts-Reaktionen, die sinnblind, fremd, zerstörerisch, oft auch selbstzerstörerisch hervorbrechen." [65] Als Ursachen erkennt die Wissenschaft unter anderem frühe Umwelteinflüsse wie den „Abbruch der primären Objektbeziehungen" – bei Holz deutlich manifestiert in der Trennung der Eltern und den damit verbundenen sozialen Schwierigkeiten des zum Autodidaktentum gedrängten jungen Mannes. Das hat eine bestimmte Folge: „An der Wurzel vieler psychopathischer Entwicklungen findet man dann eine Isolierung, das Gefühl, von anderen Menschen ausgeschlossen zu sein, mißachtet zu werden." [66] Dergleichen jedoch führt wiederum dazu, daß der Psychopath die „Öffentlichkeit als Partner" [67] sucht, mit ihr beständig die Klingen kreuzt oder überhaupt ihre Aufmerksamkeit zu gewinnen unternimmt, um diese Empfindung der Isolation zu überwinden.

In diesen und noch einer Reihe von anderen Zügen liest sich eine Beschreibung psychopathischer Entwicklungen wie ein Psychogramm von Arno Holz und seinen Helden. Das schränkt nun allerdings Literatur auf ein Zeugnis für eine pathologische Fallgeschichte ein. In der Tat würde der Psychiater dafür interessantes Material in Holz' Dramen wie überhaupt in seinem ganzen Werk finden, wobei die Grenzziehung zu paranoiden Erscheinungen wahrscheinlich nicht leicht wäre. Die immer erneuten Versuche seiner Helden, sich an allem und jedem zu reiben, überall Gegensätze zu konstruieren, gegen die sie dann wütend anrennen, sind ebenso symptomatisch wie die beständigen Polemiken von Holz gegen seine Kritiker. Oft ist nur eine Nebenbemerkung der Anlaß für ihn, eine wilde Kampagne für Freiheit, Recht und Wahrheit zu beginnen, ohne daß er merkt, wie sehr er offene Türen einrennt.

Der Blick in Psychologie und Psychiatrie mag Reaktionen und Handlungsweisen von Arno Holz und seinen Dramenhelden verständlicher machen. Die für die Literaturkritik entscheidende Frage ist jedoch, inwieweit beide dadurch ein über das Biographische hinausgehendes Interesse beanspruchen dürfen. Die Beziehungen zwischen Gesellschaft und der Psyche des Einzelmenschen sind komplex und in ihrer Dialektik schwer zu verfolgen. Es wird aber gerade am Beispiel von Arno Holz' Dramen offensichtlich, daß sich die Anlagen zur Psychopathie, die auf die Kindheit zurückgehen, erst in voller Stärke unter dem Einfluß gesellschaftlichpolitischer Entwicklungen entfalten. Die Psychiatrie bestätigt einen solchen Befund, wenn sie die Wechselwirkung zwischen psychopathischem Verhalten und dem „familiären, sozialen und kulturellen Hintergrund“ [68] betont. Mag also die Verstrickung der Holzschen Tragödienhelden in sich selbst durch die psychologische Konstitution ihres Schöpfers bedingt und beschränkt sein, so ist sie doch nicht ohne Zeittypik.

Die Gegensätzlichkeiten haben die verschiedensten Formen angenommen. In der *Sonnenfinsternis* ist es der Gegensatz von Kunst und Leben, der das ganze Drama durchzieht. Beatrice alias Sibylle Lipsius ist die Verkörperung des Lebens schlechthin als Sinnlichkeit und Liebe. Musmann nennt sie Lilith, die Männerverführende und Männerzerstörende, der alle anderen Gestalten des Dramas irgendwann und irgendwie verfallen. Charakteristisch wird sie von Holz als Tänzerin eingeführt, war doch der Tanz gerade in der Zeit des Jugendstils vielfältig als Ausdruck rauschhaft-unbeschränkten Lebens gegenüber einer restriktiven Gesellschaft gesehen worden. Der Ruhm von Tänzerinnen wie Loie Fuller, Ruth Saint-Denis und Isadora Duncan war rasch gewachsen und hatte bedeutende Persönlichkeiten in ihren Bann gezogen. Es sei nur an Hofmannsthals enthusiastischen Aufsatz über die Saint-Denis aus dem Jahre 1906 erinnert. Holz selbst preist Loie Fuller als die Erfinderin des „Serpentintanzes“,[69] der durch sie zum Ausdruck einer breitesten Skala von Empfindungen gemacht worden sei.

Nun ist Tanz ebenfalls eine Kunstform, und Holz war sich dessen auch bewußt. Andererseits war für ihn Leben in dem engen Personenkreis seiner Dichtung nicht anders und überzeugender darstellbar als auf diese Weise. Seine Beatrice soll also durchaus etwas Elementares behalten, so daß sie bei allen Schuldgefühlen, die sie besonders ihrem Vater gegenüber haben mag, im Grunde doch „unschuldig“ bleibt.[70] Das versucht Holz zu erreichen, indem er die Bezüge ausweitet: ins Welthistorische mit der Anspielung auf die echte Beatrice Cenci, die Vatermörderin der Renaissance, und ins Mythische mit dem Verweis auf Lilith. Diese Ausweitung war um so nötiger, als an der Oberfläche die Geschichte von einer jungen Künstlerin, die aus der ihr unerträglichen Atmosphäre ihres Elternhauses in die „Welt“ flieht und erst zurückkehrt, nachdem sie berühmt geworden ist, zu den beliebten Themen der Zeit gehörte. Sudermann gab sie in dem Stück *Heimat*, Hartleben in seiner *Sittlichen Forderung*. Holz wollte höher hinaus, und es entstand so eine Art intellektualisierter Lulu, die aber den Widerspruch zwischen Intellekt und Sinnlichkeit, Geist und Leben nicht zu versöhnen vermag.

Ähnliches gilt für Lipsius, einen Lebemann mit Genie und Skrupeln, der Leben und Kunst zu trennen und nebeneinander herlaufen zu lassen versucht: „Meine Kunst ... ist rein! ... Und um mein Leben ... hat sich niemand zu bekümmern!“ [71] Aber der Künstler wird schließlich vom Leben in der Gestalt seiner Tochter überholt und geht an ihm zugrunde. Dahinter steht nun ganz offensichtlich der Entschluß des Autors selbst, der eine solche Synthese nicht gelingen lassen will und kann, da sie seinen eigenen Erfahrungen und Möglichkeiten widerspricht. Aus dem Untergang der serpentintanzenden Verführerin und des erfolgreichen Lebenskünstlers geht der suchende, ringende, asketische, allein dem Schaffen zugewandte Hollrieder um so strahlender hervor. Es war Holz' eigenstes Problem. Die zweite Frau des Dichters bestätigt in ihren Aufzeichnungen: „Er beneidete glühend jene Menschen, die spontan und unbedenklich zu leben und die Glücksmöglichkeiten dieser Erde zu genießen vermögen.“ [72] Im Grunde ist also für Holz-Hollrieder die Kunst schließlich nur ein Mittel, um wenn nicht im Leben, so wenigstens ihm gegenüber zu gelten, ja sich darüber in aller Größe zu erheben. Darauf läuft Hollrieders Entwicklung hinaus, und darauf hatte es auch Holz selbst abgesehen. Gemeint ist mit „Leben“ allerdings in erster Linie erotisches und sexuelles Sich-Ausleben, wie es Lipsius praktiziert und Hollrieder versäumt hat. In dessen letztem visionärem Entwurf einer Skulptur vom „Berg des Lebens“ steigert sich diese Vorstellung zu einem wirren, tollen, eklen Paarungstreiben, das sich nur zynisch mit dem Worte „Liebe“ schmückt: „... taumelndst tumultuarische ... faunischst, viehischst, wie beseßne... bachantischst, buhlerischst ... wüste *Massenchöre!* ... *Mann* und *Weib!* ... *Weib* und *Mann!* ... *Mann* und ... *Mann!!* ... *Weib* und ... *Weib!!*“ Davon aber möchte sich der echte Künstler befreien: „*Frei* sein! ... Von diesem Wahnwitz nichts mehr wissen! ... Auf ihn ... speien ... und ihn in Stein hinstellen!“ [73] Das aber heißt nicht weniger als die Überwindung des „Lebens“ durch die Kunst. Kunst ist das Dauernde, Beständige, das einzig Sinnvolle in diesem Taumel der Sinnlosigkeit. Das Bild „Sonnenfinsternis“, das Hunderttausende von Menschen auf dem Tempelhofer Feld im Augenblick der hereinbrechenden kalten Dunkelheit zeigt, war eine Vorstufe dazu, schon „Symbol“ und „*wie ein gemalter Mythus!*“ [74] Die Vision vom Berg des Lebens ist dann vollendeter Mythus bei hereingebrochener Finsternis, aus der sich nur strahlend die Apotheose des schaffenden Künstlers erhebt. Das Thema des Dramas *Sonnenfinsternis* ist die Verklärung des Künstlers. Dadurch wird jedoch die Tragik aufgehoben, denn trotz der Selbstbezichtigung „Ich ... Mörder!“ bleibt Hollrieder ungebrochen in seinem Selbstgefühl, und er reagiert folgerichtig auch den Schock über den Tod seiner Frau zuerst im Zorn gegen Musmann ab. Schon früher hatte Beatrice erklärt: „Er soll ... wenn ich einmal ... nicht mehr bin... Er soll ... *frei* werden! *Ganz frei!*... Frei von ... allem!“ [75] Was sich am Ende vollzieht, ist also eigentlich nur eine Erfüllung dieser Voraussage, ist die akzeptierte und notwendige

Opferung der Frau für die Größe des einen Künstlers. Damit aber wird das Drama eher zu einer Art Mysterienspiel.

Zu einem solchen Ergebnis trägt natürlich auch der ungenügend reflektierte Begriff des Lebens und der Natur bei. Denn wenn Holz seine Stücke unter dem Titel „Berlin" zusammenfaßt, so wäre zu erwarten gewesen, daß Leben hier als gesellschaftliches Leben in aller Breite dargestellt wird. Aber dazu sind nicht einmal Ansätze vorhanden. Berlin bleibt als Stadt nur Hintergrund und Kulisse mit Straßenbahngeräuschen, Autohupen und Fahrradklingeln, und als Gesellschaft manifestiert es sich lediglich in einem Künstlerzirkel und der Sezession oder als die Menge, die den großen Künstler entweder verkennt oder ihm begeistert zujubelt. Die absolute Freiheit des Künstlers Hollrieder ist die absolute Isolation, oder, wie Trotzkij es in seiner Besprechung der *Sonnenfinsternis* ausdrückt: „Die rache des künstlers für die inhaltlosigkeit seiner freiheit wird die künstelnde eigenwilligkeit." Deshalb entwickelt sich das Drama Hollrieders auch auf „exterritorialem gebiet". „Richtiger gesagt, seine tragik besteht eben in seiner exterritorialität – in seiner exotik – in der ‚freiheit' der modernen kunst von dem inneren zusammenhang mit jenen ideellen strömungen, die die seele unserer zeit bilden." [76] Folgt man Trotzkij in seinem Argument, so mündet damit das Werk von Holz dennoch in den Strom einer allgemeineren Problematik ein, das heißt in das, was hier von einem Marxisten zugespitzt und vereinfachend als die Tragödie der modernen Kunst überhaupt angesehen wird.

Der Bruch zwischen Kunst und Leben ist tatsächlich ein Hauptthema der Moderne, sei es, daß man ihn schwärmerisch-rauschhaft im Jugendstil zu heilen trachtete oder gerade die Gestaltung dieser Divergenz zum Gegenstand der Kunst machte. „Welch Glück! Die Dinge ansehen, ohne sie malen zu müssen", bekennt der Maler Jakobus in Heinrich Manns *Göttinnen.*[77] Der Dichter Axel Martini dagegen erklärt resigniert der königlichen Hoheit: „Die Entsagung ... ist unser Pakt mit der Muse, auf ihr beruht unsere Kraft, unsere Würde, und das Leben ist unser verbotener Garten, unsere große Versuchung, der wir zuweilen, aber niemals zu unserem Heil, unterliegen." [78] Hollrieder dagegen kommt weder „von der verrückten Zwangsvorstellung ..., Bilder malen zu müssen",[79] los, noch kann er ironisch-distanziert von sich und dem, was er als Leben versteht, zurücktreten. Was er sucht, ist „eine *Idee,* an die ich wieder ‚glauben' darf", ist *„das Letzte* und *Eigentlichste, das, worauf es überhaupt* und *immer wieder von neuem ankommt, das, was Kunst zu Kunst erst macht"*, das „Hinter-allen-Dingen", werde es nun „Leben" oder „Natur" genannt. „Alles oder nichts!" ist sein Wahlspruch.[80] Hollrieder ist am Ende nach Holz' Absicht „ein freudlos gewordener Mensch, aber ein definitiver Künstler",[81] nur ist sein Thema nichts als der Zorn darüber, daß ihm der

Durchbruch zum „Leben“ nicht gelungen ist, daß sich ihm dieses „Leben“ versagt hat, weil er gar nicht wirklich weiß, was es überhaupt ist. Er ist „frei“, aber er steht eben auf exterritorialem Gebiet. Leben und Zeit gehen an ihm vorüber, so sehr er dagegen auch wüten mag.

Dasselbe wiederholt sich nun auf dem benachbarten Bereich der Wissenschaft und Erkenntnistheorie in der Tragödie *Ignorabimus.* Beide Stücke haben bis ins einzelne gehende Parallelen. Dem Künstler Hollrieder entspricht zunächst der „Professor der Physik und Chemie an der Friderica Guilelma“, Georg Dorninger, wie dieser Autodiktat und vom selben, leicht erregbaren Temperament. Ihm gegenüber stehen sein Schwiegervater, Prof. Dr. Dufroy-Regnier und dessen unverheiratete Tochter Marianne, eine Zwillingsschwester von Dorningers verstorbener Frau Mariette. Dem Bösewicht Musmann entspricht hier der Verführer Baron Uexküll, und ein alter Onkel, Dr. Ludwig Adrian Brodersen, hat wie Url die Funktion eines neutralen Gesprächspartners und Katalysators für die Handlung – auch er wie Dorninger, Hollrieder und Url Autodidakt: „Wenn die Entwicklung der Menschheit, ganz gleich auf welchem Gebiet, mal wieder um einen tüchtigen Ruck vorwärts gedreht wird, so steht an der Kurbel nicht einer aus jener anmaßlichen, sich überhebenden, hoffärtigen Koterie und Klicke, sondern einer von uns Autseidern!“ [82] Das klingt wie aus einem Briefe oder einer Streitschrift von Holz selbst. Beide Stücke haben ein musikalisches Leitmotiv – bei der *Sonnenfinsternis* war es das Thema des zweiten Satzes aus Schuberts d-Moll-Quartett „Der Tod und das Mädchen“, hier ist es der alte, in Akademikerkreisen beliebtgewesene Trauergesang, das „Integer vitae“ des Horaz. Die Handlung ist simpel und kompliziert zugleich. Dorninger hat vor Jahren Mariette geheiratet, sieht aber, als er Marianne kennenlernt, daß er von ihr sehr viel stärker angezogen wird. So entsteht schließlich eine enge briefliche Verbindung mit ihr, während die Beziehungen zu Mariette trotz zweier Kinder unausgeglichen und krisenhaft bleiben. Als Mariette den Briefwechsel mit der Schwester entdeckt, läuft sie davon, um sich das Leben zu nehmen. Davor bewahrt sie jedoch der sie zufällig beobachtende Baron Uexküll, der sie zu trösten und sogar zu verführen versteht. Als Mariette nach zwei Monaten merkt, daß sie von Uexküll schwanger geworden ist, tötet sie sich und ihre beiden Kinder.

Diese Vorgeschichte kommt nun in der eigentlichen Bühnenhandlung, die sich genau drei Jahre nach dem Tode Mariettes abspielt, ans Licht. Noch stärker als in der *Sonnenfinsternis* erweist sich Holz in solcher analytischen Technik als ein Schüler Ibsens. Dorninger, ursprünglich exakter Naturwissenschaftler, hat in den letzten Jahren an einer spiritistischen Philosophie gearbeitet und Marianne als sein Medium benutzt. Seinem Schwiegervater, einem Mediziner, hat er das Manuskript mit der

Darstellung seiner Untersuchungsergebnisse gezeigt, von diesem aber nur Skepsis geerntet. Eine abschließende Séance soll die Richtigkeit seiner Forschung belegen, aber gerade sie erweist sich destruktiv in jeder Hinsicht. Marianne verwandelt sich zwar in der Trance in ihre Schwester und enthüllt die Vorgänge, die zu deren Tod geführt haben, aber Dorninger muß erfahren, daß sie alle Einzelheiten schon vorher aus Gesprächen mit ihrem Vater und mit dem – zufällig – in diesen Kreis hineingeratenen Uexküll erfahren hat, so daß sie in der Hypnose nur das Verdrängte freilegt. Das Ende ist die Katastrophe. Marianne stirbt an einem Schock, den sie als Medium erleidet, Dorninger will sich am nächsten Tag mit Uexküll duellieren. Sein Selbstmord ist ihm bei der Séance vorausgesagt worden, Brodersen erkennt eine ihn zerstörende Krebserkrankung, und nur Dufroy-Regnier bewahrt einigermaßen seine Würde, obwohl auch er „geschlagner als Hiob" ist,[83] da sich eine alte Schuldverstrickung seiner Mutter offenbar als der Ausgangspunkt dieser Tragödie erweist.

Holz hat in seinem Stück bis ins einzelne gehende Anleihen bei den okkultistischen Schriften seiner Zeit gemacht. Als Quellen hat man verschiedene Werke von Karl du Prel, Lombroso und Alexander Aksakow festgestellt, in denen eine Reihe von okkulten Phänomenen und Vorgängen beschrieben werden, die Holz dann oft nahezu wörtlich übernommen hat.[84] An Holz' persönliches Interesse für Fernsuggestion und Telepathie, von dem Schlaf berichtet hatte, muß erinnert werden. Aber die Beschäftigung mit spiritistischen Problemen war zugleich auch eine Zeitmode, die in Zusammenhang stand mit dem Widerspiel zwischen Skeptizismus und Fortschrittsoptimismus in den philosophischen Strömungen des Tages. Das zeigte sich in verschiedensten Schattierungen und war verständlich als Reaktion auf die sich rasch entwickelnde vielfältige Problematik eines naturwissenschaftlich-technischen Zeitalters. Der Drang nach Weltanschauungssynthesen hatte sich unter dem Einfluß von so verschiedenen Denkern wie Haeckel und Nietzsche in den neunziger Jahren stark verbreitet, wofür in gewissem Umfang ja schon die *Sozialaristokraten* ein kritisch-satirisches Dokument waren. Aber wo etwa die monistische Philosophie von der Lösung der Welträtsel träumte, hielt sich die positivistische Naturwissenschaft zurück und erklärte im Hinblick auf die „Rätsel" Kraft und Materie tatsächlich ein entschiedenes „Ignorabimus". So jedenfalls formulierte es schon 1872 der Berliner Physiker Emil du Bois-Reymond in seinem Buch *Über die Grenzen des Naturerkennens,* und er hat dasselbe dann noch einmal in seiner Rektoratsrede aus dem Jahre 1882 über *Goethe und kein Ende* bestätigt, in der er Goethe das „Organ für theoretische Naturwissenschaft" absprach und seinen Zweifel an der Echtheit und am Sinn von Fausts eigenem „Ignorabimus" zu Beginn der Tragödie bekannte. Denn Faust akzeptiert von vornherein die Existenz einer „Geisterwelt", eines Dualismus von Diesseits und Jenseits, und seine Verzweiflung betrifft nur die offensichtliche Unmöglichkeit für den Menschen, diese andere Welt auch zugleich erkenntnistheoretisch zu fassen. Er steht damit aber keineswegs auf dem Standpunkt des modernen Naturwissenschaftlers, für den die Entsagung hinsichtlich der Lösbarkeit gewisser Fragen nicht unbedingt eine Qual zu sein braucht, sondern auch eine Beruhigung sein kann, „schon deshalb, weil zu wissen, daß und warum man nicht weiß, Wissen ist: wie denn Mathematik eine Aufgabe für bewältigt hält, deren Unlösbarkeit sie bewies".[85]

Das führte du Bois-Reymond dann zu jener berühmt-provokatorischen Feststellung hinsichtlich der Klage Fausts, Natur ließe sich mit Hebeln und mit Schrauben ihr Geheimnis nicht abzwingen: „Richtig gebaute und gebrauchte Instrumente erweitern Kenntnis und Macht des Menschen innerhalb der Grenzen des Naturerkennens, und sind dazu unentbehrlich; innerhalb dieser Grenzen läßt sich Natur zu manchem Zugeständnis bewegen, wenn auch etwas mehr dazu gehört als Hebel und Schrauben. Verlangte der Magus Weiteres von den Instrumenten, so lag es an seiner Fragestellung, wenn sie die Antwort schuldig blieben. Wie prosaisch es klinge, es ist nicht minder wahr, daß Faust, statt an Hof zu gehen, ungedecktes Papiergeld auszugeben, und zu den Müttern in die vierte Dimension zu steigen, besser gethan hätte, Gretchen zu heirathen, sein Kind ehrlich zu machen und Elektrisirmaschine und Luftpumpe zu erfinden; wofür wir ihm denn an Stelle des Magdeburger Bürgermeisters gebührenden Dank wissen würden."[86] Es ist ganz offensichtlich, daß Holz sich mit seinem Dufroy-Regnier direkt auf du Bois-Reymond bezieht und in seiner Suche nach einer Antwort auf die Frage nach den menschlichen Erkenntnismöglichkeiten auch die Parallele zu Goethes Dichtung bewußt zieht. *Ignorabimus* ist von Holz auf einen modernen *Faust* angelegt. Es gibt Andeutungen dafür im Text selbst, wo Dufroy vom „ehmalgen, selgen Kollegen Doktor Faust" spricht.[87] Dorningers Pakt mit der Magie um der Erkenntnis willen weist in dieselbe Richtung. Holz selbst hat sein Werk das „religiöseste, ‚Gott' suchendste Buch" seines ganzen Zeitalters genannt,[88] und er war überzeugt, damit das Endgültigste über Wissen und Erkennen in der Moderne gesagt zu haben. Dafür brauchte er allerdings auch viereinhalbhundert Seiten, so daß das Stück überhaupt nur ein einzigesmal 1927 aufgeführt wurde, besonders da sich Holz auch hier nicht zu Kürzungen verstand. „Nicht ein Buchstabe darf dran fehlen."[89]

Dorninger muß erfahren, daß statt des von ihm zunächst verteidigten „ehrwürdigen, unleugbaren" „Ignoramus" – „wir wissen es nicht" – doch das „Ignorabimus" – „wir werden es nie wissen"[90] – zu gelten hat, wie es sein Schwiegervater vertritt, ohne daß sich Dorninger allerdings dessen „Struggle for life-Standpunkt" vom „forschen, freien, braven, frohgemuten, naturgewollten Kampf aller gegen alle" zu eigen machen will.[91] Pessimismus und Agnostizismus sind Ende und Ergebnis dieses Desillusionierungsprozesses, der Hollrieders Erkenntnis von der Tücke des Lebens noch darin übertrifft, daß er auch die prinzipielle Möglichkeit einer Überwindung dieser Fatalität durch das Schöpfertum ausschließt. Wenn es ein Jenseits tatsächlich gab, so hatte es sich durch die Vorgänge des Stückes als böse und zerstörend erwiesen.

Was dahinter steht, ist Holz' eigenes Suchen nach Orientierung und einem weltanschaulichen Konzept, wodurch es tatsächlich verständlich wird, daß er in diesem Werk sein Äußerstes und Höchstes gegeben zu haben glaubte. Mit der Konzeption seines *Phantasus* als Weltgedicht, die schon in den neunziger Jahren begann, hatte Holz die Position der frühen naturalistischen Studien verlassen, in denen Dichtung, wie zu sehen war, nicht mehr als poetische Vermittlung von Erkanntem, sondern als Vorgang des Erkennens selbst fungieren sollte. Anstelle diese weit in die Möglichkeiten moderner Dichtung verweisende Experimentierhaltung weiter zu verfolgen, beharrte Holz auf einer alten Idee vom Dichter als Weltdeuter. Während er sprachlich neue Gebiete zu erreichen versuchte, blieb er in seinen Vorstellungen von der Funktion des Schriftstellers dem überwunden geglaubten klassischen Idealismus wie dessen Perversion durch seine Epigonen verhaftet. Holz' insgeheim doch an Goethe orientierte Vorstellung von einem großen Dichter war die eines die „letzten Fragen" aufwerfenden und sie für eine Zeit gültig beantwortenden Künstlers, und eben das wollte er in den großen Dramen und im *Phantasus* leisten. Dahinter stand natürlich immer auch unausgesprochen der Ehrgeiz, wirklich der Größte seiner Zeit zu sein. In den *Sozialaristokraten* vollzog sich der Übergang von den frühen Versuchen einer objektiven „Wiedergabe der Natur" zur reinen Selbstdarstellung, ein Übergang, den Holz nicht wahrgenommen und deshalb auch theoretisch nie gefaßt oder auch nur konzediert hat. Mit der *Sonnenfinsternis* und dem *Ignorabimus* glaubte er dann den Gipfel der Dramatik erklommen zu haben. Als „freudlos gewordener Mensch", aber „definitiver Künstler" war er aus dem ersten Stück hervorgegangen. Jetzt erwies er durch den Mund eines Wissenschaftlers die tatsächliche Fragwürdigkeit und Sinnlosigkeit dieses „Berges des Lebens", die er vorher nur visionär geahnt hatte. Die Tragik Dorningers sieht er als seine eigene, aber indem er ihr die Gestalt eines Dramas, eines Kunstwerks gibt, erhebt er sich zugleich darüber und blickt von dieser höchsten Höhe tragisch-versöhnt auf das ganze Treiben, das er dann in sein „Weltgedicht", den *Phantasus* einbezieht, zu dem die Dramen in engster, auch formaler Verbindung stehen. Dorninger ist also nicht schlechthin sein Selbstporträt, sondern, wie auch Hollrieder, nur ein, wenn auch wesentlicher Teil seiner Persönlichkeit, den er nicht ganz ohne jeden Abstand darstellt. Hatte er schon durch eine der Gestalten des Dramas für Hollrieder „Maßlosigkeit“ konstatieren lassen, so tritt dazu bei Dorninger noch ein ganzer Katalog anderer zweifelhafter Eigenschaften, von denen allerdings nirgends ganz deutlich ist, wieweit sie Holz nun doch als die notwendigen Attribute eines großen Kämpfers und Wahrheitssuchers betrachtet oder sich von ihnen als Übersteigerungen solcher Haltung distanziert. Die Szenenbemerkungen beschreiben Dorninger als scharf, brüsk, zornig, gereizt, verächtlich, abweisend, bissig und maßlos, dann aber auch wieder als lapidar, gelassen, haarscharf geschliffen in seinen Gedanken, voller Glut und Kraft. Wie Hollrieder ist auch er letzten Endes das Porträt eines Psychopathen, der extravertiert seine inneren Konflikte und Komplexe auf Welt und Menschen ablädt, sie beständig brüskiert und so aber auch in seinem Selbst- und Weltverständnis nicht weiterkommt, also an seinem eigenen Unverständnis zerbricht. Es entsteht der Eindruck, daß sowohl Hollrieder als auch Dorninger trotz aller proklamierten tragischen Gebrochenheit am Ende doch wieder von vorn beginnen und so buchstäblich „über Leichen“ gehen könnten.

Mangelndes Weltverständnis zeigt sich noch in anderer Hinsicht, und zwar im Hinblick auf die engen bürgerlichen Moralvorstellungen, denen sowohl Gestalten wie Autor verhaftet sind. Das wird insbesondere in der Verurteilung des „Lebemannes“ Uexküll deutlich, wo noch einmal das von Hollrieder-Holz angeschlagene Neidmotiv des frustrierten Lebensdranges eines „Ausnahmemenschen“, sei es Künstler oder Wahrheitssucher, anklingt. „Leben“ wird auch hier als Sexualität gesehen und die Frau, wie Mariette, als das Lockende, als Schlange, als „Nicht-Mann“ [92] oder, wie Marianne, im besten Falle als opferbereite Kameradin. So hat Dorninger am Ende nichts anderes zu tun, als sich mit Uexküll ernst und feierlich zu schießen, wobei er die Prophezeiung seines Mediums mit in den Kampf nimmt, daß Uexküll fallen werde. Die vita integra triumphiert, denn „darüber“ kann kein Mann weg. Könnte man den Verlauf der Tragödie – auch Dorninger soll schließlich den Tod finden – als eine Art indirekter Rache Mariettes für das ihr durch Dorninger und Marianne angetane Unrecht verstehen, als Strafe auch dafür, daß der Mann eigentlich das Wesen beider Frauen verkannt habe,[93] so wird dergleichen doch irrelevant durch die Trivialität der Ehebruchsgeschichte, die der Handlung zugrunde liegt, und insbesondere durch die moralische Bewertung der Gestalten, bei der Holz in einer längst überlebten viktorianischen Reinheitsvorstellung steckenbleibt, die sich um die wirklichen, in der gesellschaftlichen Stellung der Frau begründeten Ursachen für moralische Verfehlungen keine Gedanken macht. Ein Blick auf die Tragödie Gretchens im *Faust,* auf die der Effi Briest bei Fontane oder selbst des Johannes Vockerat in Hauptmanns *Einsamen Menschen* gibt die Perspektive.

Gewiß mochte das Motiv des „Integer vitae" aus Holz' eigener Situation verständlich sein, war er doch zu dieser Zeit in alle möglichen unerquicklichen Fehden um seine Geltung als Schriftsteller verwickelt und glaubte sich durch den Schmutz gezogen. Er hat sogar die folgenden Worte Dorningers als eigenes Bekenntnis unverändert in den *Phantasus* übernommen: „Unser bestes ... Sehnen schreit nach Gerechtigkeit! Aus diesem gemeinen, schmutzigen Tohuwabohu, in dem wir alle beschlammt bis an den Hals waten ... verlangt es ... selbst den Besudeltsten und Beschmiertesten ... nach einer läuternden, regenerierenden, seelischen Transmutation und Wiedergeburt, nach einem erlösenden, sühnenden Entsündigungsbad, nach einer fleckenlosen Reinheit! Wenn auch schon längst nicht mehr in dieser, so doch in irgendeiner fernen, tröstenden, oft nur wie durch einen dunklen Traum erhofften und erahnten, imaginären andern Welt!" [94] Das ist gewiß subjektiv ehrlich empfunden und Sympathie heischend, aber es ändert nichts daran, daß eine solche nicht näher definierte Reinheit als ethischer Maßstab für die Gestalten untauglich ist, wenn es das vorgesetzte Ziel war, „*komplizierteste* Schicksale *geistiger* Menschen durch *natürliche* Mittel" darzustellen.[95]

Geblieben sind nur die „*natürlichen* Mittel", denn eigentlich sind doch beide Dramen lediglich Steigerungen der *Familie Selicke.* Menschen drehen sich einsam im Kreise um sich selbst, zerstören einander bei Kollisionen, aber vermögen nie, in wirklichen Kontakt miteinander zu kommen. „Du bist einsam ... Georg ist einsam ..." [96] Alle ästhetischen und philosophischen Diskussionen und Erörterungen führen darüber nicht hinaus. Der Naturalismus ist bewahrt in solchen dramaturgischen Faktoren wie dem „Boten aus der Fremde", der, wie Uexküll, den „Knoten ... überhaupt erst schürzte".[97] In dem Intriganten Musmann benutzt Holz sogar das sehr viel ältere Instrument des regelrechten Bühnenschurken, um die Handlung voranzutreiben. Auch Hauptmotive der Schicksalstragödie wie Blutschande, Familienfluch und geheimnisvolle Orakel lassen sich als Agenzien in Holz' Stück deutlich ausmachen. In der Mitwirkung des „Milieus", des Weltstadtlärms als einer Art akustischem Kommentar zu den inneren Empfindungen der Gestalten werden die Dramen geradezu zur Naturalismus-Parodie, so wenn es in der Szenenbemerkung nach einem Ausfall Dorningers heißt: „Fernes, wie fragendes Auto." [98] Das „Milieu" wird zum symbolistischen Requisit, ohne noch als Äußeres das Innere der agierenden Menschen irgendwie zu bestimmen und zu beeinflussen. Im gleichen Maße nivelliert sich die Sprache: anstelle der „Sprache des Lebens" tritt der Phantasus-Stil der langen, mit Wortkaskaden und Superlativen gefüllten hypotaktischen Perioden. Holz erklärte diese „Phantasus-Technik" als notwendig für kompliziertere und „steilere" Affekte im Gegensatz zu der von ihm „entdeckten Sprechsprache", die „bei primitiveren Dingen, wie z. B. in den *Sozialaristokraten*“ [99] genügte. Die Unterschiede werden besonders deutlich beim Vergleich zwischen der ersten und zweiten Fassung der *Sonnenfinsternis*. Was 1908 noch fast völlig fehlt, dominiert 1919 über weite Strecken. Die Beschreibung des „Berges des Lebens“, von einer auf mehr als fünf Seiten angewachsen, wird zum regelrechten *Phantasus*-Poem, und eine Stelle aus dem *Ignorabimus* wurde dann ja auch von Holz ohne Änderung von Worten zu einem Mittelachsengedicht umgeschrieben.[100] Holz sah sich dadurch, daß das möglich war, in der letzten naturgesetzlichen Einheit seines Werkes bestätigt. Ob solche Übertragung mehr beweist als die simple Tatsache, daß alles eben von ihm herrührte und er persönlich von gewissen Grundgedanken ebenso beherrscht wurde wie seine Ausdrucksweise von der Phantasus-Diktion, muß bezweifelt werden. Das Verschwimmen der Gattungsgrenzen ist aber in diesem Zusammenhang zu konstatieren; hier hat Holz durchaus sensibel Tendenzen in der Entwicklung der modernen Literatur mitempfunden. Der *Phantasus* wird damit zum Becken, in dem sich alle Ströme sammeln. Das Suchen nach einem neuen Weltbild geht dorthin über, ebenso wie die Versuche zur Erweiterung und Vertiefung des alten Konzepts einer „Sprache des Lebens“. Daß gerade in der Hochstilisierung gewisser Grundüberzeugungen von Holz durch ihre Einkleidung in die Satzartistik und die Wortfülle des Phantasus-Stiles sich der, wahrscheinlich nur halbbewußte, Versuch verbirgt, diese Gedanken dadurch schon bedeutend, groß und richtig zu machen, ist wohl die eigentliche Quintessenz der „Phantasus-Technik“, mit der Holz eben den kompliziertesten Gedanken und Affekten seiner ganzen Zeit nahekommen wollte. Nicht nur gedanklich, sondern auch künstlerisch münden deshalb die Dramen von den *Sozialaristokraten* bis zum *Ignorabimus* in dieses Holzsche „Weltgedicht“. Sie markieren eine Übergangsstufe in seiner Entwicklung und zeigen den mehr und mehr auf sich selbst konzentrierten Schriftsteller, der dabei die Orientierung in seiner Zeit verliert und sich schließlich mit literarischen Techniken in der Hand findet, mit denen er, wie Hollrieder, zunächst nichts anderes anzufangen weiß als seinen Groll über das nicht faßbare „Leben“ und die sich dem Verständnis und der Darstellung immer wieder entziehende „Natur“ auszudrücken: „Der Besitzer einer allerkompliziertesten Präzisionsmaschinerie, mit der er nichts zu präzisieren versteht! ‚Technik‘! Der erste beste Grasfleck im Sonnenschein schlägt die ganze *Malerei* dot!“ [101] Erst dort, wo Holz mit den von ihm experimentell entwickelten Sprachtechniken zu operieren versteht, ohne seinen weltdeuterischen Anspruch überhand nehmen zu lassen, gelingt ihm wieder Bedeutendes. Das gilt für Teile der *Blechschmiede* und des *Phantasus* und als ganzes für das Gedichtbuch *Dafnis*.

Lyrisches Porträt

Für Arno Holz war der *Dafnis* ein Glücksfall. Die „Freß- Sauff- und Venuslieder" des fiktiven Schäfers aus dem Barock bescherten ihm zunächst jenen äußeren Erfolg, auf den er so lange hatte warten müssen. Als *Lieder auf einer alten Laute* waren sie, als sie 1903 auf teurem, altertümelndem Papier erschienen, unbemerkt geblieben. Ein Jahr später brachte sie dann jedoch der Verleger Reinhard Piper unter dem Titel *Dafnis. Lyrisches Portrait aus dem 17. Jahrhundert* in einer billigen Ausgabe heraus, die sofort reißend Absatz fand. Innerhalb eines Jahres waren 20 000 Exemplare verkauft. Im Unterschied zum *Traumulus,* Holz' anderem Erfolgswerk, das zur gleichen Zeit an die Öffentlichkeit trat, dauerte die Wirkung des *Dafnis* an; das Bändchen fand sogar Eingang in die Taschenbuchproduktion unserer Tage.[1]

Aber nicht nur deshalb waren die Lieder ein Glücksfall für den Autor. Sie waren es auch, weil sich Holz hier im Kostüm einer vergangenen Zeit freier und unbeschwerter gab, als er sich das je im Gewande seiner Gegenwart leistete. Gerade die Leichtigkeit des dichterischen Maskenspiels und die Beschränkung auf die einfachsten Lebensäußerungen und Erkenntnisse waren es denn auch, die diesen Gedichten Dauer gegeben haben.

Nicht, daß Holz es sich selbst leicht gemacht hätte; so sehr konnte er nicht über seinen Schatten springen. Drei Jahre habe er in unermüdlicher Arbeit hinter dem Buche gesessen. Hunderte von Quellenwerken aus dem Barock habe er in sich aufgenommen, um sich in die Sprechweise der Zeit einzufühlen und für die Authentizität jeder Wendung, jedes Namens, jeder Metapher und jeder altertümlichen Schreibung bürgen zu können.[2] Denn natürlich nahm er auch den Spaß sehr ernst. Ziel der ganzen Arbeit sollte sein, die Gültigkeit des einstmals geprägten Kunstgesetzes unter Beweis zu stellen, indem es auf eine neue Dimension bezogen wurde. „Mein Buch ist, wie ich wohl kaum noch erst zu versichern brauche, kein archaistisches. Ich wende in ihm die Methode, ein Stück Leben künstlerisch so treu wie nur irgend möglich zu geben, auf die Vergangenheit an." [3] So versicherte er in einer Selbstanzeige aus dem Jahre 1903, und in einer zweiten von 1904 heißt es präzisierend: „Im vorliegenden Werk ist zum ersten Mal versucht worden, die lyrische Form der dramatischen adäquat zu handhaben. Das heißt: sie zur möglichst getreuen Darstellung eines Charakters zu verwerthen, der mit dem des Dichters als nicht kongruierend empfunden wurde." [4] Es handle sich dabei um jenen alten „carpe

HORCH DRÜMB / WASS MEIN STAUB DIR SPRICHT: SO VIHL GOLD HAT OPHIR NICHT / ALSS IN IHREM MUNDE DIE FLÜCHTIGE SECUNDE. O ADAME / O EVE / VITA SOMNIUM BREVE!

Des berühmbten Schäffers
Dafnis
sälbst verfärtigte / unter dem Titul
OMNIA MEA
fürmahls ans Licht gestellte
und von ihme mit einem lästerlichen
Nohtwendigen Vorbericht
an den guht=hertzigen Leser
lihderlich verunzihrte / höchst sündhaffte
Sämbtliche
Freß= Sauff= und
Venus=Lieder /
vermehrt und verbässert
durch vihle biß anhero noch gäntzlich ohngetrukkt
gewesene / benebst angehänckten
Auffrichtigen und Reue mühtigen
Buß=Thränen /
vergossen durch den sälben Auctorem /
nachdäme dihser
mit herein gebrochenem Alters Gebrest
auß einem Saulo zu einem Paulo geworden /
gesammblet / colligiret /
sowie mit einem nüzzlichen Fürvermärck versorgt
über die besondre Lebensümbstände
des selig Verblichnen /
allen Christlichen Gemühtern
zu dihnlicher Abschrekkung bekant-gegeben /
inssondre der schwanckenden Jugend /
durch Selamintem.

Konstantinopul & Leipzig / getrukkt in dihsem Jahr.

Titelblatt des Dafnis *(1904)*

diem-Typ", der wie die Gestalt eines Hamlet oder Don Quixote ewig sei und zu allen Zeiten vorkomme, jüngst etwa wieder in Verlaine.[5] Was Holz also beabsichtigte, war der Versuch, seine theoretischen Prämissen auf ein neues Gebiet zu übertragen. Aufgabe der Kunst war für ihn Wiedergabe der Natur, und Natur wurde ihm weitgehend identisch mit der äußeren und inneren Wirklichkeit des Menschen. Für das Drama hatte er deshalb den Primat der Charakterdarstellung über die Handlung erklärt. Aber dort schon hatte er seit den *Sozialaristokraten* die stipulierte Inkongruenz zwischen Autor und Charakteren keineswegs eingehalten, und in der Lyrik versuchte er mit seiner neuen Sprachtechnik eigentlich in erster Linie, das eigne *Phantasus*-Ich zu dem der ganzen Menschheit zu erweitern. Das schloß nun allerdings die Dimension der Vergangenheit ein, und an dieser Stelle fügt sich der *Dafnis* in das Gebäude seines Werkes. Mit den poetischen Mitteln einer vergangenen Zeit sollte hier eine Gestaltvariante der polymorphen menschlichen und insbesondere dichterischen Natur gegeben werden, die sich nach Holz' Vorstellungen gerade in gewissen Zeiten am ausgeprägtesten fand und die sich deshalb auch wohl mit deren eigenen Sprachmitteln am reinsten darstellen ließ. Holz ging es also in der Tat nicht um gereimte Historie, sondern um das „Menschentum" seines Helden „durch allen Wust und durch alle Stilverkrüppelung" hindurch.[6] In diesem Sinne kann er dann auch im Gegensatz zu seiner anderen Erklärung von der fehlenden Kongruenz zwischen Dichter und Dafnis sagen: „99 % von mir fühlt mit! Mit dem ganzen DAFNIS!" [7]

Die Frage nach dem Gelingen solcher gewichtigen Absichten tritt zurück angesichts der Komik, dem Übermut und der Ausgelassenheit der Gedichte: „Eines echten Boeten Leyer darff nicht nach Schweiß stincken." [8] Dafnis ist Student –

> Mich sah so Leipzig / Wien / wie Prag /
> so Rostock / Königsberg / wie Jene – [9]

und außer dem Trinken noch dem Essen und dem Lieben in aller Üppigkeit zugetan. Die Formel ist so einfach, wie sie alt ist:

> Karpen / Stintckens / Plötzckens / Hächt /
> alles kömbt uns itzo rächt /
> Schüncken / Wörste / Sauer-Kraut
> und waß man noch sonst verdaut.
> Ingwergens und Citronaten
> sind itzt gleichfalls wohl-gerathen.
>
> Hat man dan genug gebappt /
> fühlt man / daß man kaum mehr jappt /
> zihmbt ein Schlückgen Aqwa vit /
> weil man nicht den Kirch-Thurm siht.
> Doch man weiß / es ragt derselbe
> noch ins obre Blau-Gewelbe.
>
> Drauff so drukkt man Dorime
> zährtlig auff das Canape /
> Butzt ihr Schnuhtzgen und enthüllt
> waß ihr brall das Mihder füllt;
> denn man muß nach solchen Sachen
> sich ein Mouvementgen machen.[10]

Die Schönen werden allerdings nur im Plural gedacht, und so wimmelt es von Damen aus der ganzen Skala der Schäferdichtung:

> Doris küß ich auff die Bäkkgen /
> Filosetten auff den Mund /
> Sylvien kniep ich unters Gäkkgen /
> Fillis / wo sie hindten rund.[11]

An Deutlichkeit läßt die kulinarische Symbolik nichts zu wünschen übrig:

> Der Himmel wird es schon so fügen /
> daß wir uns beyde noch vergnügen!
> Mit ihr an einem Dischgen /
> daß wer so rächt mein Gout /
> ein sälbst gebakknes Fischgen
> reicht sie mir kikkernd zu.
> Mit einem Reveräntzgen
> schihb ichs ihr zahrt zurükk:
> for dich / mein Kind / das Schwäntzgen /
> for mich das Mittel-Stükk![12]

Aber den fröhlichen Sünder des Carpe diem verläßt das Memento mori nicht. Aus dem Schäfer wird schließlich der „Pastor und Prediger des Heiligen Evangeliums zu Hohenkreyentorp im Eichsfeldschen";[13] dreizehn „auffrichtige und Reue müthige Buß-Thränen" beschließen das Buch in seiner endgültigen Ausgabe. Zerknirschung ist freilich nicht das letzte Wort des Helden. Noch aus dem Grabe verkündet er:

> Ich war / itzt ligt das weit /
> der *Flaccus* meiner Zeit.
> Ich war ein Mäntsch wie du /
> itzt däkkt der Sand mich zu.[14]

Und der Chorus mysticus lautet:

> Horch drümb / waß mein Staub dir spricht:
> So vihl Gold hat *Ophir* nicht /
> alß in ihrem Munde
> die flüchtige Secunde.
> O Adame / o Eve /
> *Vita somnium breve!* [15]

Es ist eine einfache, sehr unkomplizierte Gefühlswelt, die sich hier im Kreislauf der Natur vom Winter über Frühling, Sommer, Herbst und wiederum über den Winter in einen neuen Frühling hinein ausbreitet und die durchaus gelegentlich ins Banale abgleitet. Holz hat das selbst gesehen und es sogleich als Stärke empfunden: „Grade dieses Simple im Grundschema bei buntester Variirung im Detail ist für mein Empfinden der letzte, eigentliche Werth dieses Buches.“ Denn, meint er, „letzte Ideen können nicht einfach genug sein“![16]

Dafnis genießt in vollen Zügen, sinnlich, lustig, unverfroren, aber nie zynisch, eher sentimental. Der Satz „Dafnis ist for Biderkeit“,[17] so heuchlerisch er scheinen mag, nennt gewiß einen Zug seines Wesens. Langes Liebeswerben ist ihm fremd; er ist geradezu oft plump in seiner Art, und die raffinierten und hochgestochenen Klagen und Werbemethoden seiner barocken Kollegen kennt er nicht. Trotz tritt an diese Stelle:

> Läßt dein Sinn sich nicht erweichen /
> gläubstu dan / ich werd verbleichen?[18]

Er ist sich im Grunde immer der Erfüllung sicher. Katzenjammer oder gar Kummer halten nicht lange vor. Dafnis ist nicht unterzukriegen und „drohstet sich“ schnell, denn

> Hundret lihbe kleine Dinger
> läkken sich nach mir die Finger.[19]

So geht er auch schließlich ungebrochen in die Ewigkeit; „Er bereut nichts“, heißt eine der letzten „Buß-Thränen“, die in eine Apotheose auf Frau Venus ausklingt:

> Sie war mein A / sie war mein O /
> künt ichs – ich dhät es noch-mahl so![20]

Es ist solch leichtherzige, unreflektierte Aufhebung des Gegensatzes zwischen Lebensgenuß und Todesfurcht, die man Holz als unbarock und ganz und gar unstimmig angerechnet hat. Natürlich ist dieser Maßstab für ein Werk aus dem Anfang des 20. Jahrhunderts unangemessen, wenn auch Holz den Vergleich geradezu herausforderte. Eines seiner „Qwodlibets“ endet so:

> Waß ist die Welt und ihr berühmbtes Gläntzen?
> Ein Blizz bey Nacht.
> Eh welcke Rohsen eure Scheitel kräntzen /
> singt / drinckt und lacht!
> Heut sind wir noch jung und roht /
> morgen hat uns schon der Dodt /
> morgen sind wir Asche![21]

Das ist ein direkter Bezug auf Hoffmannswaldaus bekanntes Gedicht, das nun allerdings sehr viel differenzierter ist und über den Bildern einer nichtswürdigen, vergänglichen Welt eine andere unvergängliche aufbaut:

Was ist die Welt / und ihr berühmtes gläntzen?
Was ist die Welt und ihre gantze Pracht?
Ein schnöder Schein in kurtzgefasten Gräntzen /
Ein schneller Blitz bey schwartzgewölckter Nacht.
Ein bundtes Feld / da Kummerdisteln grünen;
Ein schön Spital / so voller Kranckheit steckt.
Ein Sclavenhauß / da alle Menschen dienen /
Ein faules Grab / so Alabaster deckt.
Das ist der Grund / darauff wir Menschen bauen /
Und was das Fleisch für einen Abgott hält.
Komm Seele / komm / und lerne weiter schauen /
Als sich erstreckt der Zirckel dieser Welt.
Streich ab von dir derselben kurtzes Prangen /
Halt ihre Lust vor eine schwere Last.
So wirstu leicht in diesen Port gelangen /
Da Ewigkeit und Schönheit sich umbfast.[22]

Die Gegenüberstellung enthüllt tatsächlich die Glaubensschwäche des modernen Dichters. Ein echter metaphysischer Bezug ist in den Gedichten des *Dafnis* nicht vorhanden. Dafnis „stirbt, wie er gelebt hat. Aufrecht!!"[23] Der Dichter Arno Holz ist letzten Endes auch hier das Maß aller Dinge. Im Unterschied jedoch zu der aufdringlichen Selbstexposition besonders in den großen Dramen ist im *Dafnis* solche persönliche Signifikanz hinter den Kostümen und Kulissen einer vergangenen Zeit so gut versteckt, daß sie den Spaß an der Sache nicht verdirbt. Gewiß ist Dafnis kein Barockmensch, und gewiß paßt ihm auch das Schäferkostüm nicht richtig. Stehkragen und Gehrock sehen gelegentlich darunter hervor, und zuweilen trägt der Held auch einen Kneifer. Aber gerade aus solchen Unstimmigkeiten entsteht die eigentliche Spannung der Dafnis-Gedichte und die Freude an ihnen. Das manieristische Spiel mit den Sprachmünzen einer vergangenen Zeit, mit „linguistisch ‚Entferntem'",[24] verleiht dem „simplen Grundschema" erst seinen Charakter und Wert und gibt der Dichtung ihre besondere, neue Einheit. Das zeigt sich in einer ganzen Reihe von Anspielungen und in der Kostümierung von Redensarten, die vermutlich dem Berlin der Jahrhundertwende vertrauter waren als den deutschen Provinzen nach dem Dreißigjährigen Kriege.

Nur Eins kan sie von all den Nympffen /
ihr Maul biß auff den Absazz rümpffen,[25]

heißt es von Celinde. Und noch berlinerischer:

Schab immer auff mich Rübgen /
du lohses Flügel-Bübgen /
ich zahl dir noch den Lohn!
Mit Brechen und mit Biegen /
ich werde dich schon kriegen –
da / sihstu? Hat ihm schon![26]

Man nennt die Geliebte „süßes Huhn“, will mit ihr „kälbren / dalbren / dahlen“,[27] aber vergißt einfache Vorsicht dabei nicht:

Doch ich hüte mich beym Naschen /
denn ich will nicht Windeln waschen.[28]

Seinen Dichterkollegen gegenüber distanziert sich Dafnis drastisch:

Eumelio / Arcas und Sylvander /
ihr könt mich alle mit einander![29]

Und wenn die Meister der Barockdichtung gemeinsam herbeizitiert werden, geschieht das so:

Opitz / *Flemming* / *Dach* und *Rist*
lengst schon die Verwesung frißt /
Hofmann / *Gryph* und *Lohenstein*
mußten in den Sand hinein![30]

Solcher Bierzeitungston ist im *Dafnis* nicht selten; Holz hat ihn dann in den Literaturparodien des *Phantasus* und der *Blechschmiede* kultiviert.

Das sind nur wenige Beispiele, aber sie machen deutlich, daß ein beträchtlicher Teil des Witzes und damit des Reizes der Dafnis-Gedichte in dem Doppelspiel der Sprache zwischen alt und neu beruht. Die wesentliche Quelle der Komik bei Holz ist also nicht wie in der Barocklyrik der galante Einfall, das geistreich zugespitzte Conzetto, sondern das Durcheinander zweier Zeiten und Wirklichkeiten. Dieses Spiel wird nun noch verstärkt durch die archaische Schreibweise, die die Sprechweise beeinflußt. Holz hat gerade bei der Orthographie aufmerksam darauf geachtet, authentisch zu sein. Nur ganz wenige Buchstabenkombinationen sind ihm als eigenwillige Schöpfungen nachgewiesen worden. Dennoch weicht die Verwendung im einzelnen beträchtlich von den Vorbildern ab. Was Holz in den verschiedensten Dichtungen findet, verbindet er in einem Vers oder einer Strophe und konzentriert so dessen altertümelnde Wirkung. Das führt zu einer Reihe von komischen Effekten besonders dort, wo das Wort dem umgangssprachlichen Bereich der Holzschen Gegenwart angehört und durch das alte Kostüm nun eine Art Scheinwürde verliehen erhält. So ist im *Dafnis* die Rede vom „Grohß-Bapa“, oder auch vom

Cupido, der „Färsen-Göldt" gibt, man ißt „Bomper-nikkel", „Nonnen-Fürtzgens" oder „Kowjar-Schnittgen" und schwärmt unbegrenzt für „Biehtzgens" oder reife „Oepffel".[31] Holz setzt also bewußt die Orthographie als Stilmittel ein. Das geschieht auch mit dem Titel. Johann Rist, von Holz besonders geschätzt und verehrt, schreibt seinen Schäfer Daphnis im Jahre 1642 mit „ph". Holz überlegt dagegen, historisch nicht ganz berechtigt: „‚Daphnis' und ‚Phyllis' (statt Fillis) scheinen mir mehr beweiskräftig für die zweite Schäffer-Zeit; oder vielmehr, wie diese dann, dem parallel, geschrieben werden müßte, ‚Schäferzeit'. ‚Dafnis' stultzirt noch in ‚deutscher Barttracht', ‚Daphnis' erfreut sich schon eines Haarbeutels." [32] Das läßt einen Blick in die Werkstatt zu. Holz' Ziel ist offenbar, die ursprünglichere, echtere, „deutschere" Form zu finden. Sie ist in seiner Vorstellung zwar weiter von der Gegenwart entfernt, scheint dem „simplen Grundschema" des Buches aber mit seiner „überschäumendsten Lebenskunst" [33] angemessener zu sein. Damit wäre es denn auch schon wieder den Zeitgenossen anderer Zeiten durch das klarer hindurchschimmernde allgemeine Menschliche verwandter. In diesem Sinne hat Holz die Orthographie seines *Dafnis* in der Tat gestaltet; ihre Gebundenheit an eine ferne Zeit soll gerade die Zeitlosigkeit des Gesagten unterstreichen.

Nun wirkt allerdings in diesen Gedichten nicht nur die potenzierte Altertümlichkeit in der Schreibweise, sondern auch der dem modernen Wort gegenüber leicht veränderte Klang. Durch solches Spiel werden vor allem dem Reim neue Möglichkeiten abgewonnen:

> Krispingen ist darfor zu kortz /
> daß macht / es fehlt ihr die Proportz.[34]

Auf diese Weise kann dann auch der „alte Leierkasten" des längst abgenutzten Reimklischees wieder zu Ehren kommen. Holz hatte ihm in seiner *Revolution der Lyrik* den Garaus gemacht. Nun darf er ihn mit Lust und gutem Gewissen für sein „Lyrisches Portrait aus dem 17. Jahrhundert" wieder hervorholen:

> Kortz / alles was blohß bihbt /
> ist itzo scharff verlihbt.[35]

Hier werden Sinn und Bedeutung der ganzen Barock-Maskerade vollends deutlich. Der *Dafnis* steht in einer Linie mit den anderen, früheren Ansätzen von Arno Holz zu einer Erneuerung der Literatur aus einer Auffrischung ihres „Sprachblutes". Seine ersten Experimente mit Prosa und Lyrik zielten darauf, die tradierte und schal gewordene Sprache der Literatur durch eine „Sprache des Lebens" zu ersetzen. Im *Dafnis* hingegen machte er den Versuch, der „Sprache der Literatur" durch ihre betonte Archaisierung und Verfremdung neues Leben einzuhauchen. Auch der

Dafnis ist also Symptom jener Krise des Sprachbewußtseins, die sich von den frühen Tagen des Naturalismus bis in die Anfänge des neuen Jahrhunderts hinein erstreckt. Die Rückbesinnung auf vergangene Kunst und Literatur, insbesondere auf Rokoko und Barock, aber ebenso, bei Bierbaum zum Beispiel, die „altdeutsche" Mode schlechthin waren aus solchen Motivationen heraus ein allgemeines Phänomen um 1900.[36] *Dafnis* ist jedoch zugleich Symptom für eine besondere Fähigkeit seines Schöpfers, einer solchen Krise Herr zu werden. Denn hier wie in den frühen Gedichten, naturalistischen Studien oder dem *Phantasus* ist es Holz' außerordentliche sprachmimische Begabung und Veranlagung, die der ganzen Sammlung mit ihrer Wortlust und Wortfülle einen besonderen Charakter gibt.

Damit löst sich zugleich die hin und wieder umstrittene Frage, ob der *Dafnis* Parodie sei oder nicht. Gewiß hängt die Antwort zum Teil von der engeren oder weiteren Definition ab, die diesem Begriffe gegeben wird. Versteht man Parodie jedoch im einfachsten Sinne als „verspottende, verzerrende oder übertreibende Nachahmung eines schon vorhandenen ernstgemeinten Werkes",[37] so läßt sich dergleichen gewiß nicht auf das Verhältnis des *Dafnis* zur Barockdichtung anwenden. Die alte Form ist nur Mittel zu einem Zweck: der Darstellung einfacher, ja elementarer menschlicher Empfindungen und Erfahrungen. Die Sprachmittel, die ihm das 19. Jahrhundert dazu überliefert hatte, erkannte Holz als abgenutzt und untauglich. Im *Dafnis* nahm er deshalb die poetische Sprache seiner Zeit zu den Ursprüngen ihrer Bilder, Reime und Formen zurück, also in jenes vergangene Jahrhundert, in dem die „deutsche Poeterey" zum Selbstbewußtsein kam. Hier konnten sich eben auch unbeschränkt wieder Brust auf Lust, Musen auf Busen, Traum auf Baum, Liebe auf Triebe und Herz auf Scherz reimen, ohne daß damit von vornherein der Horizont um „fünfundsiebzig Prozent enger" [38] erscheinen mußte, wie Holz das für die Reimlyrik seiner Zeit konstatiert hatte. Wenn der *Dafnis* überhaupt als Parodie aufgefaßt werden soll, dann eher als eine auf die epigonale Poesie des ausgehenden 19. Jahrhunderts. Aber das Parodistische wäre auch dann nur ein begrenzter Aspekt des ganzen Buches, das von Holz sehr viel weiter und tiefer gedacht war.

Sein Held Dafnis war ihm in erster Linie nicht Karikatur oder Medium für literarische Späße. Dafnis ist ihm ein „synthetisches ‚Ewigkeits'individuum",[39] und wir wissen, wie sehr er sich gelegentlich von seinen eigenen Versen hat erschüttern lassen. Sein Freund, der Komponist und Dichtergefährte Georg Stolzenberg, berichtet, daß Holz „bei dem ersten Erklingen der Todesklagen meines [d. i. des von Stolzenberg vertonten] Dafnis-Gesanges: ‚Er lauscht einem Vögelgin' die verschränkten Arme über den Tisch breitete, den Kopf darauf legte und Schluchzen seinen Körper schüttelte.“ [40] Solche Rührung ist natürlich hauptsächlich darauf zurückzuführen, daß Dafnis doch zu einem beträchtlichen Teile Fleisch vom Fleische seines Schöpfers ist, auch wenn das Holz nicht ohne weiteres wahrhaben wollte. Vieles klingt bei näherem Zusehn vertraut. Studentenmilieu, kulinarische Freuden und Paschagelüste sind dem Holz-Leser nicht ungeläufig:

Sind denn nicht Mägdgens da?
Ich bün der Padischa.[41]

Als Miles gloriosus singt Dafnis:

Kombt wer mir in die Qwere /
dan hat ihn gleich auff Ehre
der alte Gözze *Baal* /
der Hellen-General!

Durch Fehder / Filtz und Krempe
stoß ich ihm meine Plempe /
von jeder Löffeley
mach ich ihn durchauß frey!

Mein ohnverstelltes Wesen
ist nicht for Fehder-Lesen /
noch nie hab ich die Nacht
mit Schnarchen zugebracht![42]

Und der einsame Kämpfer für Recht und Wahrheit bekennt:

Des Himmels franck / der Hölle lohß /
Trutz dir / du hämisches Gelichter!
Mein Hieber blizzt zu Stich und Stoß /
Die Pesth auff alle Splitter-Richter!
Nur auff mich sälbst bün ich gestellt /
was kümmert mich die Affter-Welt?[43]

Dennoch freut er sich, von allen begehrt, geliebt, umdrängt zu sein:

Erst / wo sich Alle ümb mich schmihgen /
da lacht for Mir: das Baradihß![44]

In seiner Größe und seinem Übermut hält er „sich vor mehr alß die Uebrigen“ und „stößt fast bald die Milch-Bahn an“.[45] Aus solcher Hybris des „starcken Lebens“ [46] stürzt er aber wiederum nieder in die Verlassenheit und Einsamkeit dessen, der „geschlagner denn Hiob“ [47] sein quälendes Dasein nur in der Anstrengung des Trotzes ertragen kann. Bis dann eine erlösende Stimme zu ihm spricht:

> Komm und sizz auff dihsen Thron /
> DAFNIS / mein verlohrner Sohn![48]

Darauf entgegnet Dafnis inbrünstig:

> O allzu großer Gott!
> Nun ist mein Herz genesen!
> Nun spühr ich sonder Spott
> Dein aller-tieffstes Wesen!
> Waß vor mich so beschwehrt /
> Dein Grimm / Dein Gifft / Dein Wühten /
> im Huy hat sichs verkehrt
> in lautter Rohsen-Blühten!
> For mein Kämpffen / for mein Ringen /
> darff ich Dir itzt Palmen schwingen /
> der ich bey den Säuen saß
> und fast nichts wie Träber fraß![49]

Der verlorene Sohn ist heimgekehrt. Ein altes Trauma von Arno Holz hat neue Gestalt gefunden.

Vieles aus der Welt des Phantasus-Träumers findet sich hier wieder an: die Idylle im Winter hinter dem Ofen oder im Frühling zwischen Blumen, „worzu süß ein Vogel singt", Kuchen und Kinder und eine „göldne Zeit".[50] Im *Buch der Zeit* und im *Phantasus* wirkt dergleichen oft sentimental und süßlich-schwermütig, denn dort wird es unmittelbar als Traum oder Sehnsucht erfahren, von dem Bewußtsein der Unwirklichkeit einer solchen Idylle getragen. Im *Dafnis* hingegen wird die Idylle zur – fiktiven – Realität; Sehnsucht und Traum erhalten in der barocken Maskerade ihre Selbständigkeit, ihr eigenes Leben. Der Erfolg des *Dafnis* beruht zu einem beträchtlichen Teile darin, daß es hier Arno Holz vermochte, seine eigene Problematik gründlich zu verkleiden. Wenn auch „99 %" von ihm mit seinem Helden mitfühlten, so war ihm eben doch zugleich ein Charakter gelungen, „der mit dem des Dichters als nicht kongruierend empfunden wurde". Darin liegt eines der Geheimnisse des *Dafnis*.

Anderes kommt hinzu. Dafnis ist der Genußmensch, naiv und ungebrochen, dem am Ende die Stimme von oben ein „Gerettet" zurufen darf. Insofern ist er tatsächlich, wie Holz es wollte, die Verkörperung eines „ewigen" Typus, mit dem jeder einzelne Leser seine verdrängten Wünsche assoziieren konnte – „ein Mäntsch wie du".[51] Besonders auf dem Hintergrund der Jahrhundertwende mußte diese Apotheose fröhlichheilen Lebens ihre Wirkung erzielen. Vom neuen, starken, freien Leben war seit Nietzsche viel die Rede gewesen; Holz selbst und eine ganze Phalanx jüngerer Autoren hatten diesem Abgott ihren Tribut entrichtet. Zugleich aber war die Skepsis gewachsen, dieses „Leben" je erreichen zu können in einer immer komplizierter strukturierten, technisierten Welt. In seinem Hollrieder in der *Sonnenfinsternis* wollte Holz den Prototyp für einen Künstler schaffen, der diesem Leben bis zur Selbstzerstörung nachlief, ohne es doch je erhaschen zu können. „Der erste beste Grasfleck im Sonnenschein schlägt die ganze *Malerei* dot!" hatte er in seiner Ratlosigkeit bekannt. Dafnis macht es sich leichter:

> Blüht es / ist das kleinste Gras
> klüger wie Pythagoras![52]

Aber das kann ihn eben als Poeten nicht erschüttern, sondern eher nur bestätigen, denn:

> All meine Lidergens vom Lihben
> hat gleichsahm die Naduhr geschrihben![53]

Es ist dem Künstler Holz wirklich gelungen, die naive Fiktion der zur Natur gewordenen Kunst in einer großen Zahl seiner *Dafnis*-Gedichte überzeugend zu gestalten. In einem Briefe an Piper hat er seinen Helden sogar auf die Schillersche „Denkart" des Naiven bezogen, von der es in dessen großer Abhandlung heißt, das Naive verbinde „die *kindliche* Einfalt mit der *kindischen;* durch die letztere giebt es dem Verstand eine Blöße und bewirkt jenes Lächeln, wodurch wir unsre *(theoretische)* Überlegenheit zu erkennen geben. Sobald wir aber Ursache haben zu glauben, daß die kindische Einfalt zugleich eine kindliche sey, daß folglich nicht Unverstand, nicht Unvermögen, sondern eine höhere *(praktische)* Stärke, ein Herz voll Unschuld und Wahrheit, die Quelle davon sey, welches die Hülfe der Kunst aus innrer Größe verschmähte, so ist jener Triumph des Verstandes vorbey, und der Spott über die Einfältigkeit geht in Bewunderung der Einfachheit über." [54]

In diesem Sinne ist Dafnis wirklich der naiv-vitale Dichter par excellence, kein müder Fin-de-siècle-Ästhet, der sich hysterisch nach Machtrausch und Hedonismus sehnte und sich scheu dem Leben verschloß. Dafnis war zugleich auch der Anti-Bürger, der sich frei von aller Scheinmoral und viktorianischer Prüderie dem Genusse hingab. Der Vorwurf „widerwärtiger Lüsternheit" [55] ist dem Buch denn auch gemacht worden, und es hat als Pornographie mehrfach den Staatsanwalt mobilisiert.

Es war vor allem die Anti- oder Unbürgerlichkeit, die Holz Lob von seinen Freunden und Kollegen eintrug, von Bierbaum, Bölsche, Schaukal bis zu Wedekind und Tucholsky, der Holz zu dessen 50. Geburtstag gerade für dieses Buch dankte, „weil das wahrhafte Lyrik ist, weil ein großes, starkes Lebensgefühl mit Ihnen durchgegangen ist, weil das singt, weil das auch in dieser fingierten Welt nur die eine Freude am Leben gibt".[56]

Wenn Dafnis aber zugleich auch dort geliebt wurde, wo man sich über die Trennung von Kunst und Leben keine besonderen Gedanken machte, so liegt das wohl daran, daß er bei aller Unbürgerlichkeit doch bürgerliche Proportionen in einem weiteren Sinne behält. Er genießt mit Humor, mit Witz, aber nicht ohne Maß.

> Nicht zu wenig / nicht zu vihl /
> Lihben ist kein Poppcken-Spihl.[57]

So ist Dafnis tatsächlich „for Biderkeit", wie er verkündet, aber er ist es gerade nur so viel, um ganz und gar menschlich begreifbar und beschränkt zu bleiben und nicht in die dämonische Sphäre eines Don Juan entrückt zu werden.

Eines der schönsten Dafnis-Gedichte ist die kleine „Ode Trochaica", „daß der Frühling so kortz blüht":

> Kleine Bluhmen wie auß Glaß
> seh ich gar zu gerne /
> durch das tunckel-grüne Graß
> kukken sie wie Sterne.
>
> Gelb und rosa / roht und blau /
> schön sind auch die weißen;
> Trittmadam und Himmelstau /
> wie sie alle heißen.
>
> Kom und gib mir mitten-drin
> Küßgens ohnbemessen.
> Morgen sind sie lengst dahin
> und wir sälbst – vergessen![58]

Alles, was der *Dafnis* zu bieten hat, ist darin eigentlich zusammengedrängt. Äußerste Einfachheit und äußerste Virtuosität gehen miteinander: Natur und Kunst sind verbunden, so wie sich „Graß" auf „Glaß" reimt. Das Konkreteste in den Blumennamen verbindet sich harmonisch mit der Allgemeinheit der Farben. Die Melodie schmeichelt, aber die Komödie der Orthographie läßt Süßlichkeit oder vollen Ernst nicht aufkommen. Und so dialektisch ist auch, was der Dichter mit seinem „vita somnium breve" zu sagen hat. Man kann behaupten, daß es nicht sehr viel ist; mythische Höhen und Tiefen fehlen in dem Maße, wie sie den Dafnis vom Don Juan

Er klagt/
daß der Frühling so kortz blüht.

Ode Trochaica.

Kleine Bluhmen wie auß Glaß
seh ich gar zu gerne/
durch das tunckel-grüne Graß
kukken sie wie Sterne.

Gelb und rosa/roht und blau/
schön sind auch die weissen;
Trittmadam und Himmelstau/
wie sie alle heissen.

Kom und gib mir mitten-drin
Küßgens ohnbemessen.
Morgen sind sie lengst dahin
und wir sälbst – vergessen!

Seite aus der endgültigen Ausgabe des Dafnis *1924*

unterscheiden. Man wird sich in dieser Hinsicht bei Holz bescheiden müssen. Aber die Weisheit des kleinen Gedichtes liegt in seiner Gestalt, in dem harmonischen Zusammenklang von so viel Gegensätzlichem.

Es gibt eine legitime Freude des Menschen am Einfachen, Bekannten, Selbstverständlichen, wenn es ihm nur in neuer, ungewohnter, schöner Gestalt überraschend begegnet. Arno Holz ist es mit seinem *Dafnis* gelungen, solche Freude zu stiften, und das war für ihn in der Tat ein Glücksfall.

Seelendramoid

Als Herr Hahn in den *Sozialaristokraten* seinen Freund und Gönner, den Gelegenheitsdichter Oskar Fiebig, besucht, meint dieser bescheiden zu ihm: „Sie arbeetn je nu so mehr fier de Unsterblichkeit, verstehn Se! Wat ick hier habe, det is ja man bloß sone poetische Blechschmiede. Ick mach in poetschen Duft und in drastschen Humor.“ [1] Das Drastische vor allem und das Allzu-Zeitgemäße, durchaus nicht für die Ewigkeit Bestimmte bildete dann auch den Stoff für Holz' eigene *Blechschmiede*, die er im barocken Titel einen „umgestürzten Wunderpapierkorb“ nannte, dessen weggeworfene und abgetane Schnipsel allerdings „alle wieder urquick, urfidel und urlebendig werden“.[2] Denn natürlich sollte auch diese „Riesen-Papierkorbiade“ als „Ton-, Bild- und Wortmysterium“ über „Dichter, Tod und Teufel“ [3] schließlich aus dem Zeitgenössischen und Zeitbedingten ins Allgemeingültige und Zeitlose hinüberwachsen.

Begonnen hatte die Arbeit zunächst in ziemlich bescheidenen Ausmaßen und mit beschränkten Ambitionen. Im ersten Jahrgang der *Insel* erschien im Februar 1900 auf 30 Seiten ein „Wilmersdorfer Festspiel“ mit dem Titel *Die Blechschmiede*. In den Versen und der hymnischen Prosa, die ein Reigen von phantastischen und grotesken Gestalten von sich gab, waren leicht parodistische Anspielungen auf die verschiedensten Zeitgenossen zu erkennen. So waren hier und da Hauptmann oder Bahr zitiert, aber da sie nicht als identifizierbare Gestalten eines satirischen Maskenspiels auftraten und der Spott der Holzschen Verse mehr allgemein gegen alle möglichen Formen epigonaler, naturalistischer oder neuromantischer Poesie gerichtet waren, blieb eine Provokation aus.

Zwei Jahre später veröffentlichte Holz das gleiche Werk, aber bereits angewachsen zu einem Buch von nahezu anderthalb hundert Seiten, das in geschmackvollem Ledereinband, auf teurem Papier mit dem Wasserzeichen des Insel-Verlages und mit grotesken Jugendstilvignetten von Julius Diez auf den Markt kam.[5] Wie der *Phantasus* – und parallel zu ihm – schwoll das Werk schließlich ins Ungemessene und Maßlose. Über Zwischenstufen gedieh die *Blechschmiede* zu einem fünfaktigen Drama, das in der Werkausgabe von 1924 nicht weniger als 847 Seiten einnimmt und das im Nachlaß schließlich nochmals um einige hundert Verse erweitert vorgefunden wurde. In dieser endgültigen Form ist es nun aber etwas ganz anderes als eine Literatursatire. Möglicherweise hatte Holz schon von Anfang an, wenn auch nur halb bewußt, eine solche Metamorphose im Sinne. Das erste Dokument zur Entstehungsgeschichte, ein Brief aus dem Jahre 1897, spricht von einem geplanten Werk mit dem Titel „Apollonius Golgatha. Der Mensch und sein Werk", das in einem „riesigen Mosaik" durch die Gestalt eines „riesenhaften Künstlergenies" „möglichst die ganze Verschrobenheit eines ganzen Zeitalters" darstellen sollte. Ein solches Buch würde „nicht bloß Zeitwert behalten"; Holz hoffte, „rein technisch, ein Sprachkunststück" zustande zu bringen, „wie unsere Literatur meines Wissens noch nichts besitzt".[6] Apollonius Golgatha wurde in der Tat die immer wieder auftauchende und reichlich amorphe Leitgestalt der *Blechschmiede*, aber sie erhielt schon im „Wilmersdorfer Festspiel" einen sehr viel deutlicher umrissenen Gegenspieler, der als „Herr Mitte Dreißig" und später in „älteren" Abwandlungen unverkennbar die Meinungen von Arno Holz persönlich ausdrückt. Holz setzt sich also selbst in das Zentrum des Zeitmosaiks, und letztes Ziel werden Selbstrechtfertigung vor dem Panorama der zeitgenössischen Literatur und Selbstdarstellung im Zusammenhang des eigenen, im *Phantasus* und den großen Dramen entwickelten Weltbildes. Der Untertitel der späteren Fassungen deutet dergleichen an: „Grandioses, apotheoses, naturalistisch-symbolistisch-pointillistisch-expressionistisches, dionysisch-apollinisches, venusinisches Pandivinium, Pandaemonium und Panmysterium." [7]

Holz muß sich, wie es scheint, schon bei den ersten Versuchen zur Ausführung seines Planes von 1897 als Gestalt mit einbezogen haben. Es war jene kritische Zeit der wachsenden Isolation, also des Umschlags und Übergangs vom Avantgardisten und Literaturrevolutionär in den seine Positionen polemisch verteidigenden verkannten, einsamen „Kämpfer", wofür die *Sozialaristokraten* 1896 das erste deutliche Dokument darstellten. Es war zugleich die Inkubationszeit des Phantasus-Weltbildes, in dem die Einsamkeit des Dichters auf der Grundlage von naturwissenschaftlichen und philosophischen Gedanken des ausgehenden neunzehnten Jahrhunderts in einen neuen Mythos umgeformt wurde.

Die *Blechschmiede* trägt Züge von beidem, von Polemik und Mythos, und sie kann auch die Konstellationen ihrer Geburtsstunde nicht verleugnen. Holz bleibt in seiner Literatursatire wie in seinem Bilde von der Welt wesentlich auf den Positionen der Jahrhundertwende stehen. Von der literarischen Szene seit dem Expressionismus nimmt er auch in der letzten Fassung der *Blechschmiede* nicht Notiz, obwohl er dort manches ihn Bestätigende hätte finden können. Über den frühen Mombert gehen seine Anspielungen und Parodien nicht hinaus. Veränderungen lassen sich jedoch im Gebrauch der sprachlichen Mittel erkennen, womit Holz – ebenfalls wieder wie im *Phantasus* – sich selbst und seinen Ideen oft beträchtlich vorausgeeilt ist. So bleibt die *Blechschmiede* als Ganzes dis-

ine weiße Seidendraperie mit gelben Japan-drachen; sie teilt sich, und die Bühne stellt den Handdruck dar, den das scheidende neunzehnte Jahrhundert mit dem kommenden zwanzigsten wechselt. Links eine Kathedrale, rechts ein griechischer Tempel, im Hintergrund eine birmanische Pagode. Die Kathedrale ein Warenhaus von Wertheim, der Tempel ein Ausschank von Aschinger, die Pagode eine Filiale vom Berliner Lokal-Anzeiger.

Apollonius Golgatha, auf einem Postament in der Mitte. Glockenrock à la Thomas Theodor Heine, aus seinen Rockschößen die „Blätter für die Kunst", als Pegasus ein Schaukelpferd. Das Postament ein parischer Marmorblock mit einem Sims aus purpurnen Eselsohren:

Schrill aus blutenden Karbunkeln
unerhörte Blumen funkeln:
die blauen Blumen meiner Brust,
die um die verschütteten Brunnen gewußt!

Chor der Jünglinge, rechts; rote Glacees, umgekrämpte Hosen, Monocles, Schnabelschuhe:

Wir sind keine Sittenprediger und lieben nur die Schönheit. Mehr als das schwarze Leder der Bücher behagt uns die weiße Haut, die über die quellende Brust des Weibes gespannt liegt, oder ein blondes Bein, das seiden aus einem geschlitzten Sternkleide schimmert!

Anfang der Blechschmiede *in der Zeitschrift* Die Insel *(1899/1900)* sonant und unausgeglichen, im einzelnen aber reich und durch wechselnde Perspektiven oft sogar faszinierend.

Überblick und Darstellung des Werkes sind schwierig, denn Holz wollte darin gerade „aus Compositions*losigkeit* mal ein Compositions*prinzip*“ [8] machen. Ein Index aller „handelnden Menschen, Götter, Stimmen, Chöre, Allegorien, Abstraktionen und sonstiger nomina propria“ enthält mehr als 3000 Stichwörter. Die Form nennt Holz selbst ein „Versbiest“, unsicher, ob es „Epopoe“ oder „Drama“ [9] sein soll. Die äußere Gestalt allerdings simuliert ein Drama. Fünf Aufzüge und vier Zwischenspiele sollen in ihrer Neunzahl, wie Holz es will, auf die neun Musen verweisen, die dem Dichter in Anspielung auf den Beginn von Wielands *Oberon* „den Hippogryph satteln“ [10] müssen. Schauplatz des ganzen Werks ist die Zirbeldrüse des Dichters, jenes rudimentäre Organ also, das Descartes als Sitz der Seele angenommen haben soll. Darin nun drängen sich alle Zeiten und Religionen zusammen; allerdings ist aus einer Kathedrale ein Ausschank von Aschinger, aus einem Tempel ein Warenhaus von Wertheim und aus einer Pagode eine Filiale des Berliner Lokalanzeigers geworden. Dem Abgott auf dem Postament, Apollonius Golgatha mit dem synkretistischen Namen, sehen verräterisch die *Blätter für die Kunst* aus den Rockschößen. Vor ihm aber und ihm gegenüber steht unverkennbar der „Herr Mitte Dreißig“ mit Virginia und Kneifer: der Dichter selbst ist die Mitte der säkularisierten Welt, und die Szene ist damit gesetzt für den ersten Akt, den Holz als einen vielgestaltigen Sängerkrieg entworfen hat. Die eine Front darin wird gebildet eben von dem Herrn Mitte Dreißig, der später auch als Herr Anfang Zwanzig, Mitte Fünfzig, Einundsechzig, Anfang Siebzig und Ende Achtzig erscheint, dann von den ihm wesensverwandten Charakteren des „Autors“ und des „Blechschmieds“ sowie von einem Begleitpersonal, das sich aus Dafnis und seinen Adjutanten Hans Worst, Kasperle und Pickelhering wie den berlinernden Originalen Plantschneese, Puffschnute und Schielewippe als vox populi zusammensetzt. Ihnen gegenüber steht eine unübersehbare Zahl von „Dichterlingen“ allen Kalibers. Epigonale „Greise“, sturm- und dranghafte „Grüne“, weltschmerzlerisch fade „Graue“ erscheinen in einer Vielzahl von Variationen; Apollonius Golgatha und die später auftauchende Exzellenz von Weimar bilden die einzigen Fixpunkte.

Ein Zug von Holz’ Persönlichkeit zeigt sich in solcher Konstellation. Nicht nur daß er Streit und Polemik genoß: er stellte sich hier allein mit wenigen Getreuen einer ganzen Welt von Gegnern gegenüber, bei deren Auswahl er, wie sich zeigt, nicht eben niedrig gegriffen hatte. Gegenstand des Sängerkrieges sollte die „deutsche Poesie“ schlechthin sein, und der Autor gibt auch gleich zu Beginn seine Position an:

L'art a la tendence
d'etre la nature!

Eine Stimme im Innern mahnt ihn allerdings:

Natur, Natur, ja hat sich was!
Die ganze Herrlichkeit verdunkelt
ein Grashalm, der in der Sonne funkelt![11]

Die Zweifel sind dem Holz-Leser bekannt. Hollrieder hatte die Unzulänglichkeit seiner Malerei gegenüber dem „ersten besten Grasfleck im Sonnenschein" empfunden, und Dafnis hatte bescheiden gesagt:

Blüht es / ist das kleinste Gras
klüger wie Pythagoras.

In der Nachlaßfassung der *Blechschmiede* hat Holz einen „Quintessenzler" schließlich die Meinungen seines Autors etwas holprig so zur Synthese bringen lassen:

Wahrheit bleibt, in immer wieder Besiegelung:
Natur ist Gesetz. Kunst dessen Spiegelung.[12]

Von diesem Gedanken der Kunst als Wiedergabe der Natur ist Holz also nie abgegangen, so sehr er skeptisch hinsichtlich des Gelingens war. Auch in der *Blechschmiede* bleibt er auf den Ausgangspositionen der naturalistischen Literaturrevolution stehen, ohne den Begriff „Natur" schärfer zu definieren oder die festgestellte Relation zwischen Natur und Kunst immer wieder kritisch in Frage zu stellen. Denn die künstlerischen Mittel, die Holz sich nach und nach und gerade auch in der *Blechschmiede* schuf, gaben ihm Möglichkeiten dichterischer Gestaltung in die Hand, die durch die Beschränkung auf die Widerspiegelung einer angeblichen Naturgesetzlichkeit nicht ausgenutzt werden konnten. Das zeigt sich deutlich in der *Blechschmiede*, nicht nur in den auf die Literatursatire bezogenen Teilen, sondern auch dort, wo Holz in das Innerste von Welt und Gott vorzudringen versucht.

Wie schon der Titel im Holzschen Verständnis andeutet, war die *Blechschmiede* zuerst und zunächst auf eine Auseinandersetzung mit der gesamten zeitgenössischen Literatur und besonders der „Reimschmiederei" angelegt. Kritischer Maßstab ist für Holz sein Kunstgesetz, und Ansatzpunkt aller Kritik die Variable x, die Reproduktionsbedingungen also und ihre Handhabung. „Wozu noch der Reim?" hatte er 1898 in seiner Selbstanzeige des *Phantasus* gefragt und auf dessen Nivellierungstendenzen hingewiesen: „Brauche ich den selben Reim, den vor mir schon ein anderer gebraucht hat, so streife ich in neun Fällen von zehn den selben

Gedanken." [13] Die literarische Polemik der *Blechschmiede* baut nun im wesentlichen auf dieser Überlegung auf: ihr Objekt ist immer und immer wieder der Reim und die unvermeidliche Banalität des durch ihn Ausgedrückten. Der Liebesdialog von Faust und Helena findet sein karikaturistisches Gegenstück. Ein Herr aus der Parkettloge:

> Ein neuer Reim! Ein Reim auf „Liebe".
> Ums Feuer tanzt die Karaibe!
> Auf wessen Hintritt stets erpichter?
> In seinem Kochtopf . . .
>
> ALLES, *noch entzückter:*
> . . . quietscht ein Dichter.[14]

Holz geht es also keineswegs um die Parodierung einzelner Autoren, sondern er will vielmehr zeigen, wie sie alle durch das Reimkarussell gleichgemacht werden. Daraus resultiert nicht nur die Fülle der auftauchenden Personen, sondern auch die relative Konturlosigkeit dieser Gestalten. Apollonius Golgatha ist zum Beispiel keineswegs nur eine Karikatur Georges, wie sich aus der einführenden Beschreibung vermuten ließe, sondern allgemein eine Verkörperung aller im Holzschen Sinne „unnatürlichen" Reproduktionshandhabungen und Tendenzen in der Lyrik der Zeit. Denn hauptsächlich ist es eben die Lyrik, gegen die sich Holz' Spott richtet, und darin das Streckbett des Reimes, dem er mit seiner aus dem eigenen Kunstgesetz abgeleiteten Phantasus-Lyrik abgesagt hatte. Dabei war er selbst reimselig; zeitlebens hat er sich einer spielerischen Nötigung zu immer neuen Klangkombinationen nicht entziehen können. Im *Dafnis* geschah das mit gutem Gewissen im verfremdenden Kostüm des 17. Jahrhunderts, in der *Blechschmiede* unter dem Vorwand, eine ganze Dichtergeneration von Reimern aufs Korn zu nehmen.

Aus diesen Voraussetzungen erst läßt sich die eigentümliche Form der Literatursatire in der *Blechschmiede* verstehen. Es wimmelt darin von Zitaten und wörtlichen Anspielungen; sie alle und im einzelnen zu entschlüsseln, ist aber schon deshalb unmöglich, weil Holz sehr frei mit seinem Material umgeht. Zitate werden kombiniert, erweitert, umgedichtet, durch neue Reime banalisiert. Manchmal sind es auch nur noch Prosodie, Metrum und Rhythmus, die das parodierte Muster durchschimmern lassen. Das Gewicht liegt jedenfalls stärker auf dem Sprachmimischen, und die Parodie hält sich eher an das Spiel mit dem Klang oder dem Wort, als daß sie auf die Enthüllung eines bestimmten Charakterzuges des Betroffenen zielt. Wie sehr hier Holz Methoden moderner Literatur vorarbeitet, wird sich bei der Betrachtung des *Phantasus* in seiner endgültigen Gestalt noch zeigen. Für die *Blechschmiede* jedoch bedeutete solches Verfahren zunächst Beschränkung. Was Holz zeigen will, ist die Unangemessenheit und „Unnatürlichkeit“ der Form, die den Inhalt zum Klischee macht:

> Hört auf, hört auf mit euerm Reim!
> Um alles schmiert ihr ihn wie Schleim.
> Verkrüppelt seid ihr und verkrummt.
> Metrum verdummt![15]

verkündet der Herr Mitte Dreißig, und nachgewiesen werden soll es an den verschiedensten Objekten.

Eine vorzügliche Angriffsfläche boten Holz die Gegner der Jugendzeit, also Epigonendichter wie Schmidt-Cabanis oder Rudolf Baumbach, die als „Chor der Greise“ mit Bierbäuchen und Harfen auftreten:

> Um die Fliederzeit,
> wenn der Kuckuck schreit,
> wird das Herz uns immer wieder jung.[16]

Baumbachs Gedichtsammlung *Krug und Tintenfaß* von 1887 erscheint variiert als Produkt des „dritten Greises“ unter dem Titel „Vom Tintenfaß ins Weltall, oder Plomben für den kranken Zahn der Zeit“.[17] Aber auch die „Grünen“ oder das „kulturlose Neutönergezücht“ der *Modernen Dichter-Charaktere* werden Opfer – zum Teil selbstkritischen – Spottes. Der Großstadtlyriker „in Frack und weißer Binde“ deklamiert das ganze Repertoire vom Talmiglanz der Großstadt und vom Elend der Vorstädte herunter. Ein anderer bringt das rührend-populäre Motiv von der ehrbaren Dirne:

> Der Himmel blinkt wie Blut so rot,
> die Dirne tritt den Straßenkot.
> Sie ist das abendlich gewohnt –
> o Gott, wie seltsam hängt der Mond!
>
> Die Seele siech, mit kranker Brust,
> fast jedem gibt sie sich zur Lust,
> von schnödem Sold kaum karg belohnt –
> o Gott, wie seltsam hängt der Mond!
>
> Er weiß, er weiß es, sie bereuts!
> Ins Bett blickt ihr ein Christuskreuz!
> Zu oft hat sie vor ihm gefront –
> o Gott, wie seltsam hängt der Mond![18]

Henckell und Dehmel, Arent und vor allem Holz selbst mußten sich hier getroffen fühlen. Im *Buch der Zeit* hatte es vom Prostituiertenzimmer geheißen:

> An die grüngestreifte Wand
> war ein Christusbild genagelt,[19]

und ein rührseliges Gedicht mit ähnlicher Motivik war auch in den ersten *Phantasus* eingegangen.[20] Gedichte aus den *Deutschen Weisen* und aus *Klinginsherz* werden sogar wörtlich und in extenso übernommen und zur Rührung „älterer, alleinstehender ... Damen" im Publikum vom Verfasser von „Klinginsland" vorgetragen. Eine Gestalt nach der anderen erscheint und wird dann, vom Autor oder dem Herrn Mitte Dreißig verhöhnt, unter dem Jubel des Publikums schonungslos von der Bühne entfernt. Aber all das war im Grunde Geplänkel. Hauptangriffspunkt waren nicht Jugendgegner und Jugendsünden, sondern war jene Lyrik des Fin de siècle und der Jahrhundertwende, die sich während der Zeit von Holz' eigenen Bemühungen um eine Revolution der Lyrik entwickelt hatte und diese eigentlich bedrohte, zogen doch ihre Schöpfer beträchtlich mehr Aufmerksamkeit auf sich, als das Holz mit seinen neuen Dichtungen gelang. Der „Impresario" der *Blechschmiede* stellt die literarische Szene so vor:

> Dichter mit assyrischen Bärten, die steifen Locken wunderlich verschnörkelt, präraphaelitisch bleiche Maler, matte und wie Lilien fällige Komtessen, nach den Paradiesen unbekannter Schönheit lüstern, und zwischen den scheuen und wie verschmachtenden Farben ihrer weiten und welken Gewänder glänzt silenisch und wüst der Schädel des Verlaine![24]

Es ist ein wörtliches Zitat aus Hermann Bahrs Essay *Décadence*, der 1894 zuerst erschienen war.

In der Gestalt des Apollonius Golgatha versucht Holz nun alles jenes ihm Widerstrebende, ja Feindliche und seinen Erfolg Behindernde zusammenzudrängen und schließlich auch zu disqualifizieren. Neuromantik, Jugendstil, Frühexpressionismus, überhaupt die verschiedensten Stile der Jahrhundertwende werden in ihm gebündelt und vermengt. Apollonius Golgatha aber ist der Ausbund der Impotenz, „und zwar *geistiger basirt auf körperlicher*".[22] Das Leitmotiv vom Manne Holz in einer weibischen, verweichlichten Welt wird sichtbar, wie es sich auch in den Dramen und im *Phantasus* immer wieder findet. Apollonius Golgatha ist ein „süßlicher, lyrischer, hermaphroditischer Fisteltenor", der seinen Einstand mit den folgenden Versen gibt:

Andre singen andre Lieder!
Mein Gefieder
flieht den Tag und sein Gefunkel,
feuerfarben suchts das Dunkel!

Andre lieben andre Leiber!
Meine Weiber
schmachten, schimmernd wie Narzissen,
schwül aus schwarzen Finsternissen!

Andre haben andre Hirne!
Meine Birne
liegt im Streit mit meinem Nabel
sozusagen: Kain und Abel![23]

Von nun an jedoch macht sich Apollonius Golgatha zum Sprachrohr verschiedenster „Impotenter". George-Töne klingen an:

Die hohe Harfe ist mein Amt...[24]

Wenn er tadelnd zu Plantschneese sagt:

Zurück, zurück zu deiner Hölle Kesseln,
trägbeiniger Molch, von unseren samtnen Sesseln![25]

so ist das ein Zitat aus Gerhart Hauptmanns frühem Epos *Promethidenlos*. Des öfteren noch spricht der Erfolgreiche und Glückliche aus diesem Munde. Dann wieder ist es Mombert, der aus ihm redet, und wenn Mombert selbst als Bardochai auftritt, so kommt es sogar zum Duett zwischen beiden in Momberts Versen:

BARDOCHAI, *plötzlich, ekstatisch:*
Wer steht dort drüben rot beleuchtet an der Kalkwand?
Sein planetarischer Glanz
fordert mich zum Tanz.
Durch Weltgedonner und Sterngestiebe,
ich grüße dich in beschatteter Liebe!

APOLLONIUS GOLGATHA,
„siegreich" von ihm „erblickt":
Unter dem Krondach einer ungeheuren Palme
singen wir an dem selben Psalme.
In einem roten Schaukelstuhl ins Meer geschoben,
sitzen wir auf unsern Hemigloben![26]

Verschiedenes aus Momberts Gedichtwerk *Die Schöpfung* ist in diese Worte eingegangen. Bei Mombert steht die Mutter „rotbeleuchtet drüben an der Kalkwand“ und ein Stern fordert ihn – an anderer Stelle – tatsächlich mit seinem „planetarischen Glanz“ zum Tanz auf. „In der Krone einer ungeheuren Palme“ ruht Momberts „Flügel-Mensch“, und in den Visionen vom Felseneiland Salas y Gomez sitzt der Dichter einsam am Strande,

> im roten Polsterstuhl gebeugt,
> jetzt ganz ins Meer hineingerollt.[27]

Oder, als Vorläufer der Lyrik der späten neunziger Jahre und des Frühexpressionismus wohl richtig eingestuft, redet Hermann Conradi aus ihm:

> Fahl um meiner Seele Säulen
> scheucht die Schwermut ihre Eulen.
> Fern versprühend blaue Wetter,
> schwere, schwarze Lorbeerblätter![28]

Bei Conradi hieß es:

> Des Lebens buntes Formenspiel
> Hat alle Farbe eingebüßt...
> Es flüchtigt sich wie Schatten hin,
> Draus schwarze Schwermut zu mir fließt...[29]

Die Beispiele zeigen, daß von Zitaten nur noch zum Teil die Rede sein kann. Anspielungen und Assoziationen treten hinzu oder an deren Stelle, mit der Absicht, nicht einzelnes, sondern das Ganze, also eine in Holz' Augen überlebte Form der Lyrik zu treffen und ad absurdum zu führen, d. h. ihre letzte Nichtigkeit und Banalität zu enthüllen. Deshalb sind auch die vielfältigen Anspielungen kaum noch zu bestimmen, wenn Holz versucht, das ganze Repertoire der Stilkunst dieser Zeit enzyklopädisch zu erfassen. Farbenrausch und Mondanbetung, antike und orientalische Mythologie, magische Siebenzahl und kosmische Verzückung erinnern an Stilzüge oder Symbolik bei Liliencron, Dauthendey, Falke, Hartleben, George, Dehmel, Mombert, Schaukal, Rilke, Däubler, um nur einige Namen zu nennen. Bierbaum tritt als „Erbaulich-Beschaulicher“ auf, und die Belegschaft seiner beiden *Modernen Musen-Almanache* ist in reicher Zahl versammelt. Die Auflösung wäre für den Kommentator ein mühseliges, kaum erfüllbares und noch nicht einmal lohnendes Unterfangen, denn Tendenzen und Methode der Holzschen Kritik bleiben die gleichen. So sehr Holz die Banalität exponieren möchte, so sehr verfällt er ihr doch immer wieder selbst in seiner Polemik. Wenn er dem Duo Bardochai-Apollonius Golgatha entgegenhält:

> Das Schwierigste, was man dagegen auch schreit,
> bleibt komplizierteste – Einfachheit,[30]

so ist das gewiß noch keine Antwort auf Momberts eigene Bemühungen, die Konventionalität in der dichterischen Sprache zu überwinden und die Alltagssprache visionär zu transzendieren.

Es zeigt sich hier eine charakteristische Schwäche von Holz: es ist ihm schwer, ja unmöglich, sich in Werk und geistige Welt eines anderen Schriftstellers einzudenken und einzufühlen. Es gibt von ihm keine Essays und kaum Rezensionen über andere Literatur; selbst der Briefwechsel ist in Hinsicht auf sein Verständnis der – zeitgenössischen oder vergangenen – Literatur unergiebig. Die Werke von Hofmannsthal, Thomas Mann, Heinrich Mann, Hermann Hesse, Georg Trakl, Gottfried Benn, oder Georg Heym zum Beispiel treten nicht in seinen Gesichtskreis. Die einzigen ihm gemäßen Formen theoretischer Prosa waren „Selbstanzeige" und Polemik, auch dort, wo er etwa über „Zola als Theoretiker" schreibt. Die Ursachen liegen offensichtlich in seiner entwicklungsbedingten Egozentrik, die durch seine wachsende Isolation gewiß nicht herabgestimmt wurde. Für ein auf die Auseinandersetzung mit der gesamten Literatur angelegtes Werk wie die *Blechschmiede* bedeutete das, daß seine parodistische Kritik überall dort am überzeugendsten war, wo die relativ wenig komplexe intellektuelle Struktur der Vorlage dem Erfassen ihrer Grundzüge den geringsten Widerstand entgegensetzte und wo die Reimparodie auch schon das Wesentlichste bloßstellen konnte. Das typischste Beispiel ist wohl die Parodie von Richard Dehmels „Roman in Romanzen" *Zwei Menschen*, die zu den gelungensten Passagen der Literatursatire des ersten Aktes gehört. Dehmels Buch, 1903 erschienen, wurde zu einem Bestseller der Zeit. Es war beladen mit Jugendstilornamentik und in seinem kunstvoll-künstlichen Aufbau von 36 Gesängen mit je 36 Zeilen selbst schon ein Ornament. Das Lob von Nacktheit und freier Natur im Gegensatz zu Konvention und Großstadt, Überwindung von Selbstsucht und Einsamkeit, schließlich der Eingang ins kosmische „Weltglück" lassen es als Summe der Jugendstildichtung an der Schwelle der O-Mensch-Pathetik des Expressionismus erscheinen. Vieles davon parodiert sich heute selbst; Holz brauchte nur eine Reihe von geeigneten Zeilen herauszugreifen und zu kombinieren, um die beabsichtigte Wirkung zu erreichen. Der Regisseur der *Blechschmiede* kündigt das Paar an:

> Zwei Menschen stehn auf vier Sandalen
> und staunen in acht Nordlichtstrahlen –[31]

und läßt dann die beiden in Dehmelschen Worten konversieren unter beständiger Anteilnahme von Publikum, den komischen Figuren und selbst

Apollonius Golgatha. Der Herr Mitte Dreißig hat schließlich die Funktion, die Quintessenz der Dehmelschen Reimkunst zu enthüllen. Zwei Zitate werden verbunden, der Satz:

Am winterlich durchnäßten Zaune
tönt eines Weibes zögerndes Geraune –[32]

und ein Bild, auf von Rauhreif bedeckte Bäume im Sonnenlicht bezogen:

als ob im glitzernden Gehölze
das Schwarze aus dem Weißen schmölze –[33]

Sie werden zu folgendem Spottdialog umgestaltet:

Am winterlich durchnäßten Zaune
naht ein Weib sich einem Faune,
damit im glitzernden Gehölze
sein Schwarzes in ihr Weißes schmölze.

PUBLIKUM, *respektlos hohnjubelnd:*
Am winterlich durchnäßten Zaune,
er Priap und sie Alraune
damit im glitzernden Gehölze
sein Weißes in ihr Schwarzes schmölze![34]

Die den Auftritt abschließende Szenenbemerkung lautet: „Das Bühnenbild, nach jetzt glücklich erledigtem Orgasmus, plötzlich wieder ganz quietschfidel, normal und vernünftig."[35] Holz engt also zwar in seiner Polemik Dehmels Dichtung ganz auf das Sexuelle ein, exponiert damit aber auch zugleich eine wirkliche Schwäche des ganzen Werkes, das sein Weltglückpathos allein auf die Liebeserfahrung zweier Menschen gründet und dabei – Harmonie simulierend – den Reim nun in der Tat bis aufs letzte strapaziert.

Neben dem parodistisch-komischen Spiel mit dem Reim enthält die *Blechschmiede* allerdings auch einige längere Einlagen im Mittelachsenstil des *Phantasus*. Verallgemeinernd läßt sich sagen, daß es sich dabei um Teile handelt, in denen größere, über den Horizont der im Maskenspiel auftretenden Gestalten hinausgehende Perspektiven entworfen werden sollen. Schon im ersten Akt gibt Holz dafür ein Beispiel. Im Sängerwettstreit tritt dort der Herr Mitte Zwanzig mit einer Reihe von Versen in tyrannos im Stile des *Buches der Zeit* auf, was einen „Blödjan" zu dem Ausruf „Die goldnen Zeiten sind bald nah"[36] veranlaßt. Das wiederum aber ist das Stichwort für einen Anonymus, nun die Vision einer „brave new world" zu entwerfen, in der „lauter Nächstenliebe" herrschen und statt „Arbeitskulis" ein

Hochfrauen-,
Hochmänner- und Hochherrengeschlecht[37]

gezüchtet werde. Das Publikum wird aufgefordert, nicht zu lachen – die Zeitbezüge auf Nietzsche und die Nietzscheaner sind erkennbar. Statt der Dummköpfe werden nur noch Genies in die Welt gesetzt; Hunger, Krankheit und Tod sollen verschwinden und der Erdball ein einziges Vergnügungskarussell werden. Zur Fortpflanzung der „Edelingsrasse" wird jeder nach genauem Jahresplan in eine Schwängerungsanstalt geführt, die zugleich mit Entbindungs- und Erziehungsheim verbunden ist. Jeden Abend

gibts Sonnennudeln, gibts
Stirnerschnitzel, gibts Kometenknödel, gibts Bakuninstritzel,
gibts Kantgipfel, gibts
Goethebretzeln, gibts Karlmarxkaldaunen, gibts Schillersaucischen,
[gibts Lassalleragout,
Sphärenwutki, Mondmost
und
Sternfrikassee![38]

In einem Kessel werden zugleich die Relikte von Feudalismus, Kapitalismus und Kirche zerkocht. Obenauf schwimmt

der
mumifizierte, balsamierte, prapärierte,
vergoldete
Nabel – Krupps![39]

Solche Phantasie von einem pseudosozialistischen Eden steht in enger Beziehung zu der zweiten längeren Mittelachseneinlage des ersten Aktes, dem Erscheinen von Phantasus als Imperator Niepepiep, einer ziemlich unverhüllten Karikatur Wilhelms II. mit „heroischem Blaublick", „hochgespitztem, hochgewichstem, hochgestutztem Katerschnurrschnauzbart und großaufgerissenem, großaufgesperrtem, großaufgeklaftertem Nußknackermaul".[40] Es sind die höchsteigenen Anordnungen zur Feier seiner Wiederkehr nach Timbuktu, die den Inhalt der Groteske bilden:

Der Weg durch die Wüste wird noch einmal mit Sand bestreut.

In genau einzuhaltenden Pausen, beziehungsweise Zwischenräumen von
[je fünf Minuten
befahren
ihn
grüne Sprengwagen mit Terebinthenwasser.

Die Meridiane werden entfernt, die
Parallelkreise
mit
Ölfarbe bestrichen.[41]

Das Ballettkorps verteilt Porträts des Herrschers „in großer, gestickter Admiralsuniform, behängt mit den Ketten Meiner sämtlichen Orden, mit und ohne Bartbinde".[42] Die Sonne wird am festlichen Morgen sieben Sekunden früher aufgehen.

Alles Sterben an diesem Tage ist zu unterlassen, alles
Gebären einzustellen.[43]

Und am Abend findet schließlich – panem et circenses – öffentlich Bauchtanz statt:

Die
Polizeiorgane
sind
angewiesen, nicht zu intervenieren.

Sollten
nichtsdestoweniger Unruhen vorkommen,
so ist angeordnet worden, nur auf die Füße zu schießen.

Ferner!

Die
Feier
hat einen durchaus patriotischen Verlauf zu nehmen.[44]

Das ist zweifellos eine der besten Satiren, die es auf den imperatorischen Größenwahn Wilhelms II. gibt, und sie zeigt auch die Möglichkeiten des Phantasus-Stiles. Denn obwohl das einfach kaiserliche Erlaßprosa ist, die Holz hier parodiert, so wird doch durch das besondere Zeilenarrangement die satirische Wirkung intensiviert, indem einzelnes auch von der Form her ein pompöses Übergewicht erhält. Wenn allerdings der in der Fassung von 1924 eine Zeile bildende Satz „Die Polizeiorgane sind angewiesen, nicht zu intervenieren", in der Nachlaßfassung in vier Zeilen aufgespalten ist, so ist das kaum noch funktionell. Aber hier bleiben ohnehin Zweifel, ob die unter schwierigen Bedingungen hergestellten Nachlaßfassungen wirklich und ganz und gar den Willen des Autors darstellen.[45]

Es ist zu fragen, ob derartige Passagen dem Kontext der *Blechschmiede* nur aufgepfropft sind. Holz ist es offensichtlich darum gegangen, die Literatursatire in einen zeit- und entwicklungsgeschichtlichen Zusammenhang zu stellen, was er ja dann auch für das Werk als Ganzes tut. Die Niepepiep-Satire gehört zu den frühesten Partien der *Blechschmiede* und war schon in der Ausgabe von 1902 enthalten. Dort steht allerdings noch nicht, was in den späteren Ausgaben erläuternd in der Vorbemerkung hinzugefügt wurde, daß nämlich der Herrscher „hoch zu Roß inmitten seiner ... ‚Siegesallee'" erscheine. Am 18. Dezember 1901 war im Beisein des Kaiserpaares die letzte Gruppe der Statuen preußischer Fürsten und Könige in der Berliner Siegesallee enthüllt worden, und der Kaiser hatte das zum Anlaß genommen, bei einem Bankett am selben Tage seine Ansichten über „die wahre Kunst" zu verkünden. Sein Ausfall gegen „moderne Richtungen und Strömungen" sowie Sätze wie: „Die Kunst soll mithelfen, erzieherisch auf das Volk einzuwirken, sie soll auch den unteren Ständen nach harter Mühe und Arbeit die Möglichkeit geben, sich an den Idealen wieder aufzurichten", und: „Eine Kunst, die sich über die von Mir bezeichneten Gesetze und Schranken hinwegsetzt, ist keine Kunst mehr", sind inzwischen längst notorisch geworden. Holz' nur wenige Monate danach zum ersten Male erschienene Satire konnte also von den zeitgenössischen Lesern durchaus sogleich in den Kontext eines „Sängerwettstreites" integriert werden. Holz' Akzent lag hier auf Skepsis, nicht auf der Erbauung an den „großen Idealen", die „zu dauernden Gütern" geworden waren[46], denn als der Herr Mitte Zwanzig Niepepiep sein Lied vom „roten Demokraten" entgegensingt, wird auch er von der Zirbeldrüsenbühne entfernt. „Brave new world" und Kaiserpomp, Karlmarxkaldaunen und Siegesallee haben beide ihre Fragwürdigkeit. Der Rest ist Zweifel. Allerdings sind Zweifel und Skepsis bei Holz nicht auf einer intellektuellen Durchdringung der einander gegenüberstehenden Positionen gegründet, sondern mehr auf einer intuitiven Reaktion des sich isoliert und verkannt fühlenden Autors. Nur so lassen sich die immerhin fast gleichzeitigen Entgleisungen der Jerschke-Dramen erklären.

Aus derartigen Voraussetzungen erfolgt schließlich am Ende des ersten Aktes der *Blechschmiede* die Kritik an Goethe. Denn Holz wollte nicht nur ein Scherbengericht über alle gegenwärtige Literatur halten, sondern sich auch seinen eigenen Platz im Entwicklungsgang der deutschen Literatur sichern. Verstreut finden sich Anspielungen auf Wieland, Schiller, Bürger, Körner, Mörike, Storm oder Fontane, aber nur mehr als Zitat aus dem Bildungsgut. Die große Autorität, gegen die er sich tatsächlich zu behaupten versuchen mußte, war Goethe. Ansätze zur Distanzierung von ihm gibt es mehrfach in Holz' Werk, vor allem in den theoretischen Überlegungen zur „Revolution der Lyrik" und zum *Phantasus* allgemein. In der *Blechschmiede* jedoch ist es Holz' Absicht, wirklich Generalabrechnung mit dem „Ewigen aus Weimar" zu halten.

Die kritische Auseinandersetzung mit Goethe gehört zu den wesentlichen Zügen in der deutschen Literatur und Literaturtheorie seit dem Naturalismus. Schon früh, in Bleibtreus *Revolution der Litteratur* etwa, wird zwischen dem – sympathischen – Sturm-und-Drang-Goethe und dem Geheimrat und Minister getrennt.[47] Das Wort von dem „phantastischen Spießbürger von Weimar", wie es sich bei Michael Georg Conrad findet,[48] steht nicht vereinzelt da. Daß sich eine junge Künstlergeneration gegen alte Vorbilder auflehnt, ist nicht neu oder sensationell. Aber es handelte sich hier nicht um einen Vater-Sohn-Konflikt; Goethe konnte allenfalls als literarischer Urgroßvater der Naturalisten angesehen werden. Die Goethekritik um die Jahrhundertwende ist vielmehr als Reaktion auf die Idolisierung des „Olympiers" zu verstehen, die sich gut in die kaiserliche Forderung nach der Aufrichtung an den Idealen einfügte. 1885 war die Goethe-Gesellschaft gegründet worden, die eine nicht unbedeutende Rolle in der gebildeten und gelehrten Öffentlichkeit spielte. Die große kritische Edition der Sophien-Ausgabe wurde 1887 begonnen. 1899 fanden aus Anlaß des 150. Geburtstages allerorts Feiern statt; Rudolf Huch veröffentlichte eine Essay-Sammlung unter dem Titel *Mehr Goethe!* Wenn aus Anlaß des Jubiläums dann auch einstige Bahnbrecher einer neuen Literatur wie Wilhelm Bölsche Goethe zum Abgott ihres monistischen Weltbildes erklärten – „Eine Menschheitsgestalt, ist er zugleich auch ein *Menschheitsideal*" [49] – und euphorisch seine Auferstehung verkündeten, so forderte das gewiß zu Gegenreaktionen heraus. Holz läßt den ersten Akt seiner *Blechschmiede* in zwei großen Reden des Autors und des Herrn Mitte Dreißig zum Thema Goethe gipfeln. Die Front ist zunächst gegen die zeitgenössischen Verehrer und „Makulaturprofessoren" gerichtet, wenn es heißt:

> Der alte Prachtpapa aus Weimar
> dient heute nur noch als Polizeimahr.
> Sein Schlafrock flattert, seine Zipfelmütze weht
> überall, wo es nach rückwärts geht.[50]

Aber die Vorwürfe gehen doch über solche Kritik an dem Mißbrauch Goethes als Abgott einer reaktionären Bildungspolitik hinaus. Besonders für sein Werk aus der Weimarer Zeit, die *Iphigenie* und den *Tasso* nicht ausgenommen, konstatiert Holz „Stilwirrwarr" und „Talmi":

> Du warst kein großer aus einem Guß,
> o Goethe, du Eklektikus![51]

Die Motivation dafür ist deutlich: erst Holz' Entdeckung und konsequente Anwendung seines Kunstgesetzes befähigen zu einem einheitlichen, in sich geschlossenen Werk. Die innere Verwandtschaft seiner Dramen und des *Phantasus* bis hin zur Übertragbarkeit einzelner Teile von einem ins andere hatte Holz als Bestätigung solcher Geschlossenheit und der Richtigkeit seines Kunstgesetzes angesehen.

Um sich nun mit Goethe auf eigenem Terrain zu messen, konzipierte Holz als zweiten Akt seines „Zirbeldrüsendramas" eine umfangreiche „Moderne Walpurgisnacht", die nicht nur literarischer Wettkampf sein sollte, sondern zugleich in der Ausführung des Teufelshomagiums Vollendung dessen, was Goethe mit dem in die Paralipomena verwiesenen Teil seines *Faust* nur in Ansätzen entworfen hatte. Auf ein Welt-, Gottes- und Satansbild war es Holz letzten Endes auch in der *Blechschmiede* zu tun. Der *Faust* konnte und mußte übertroffen werden.

Modell für Holz ist in erster Linie Goethes „Walpurgisnachtstraum"-Intermezzo, dessen aus der Xeniendichtung entsprungene Form den auf Polemik bedachten modernen Autor besonders ansprechen mußte. Denn schon der Aufbau der Blocksbergszenerie gab Holz willkommenen Anlaß, noch einmal gegen „Farbenrauschler" des Symbolismus und die Mondseligkeit kosmischer Poeten ins Feld zu ziehen. Apollonius Golgatha wird zweideutig in den Mund gelegt:

> Nun schweigt die Nacht, ein schwarzer Saal,
> wo ist jetzt vorn, wo ist jetzt hinten?
> Nun taucht aus violetten Tinten
> der Mond, ein riesiger Opal.[52]

Blocksberg und deutscher Parnaß werden ein und dasselbe.[53] Die Walpurgisnachtslandschaft wird errichtet. Incubi, Succubi, Kobolde, Nixen, Hexen, Geister, Priapen erscheinen, aber, der Losung „Modern sei die Walpurgisnacht vom Scheitel bis zur Sohle"[54] entsprechend, auch Eisenmonstren, Telefone und Wolkenkratzer als handelnde oder vielmehr sprechende Personen. Eine Grundstruktur Holzscher Dichtung zeigt sich hier und dann auch im *Phantasus* immer wieder: die Versammlung vieler Namen und Persönlichkeiten aller Zeiten und Völker an einem Punkte unter dem Vorwand eines „Jurfix", eines Kongresses, einer Orgie. Es ist die Traumsubstitution eines Einsamen, den eine Welt besuchen kommt, um ihn in die Arme zu schließen oder gar als Mittelpunkt zu verehren. Zeit und Raum werden aufgehoben, der Isolierte überwindet in sich und mit sich selbst die Geschichte und setzt sich absolut, passiv in der Verehrung durch seine Gäste, aktiv als Regisseur und omnipotenter Held eines Bacchanals.

Von all dem spielt sich einiges in der modernen Walpurgisnacht ab. Die Literaten eilen dem Blocksbergparnaß zu:

> Goethe, verfolgt von einem Geist –
> der totgenörgelte Heinrich von Kleist!

Hinter ihm Schiller, der edle Würger,
die Faust um die Gurgel von August Bürger![55]

Dazu der Autor:

Ich selbst, ich selber, o weh, o je,
auf einem leeren Portemonnaie.[56]

Aber auch und vor allem der „ganze Götter-Chorus" „schwankt daher": Donar, Jupiter, Brahma, Wischnu, Vizliputzli und viele andere kommen herbei zur großen „Götterauktion".[57] Vom Brocken geht der Blick zum Mount Everest, Popokatepetl und Halemaumau, und der Heilige Geist stellt sich im Sinne Haeckels ein als ein „seltsames, verschmitzt-‚gasförmiges' Wirbelwesen":

Auch mir sei verstattet ein kleiner Ton
auf diesem papiernen Theater,
ich bin sowohl mein eigener Sohn,
als auch mein eigener Vater.[58]

Ausfälle gegen das Christentum folgen, die ein „Gutmütiger" vermittelnd dämpft":

Gestern hatte Moses recht,
Darwin hat es heute![59]

Das aber ist das eigentliche Thema von Holz' Walpurgisnacht. Nicht nur um die Kritik an der Kirche geht es, wie sie sich schon in den frühen Versen des Herrn Anfang Zwanzig fand, sondern um die Frage nach Transzendenz und Gottesbegriff innerhalb eines naturwissenschaftlichen Weltbildes, das als Grundlage die Gesetzmäßigkeit allen Geschehens anerkannte. Die Frage mußte Holz um so wesentlicher sein, als er sein eigenes Kunstgesetz ja auf einer solchen Prämisse errichtet hatte. Die Arbeit am *Phantasus,* am *Ignorabimus*-Drama und an der *Blechschmiede* geht hier über weite Strecken parallel.

Holz versucht nun eine Antwort im Rückgang auf den Ursprung des Lebens zu finden, ähnlich wie es Goethe in der klassischen Walpurgisnacht getan hatte. Wiederum im Mittelachsenstil veranstaltet der Autor ein wortreiches Deszendenztheater, in dem auf dem Hintergrund einer „Mondtraumlandschaft" die wilde Jagd der „Struggle for life-Entwickelung" filmartig vorüberläuft.[60] Die Reihenfolge der zwölf vorbeiziehenden Gruppen ist wesentlich Ernst Haeckel verpflichtet, der die einzelnen Entwicklungsstufen in seiner seit 1868 immer wieder aufgelegten und umgearbeiteten *Natürlichen Schöpfungs-Geschichte* dargestellt und von 1899 bis 1904 in dem Bildwerk von den *Kunst-Formen der Natur* noch reichliches Anschauungsmaterial dazu geliefert hatte. Alles erscheint bei Holz von den Uramöben und Nesseltierchen über Urgliedertiere, Schnekken, Muscheln, Urvertebraten, Lurche, Amphibien, Reptilien, Beuteltiere und Saurier bis zu Urpitheriden und Neandertalern. Höhepunkt und Krönung ist der Homo Sapiens; zu ihm führt die Entwicklung,

bis zu
unserem heutigen,
„letzten“,
„zivilisations“-
eitelstolzen, „weltkreis“-beherrschenden,
sich mit Minen, sich mit
Handgranaten, sich mit Flammenwerfern,
sich mit Giftgasen, sowie mit sich
so
benihmenden
„Friedensverträgen“
graziöst,
kanaillöst, kujonöst
sträußchenbekomplimentierenden
Hochkulturträgertum
„hinauf“
resümierendem, rekapitulierendem, rekonstruierendem,
illustrierendem,
wiedergebendem, wiederkäuendem, wiederspiegelndem,
wiederstrahlendem, wiederglänzendem
Paradigmen-
Modell- und Muster-
Getier.[61]

Auch hier ist wie schon im ersten Akt Skepsis der Weisheit letzter Schluß, und es ist übrigens die einzige Stelle in Holz' Werk, in der er unmittelbar auf Krieg und Nachkriegszeit Bezug nimmt. Nichts könnte satanischer sein als die angeblich gottgeschaffene Welt, und so wird schließlich am Ende der alte anthropomorphe Gott selbst als „alter Herr mit roten Bäckchen“ zum Teufelshomagium geführt.

Gottes ist der Orient,
Gottes ist der Westen!
Jeder von uns weiß und kennt
diesen Salm zum besten![62]

Dem Satanssteiß wird Reverenz erwiesen, dann schlägt es Eins und „alles ist zerstoben“.[63] Nach einem Schlußwort des „Kunstgreises“ aus Weimar –

Jede Schranke, die dich hemmt,
dingt dich dem Gemeinen,
nur wem nichts mehr wesensfremd,
ahnt den Ewig-Einen!

verkündet eine „bekannt-unbekannte Stimme" die Losung: „GOTT ... IST NICHT ... GOTT ... WIRD!"[64]

Was Holz mit seinem „Actus secundus alias divino-diabolicus" darstellen wollte, ist offenbar die Sinn- und Ziellosigkeit der Entwicklung schlechthin. „Lirum, Larum! Das Leben ist brutal, Amalie! Verlaß Dich drauf! Aber – es war ja alles egal! So oder so!" hatte es als Leitmotiv schon im *Papa Hamlet* geheißen, und die Weisheit des *Ignorabimus* war auf dasselbe hinausgelaufen. In Hollrieders „Berg des Lebens", dem Sammelpunkt der Selbstbetörung und Gemeinheit, des Taumels und der Anbetung hat das Blocksbergtreiben sogar schon seine deutliche Vorprägung gefunden. Hollrieder fand jedoch Sinn in der Sinnlosigkeit, als er die Möglichkeit zu deren künstlerischer Darstellung sah: „Von diesem Wahnwitz nichts mehr wissen! ... Auf ihn ... speien ... und ihn in Stein hinstellen!" Dann wisse man wenigstens, wozu man einmal dagewesen sei. Auf etwas Ähnliches führt auch Holz' Mysterium vom werdenden Gotte. In der Nachlaßfassung finden sich gegen Ende des zweiten Aktes die folgenden Verse, von einem „Adlatus des Blechschmieds" gesprochen:

Als Syndikus der ganzen Gilde
laßt nun auch mich das Ding beknien –
der Mensch schuf Gott nach seinem Bilde,
nach seinem Liede schuf er ihn![65]

Gott existiert nicht a priori, er ist etwas vom Menschen und im Menschen Herzustellendes. Gott ist einbezogen in jenen großen Entwicklungszusammenhang, in den der Mensch hineingefügt ist, dessen Sinn aber schlechterdings nicht erkannt werden kann, denn von Fortschritt und Höherbildung ist allem Anschein nach nichts zu bemerken. Hier spiegeln sich trotz allem Spott gegen Nietzschejünger bei Holz selbst Nietzsches Gedanken vom „wüsten Strom des Werdens" ebenso wie seine Überzeugung, daß das Ziel der Menschheit nur „in ihren höchsten Exemplaren" liegen kann.[66] Der Künstler erschafft sich Gott „nach seinem Liede"; aus der Darstellung des Satanischen soll das Göttliche hervorwachsen. Das „Divino-diabolicus" der Walpurgisnacht erhält so erst seine rechte und tiefere Bedeutung; Satan ist nicht der dialektische Gegenspieler Gottes, sondern nur das Medium, an dem die Bedeutungslosigkeit des alten Gottes gezeigt wird, und das Inzitament für den neuen. Denn die Erkenntnis der Sinnlosigkeit des ganzen „Vergnügungskarussells"[67] führt Holz nicht zu absoluter Resignation wie etwa seinen Dramenhelden Dorninger, sondern zu seinem *Phantasus,* dem Gegenstück zur *Blechschmiede,* wo der in den tausend Verwandlungen des Menschen „werdende Gott" Gestalt erhalten soll. Holz' Pessimismus und Weltverachtung lassen ihn also dennoch keineswegs auf den Anspruch verzichten, ein Weltbild zu geben und damit das Chaos zu ordnen. Seine Auseinandersetzung mit Goethe in der *Blechschmiede* leitet ihn vielmehr zu der Überzeugung, den Weimarer Klassiker übertroffen zu haben. Dem *Faust* als Werk eines Eklektikers will er ein universales und totales Bild der Welt entgegenstellen, das dem naturwissenschaftlichen Zeitalter wirklich angemessen ist. Es bezeichnet jedoch das Dilemma von Arno Holz, daß er jener Welt und jenem Zeitalter, die er im dichterischen Bilde in Sinnlosigkeit und letztem Sinn zusammenfassen möchte, dann doch eher ausgewichen ist, indem er sie nur noch unter dem Gesichtspunkt des Interesses für ihn und sein Werk betrachtete.

Der weitere Verlauf der Handlung in der *Blechschmiede* verweist in diese Richtung. Schon der folgende Akt der *Blechschmiede,* der als „Actus tertius alias fauno-seraphicus" den Titel „Die Insel der Seligen" trägt, gibt ein Beispiel dafür. Holz nimmt damit einen beliebten Topos der Zeit um die Jahrhundertwende auf. Die Insel als poetischer Ort eines paradiesischen Lebens und Refugiums der Glückseligkeit hatte schon in der Bildersprache der frühen *Phantasus*-Gedichte eine beträchtliche Rolle gespielt, wie in der Jugendstillyrik allgemein. Nietzsche hatte 1883 einem Kapitel im zweiten Teil des *Zarathustra* die Überschrift „Auf den glückseligen Inseln" gegeben: „Seht, welche Fülle ist um uns! Und aus dem Überflusse heraus ist es schön hinauszublicken auf ferne Meere." [68] Vielfach tauchte der Begriff dann noch auf. 1898 findet sich die „Insel der Seligen" als Teilüberschrift in Julius Harts Gedichtband *Triumph des Lebens* – im Gegensatz zu anderen Gruppen „Aus der Weltstadt" oder auch „Walpurgisnacht" und „Totentanz".[69] 1905 veröffentlicht Max Halbe seine Komödie *Die Insel der Seligen* und sieht sie im Zusammenhang mit der drei Jahre früher vollendeten, dem *Walpurgistag.*[70] Und schon 1896 hatte der „im Auftrage des Allgemeinen Deutschen Reimvereins" herausgegebene *Aeolsharfenalmanach* ein Gedicht „Die Insel der Reimseligen" oder „Die Dichterinsel" gebracht und es mit einem pseudoböcklinschen Gemälde illustriert,[71] hatte doch Böcklin die Inselmotivik und die Darstellung von „Gefilden der Seligen" ebenfalls sehr am Herzen gelegen. 1901 schließlich erschien im Verlag der Lustigen Blätter ein Band *Die Insel der Blödsinnigen,* der sich über die Tollheiten der Moderne in Wort und Bild ausließ. Es fehlte also zu diesem Thema weder an Scherz noch Ernst, weder an Satire noch tieferer Bedeutung, und Holz' dritter Akt der *Blechschmiede* hat von beidem.

Im Stile des frühen *Phantasus* ist die Insel zunächst eine „anmutigberghügelig, waldig-wiesengrünlieblich sich muldende, glasklar-herb-frisch-tauglitzernd vorfrühlingshafte, herzlockend-labend-einladend deutsche Hans-Thoma-Landschaft",[72] ist Wald, Wiesen, Sonnenschein, Butterblumen, Fliegensummen und Kindheit, also jener Rückzug ins einfache Leben, den Holz in seinem Werk immer wieder variiert hat. Dargestellt wird das hier zum Teil ganz unverhohlen und direkt, zum Teil verfremdet durch die archaisierende Schreibweise des *Dafnis*, der als Gestalt auftritt. Aber dabei bleibt es nicht. Mit dem Auftreten der „Flördeliese", die „nackt vom Wirbel bis zum Zeh" „unter Blumen, auf der Wiese" liegt und ihre erotischen Tagträume zum besten gibt,[73] geht die Szene in ein ausgedehntes Venusfest über, das die Göttin mit einer Entkleidungsschau selbst eröffnet. Die folgende Handlung ist allerdings alles andere als abwechslungsreich. Holz nimmt wieder Zuflucht zum alten Motiv des Kongresses, der „alle Stile und Zeiten phantastischst zusammenwürfelnd" nun die selige Insel mit einer Orgie des Genusses überzieht. Die Thoma-Landschaft wird durch Gebirgsmassive angereichert, Großes und Kleines kommen zusammen, die Welt wird umarmt und die Welt versammelt sich, wozu die von-bis-Konstruktion bis zur Erschöpfung ihre Dienste zu leisten hat:

> Von Kapstadt, Kairo bis Kanossa!
> Vom Cotopaxi bis zum Ossa!
> Vom Irawaddi bis zur Ilm
> ein neuer Rund-um-den-Äquator-Film! [74]

Das Schema für die Festversammlung ist denkbar einfach. Autor und Regisseur versammeln möglichst viele verschiedene Namen in Vierzeilern in möglichst komprimittierender oder grotesker Kombination:

> AUTOR:
> Goethe mit Korona Schröter,
> sie wird rot und immer röter,
> dieser ganz gemeine Köter
> macht sie tot und immer töter!
>
> REGISSEUR:
> Nicht sonderlich paßt zur Gitarre
> die verfluchte Rückgratsdarre,
> doch trotzdem, gemischt in ihre Gilde,
> „Angri-Ähn" mit seiner Mathilde![75]

Und auch das Publikum tut mit:

> Lukas Cranach, Lukas Bolz,
> Schinderhannes, Arno Holz,

Janosch, Mikosch, Epikur,
Bierbaum und die Pompadour![76]

Irgendwelche Handlung oder handlungsartige Entwicklung gibt es nicht, nur Apollonius Golgatha schafft gelegentlich durch seine distanziert-ästhetisierenden Kommentare einen gewissen Dialog oder Gegensatz, so wenn er die Venus beobachtet:

Eine himmlisch hohe Frau,
ihr Gewand erstrahlt in Blau;
zu Boden sinkt es, Stück für Stück,
lotoslächelnd winkt mein Glück![77]

Der Herr Mitte Dreißig dagegen hatte nur das Kommando zu geben:

Runter! Weiber, wie du, sind nackt![78]

Im übrigen besteht das Fest in der Rezitation von – zumeist – Vierzeilern und der großen Beschreibung einer Bankettszenerie im Phantasus-Stil. Hier wird wiederum alles aufgeboten, was Holz' Phantasie und Wortschatz auf Vorrat haben. Die Gaben der „Dreieinigkeit" Bacchus, Ceres und Diana werden auf riesigen Tafeln und Kredenzen präsentiert, und der Kongreß beginnt mit einem üppigen Festschmaus nach dem Modell:

Einen ganz vorzüglichen Salmi von Lachs
futtert Frau Cosima, mit Hans Sachs;
Friedrich hingegen, der unbedingt Große,
geröstete Schweinsfüße mit Madeirasauce![79]

Dem folgt ein Trinkgelage im gleichen Stil, das in Holz' Darstellung so etwas wie eine überdimensionale Bierzeitung wird. Der Wunsch „Alles, alles, nur nicht trivial!"[80], im gleichen Akt der *Blechschmiede* ausgesprochen, geht gewiß nicht in Erfüllung.

Den Abschluß bildet folgerichtig eine große sexuelle Orgie „vom Goethegott bis zum Mandrill",[81] oder, wie es eine der Gestalten im Hinblick auf den Herrn Mitte Dreißig ausdrückt:

Die Welt ist ihm nichts, als ein großes Bordell
mit wechselnden Dekorationen.[82]

Gestalten aus Literatur, Geschichte, Mythologie paaren sich munter und ungeniert nach dem Muster

Hier herzt sich Tristan mit Isolde,
er wühlt verliebt in ihrer Dolde.[83]

Charlotte Buff tritt mit Cagliostro, Selma Lagerlöf mit Zoroaster auf, ohne daß aber dem Ganzen mehr abgewonnen wird als der gedämpfte Ulk ungewöhnlicher, „respektloser" Zusammenstellungen und Reimspiele. Denn ein wesentlicher Reiz solcher sich über einige Hundert Seiten ermüdend ausstreckenden Persiflagen bestand für Holz zweifellos in dem Suchen nach immer neuen Reimen, das ihm geradezu zur Zwangshandlung geworden sein muß. Ob es nun „Blöff" auf Lagerlöf, Centauren auf Clauren, Zoroaster auf Knaster sind – es gibt kaum einen Reim, dem Holz widerstanden hätte, bis hin zu den Worten des „suspiziösen Mediziners":

> Des einen Stimme warnt ihn: Lues!
> Der andere wieder stupst ihn: Tu es![84]

In solchen Sprach- und insbesondere Reimexerzitien liegt denn auch schließlich die Bedeutung der ganzen großen Szene, es sei denn, man sähe sie schon in der trivialen Erkenntnis, daß alle Menschen vor dem „bißchen Epidermalvergnügen"[85] gleich sind. Gewiß wird solche Erkenntnis durch das monotonisierende Reimkarussell unterstützt, aber zugleich experimentiert Holz hier doch mit der Sprache in einer Weise, die nicht mehr funktionell auf das Ausgesagte bezogen ist. Es sind Tendenzen, die sich im restlichen Teil der *Blechschmiede* noch verstärken werden.

Im übrigen bleibt es auf den „seligen Inseln" bei dem Holzschen Grundthema lebensstarken Genießens, nach dem sich der dem Schöpfer doch nahe verwandte Dramenheld Hollrieder beständig abmühte, nur um dessen Fragwürdigkeit zu erkennen, und das allein dem barocken Schäfer Dafnis glaubwürdig in seiner historischen und intellektuellen Distanz zum Meister gelingt. Ihm ist denn auch der Epilog zum dritten Akt eingeräumt mit dem Gedicht von der „Insul Pimperle", das als Interludium tertium erscheint. Holz hatte es 1902 zuerst in der *Insel* veröffentlicht, und dann leicht erweitert in die *Blechschmiede* übernommen, 1919 erschien es auch in einer kleinen bibliophilen Ausgabe auf Bütten und in alten Drucktypen. Es faßt sehr viel eindringlicher als der vorausgehende weitschweifige Akt noch einmal den Traum von den „seligen Inseln" zusammen, indem es ihn aus dem Wunsche zum Genießen wie auch aus der Trauer über die „schwarze, wilde Welt" und alle Vergänglichkeit hervorgehen läßt.

> Hinter Herkuls heiligen Säulen,
> hinter allem Weltmeerheulen,
> aus der blauen Perlensee
> taucht die Insul ... Pimperle![85]

Nur auf ihr aber steht die Zeit still.

Ein Schifflein früh und spät
die Purpur=Segel bläht,
geschnizzt auß einem Zahne,
er kam auß Taprobane.

Dort springen wir hinein,
wir lachen und wir schrein,
wenn das erbohßte Saltz
uns sprützt biß an den Haltz.

Die Tritons und die Stör
sind unser Zubehör,
nebst schupfichten Delfinen
mit Augen auß Rubinen.

Wir nur blühn hir ewig junck,
noch keyne tranck den Lethe=Trunck.
Charon, der erblaßte Mann,
schreyt uns nih ümbs Fähr=Geld an!"

Also liege ich und schlafe,
treibt der Mond die güldnen Schafe;
streift er leise meine Lider,
träumt mein Herz, ich wache wieder.

Hinter Herkuls heiligen Säulen,
hinter allem Weltmeerheulen,
aus der blauen Perlensee
taucht die Insul Pimperle!

Seite aus dem Separatdruck der Historie von der Insul Pimperle *(1919)*

Der elegische Ton des Zwischenspiels macht es zugleich zum Prolog für den nächsten Akt, der Klage an den „Wässern Babylons", der als Actus accusatorio-autoconfessionarius deutlich genug etikettiert ist. Ein weiterer literarischer Topos wird hier von Holz rezipiert wie öfters schon in seinem Werk, nämlich der Hiobs aus dem Lande Uz, des von Gott Geschlagenen und in seinem Schmerz gegen die scheinbare Sinnlosigkeit göttlicher Beschlüsse Aufschreienden. In der ersten Fassung, dem „Wilmersdorfer Festspiel" trat Hiob selbst als Person auf; später wurde seine Klage –

wie das Adlerweib zum Flug,
ist der Mensch zum Leid geboren, –[87]

dem Autor in den Mund gelegt. Damit wird noch deutlicher, daß Holz das „alte Weltschmerzmärchen“ auf sich bezieht und die biblische Haltung des klagenden, vom Schicksal geschlagenen und aus seiner existenziellen Sicherheit gestoßenen Menschen annimmt.[88]

Als eine „skeptischst“ zerrissene und trotzdem doch immer wieder „insurgierende“ Seele will sich Holz in diesem Bekenntnisakt verstanden wissen; als „Retrospex“ sieht er auf sein Leben aus dieser Perspektive zurück.[89] Anfangs bleibt das allerdings durchaus im Stil der vorausgehenden Akte. Thema sind zunächst Frauen und Liebe unter dem Leitsatz „Coeo, ergo sum“ und eine gegenüber dem Apollonius behauptete direkte Lebensfreude. Es geht dabei nicht ohne Potenzrenommisterei ab, und auch die Literaturparodie kommt wieder zu Worte:

> Wer nie mit ihr allein soupiert,
> wer nie die hummervollen Nächte
> auf ihrem Bett sich abstrapziert,
> der kennt euch nicht, ihr himmlischen Mächte.[90]

Aber nach der Kritik einzelner Gestalten an der fehlenden „Grundidee“ des ganzen „Seelendramoids“[91] werden doch Sinn oder Unsinn der Welt schließlich zum Hauptgegenstand der Erörterung. Haeckel als silberbärtige Exzellenz tritt auf:

> Erst der Affe, dann das Genie –
> phylogenetische Psychologie![92]

Auch auf Einstein und Planck wird angespielt. Aus der Relativitätstheorie wird die „Lehre von der Absurdität“ – „Alles ist nichts, und nichts ist alles“[93] – und die Quantentheorie liefert vor allem wieder einen neuen Reim:

> Man kippt, hilft alles nichts, selbst Kant um
> und stipuliert, als das „Eigentlichste“ – das „Quantum!“[94]

Die Erkenntnis geht über das Ignorabimus nicht hinaus. Weltverachtung und Trauer wachsen, ein schwarzes Schleiergewebe senkt sich über die Zirbeldrüse, und ein Solipsist verkündet den sehnlichsten Wunsch: „Niemals, niemals – gewesen sein!“[95] Alle Erklärungen, Entwicklungsphilosophien und Theorien sind nur „Worte, Worte, nichts als Worte“, wie der Regisseur erklärt. Aber eben dies wird nun zum Stichwort für zehn Herren aus dem Publikum, in Tiraden von je 20 Zeilen das Wort als Welt und die Welt als Wort zu verkünden. So rezitiert ein Herr aus dem Parkett, enthusiasmiert durch einige Vorgänger:

> Worte sind Wanderer! Worte sind Hirten!
> Worte sitzen zu Gast und bewirten!

Worte plätschern, wie Fontänen!
Worte gleichen wilden Schwänen!
Worte sind Flaggen! Worte Signale!
Worte regeln, wie Pedale!
Worte sind Schrauben! Worte Gelenke!
Worte sind blitzende Wehrgehenke!
Worte flunkern! Worte klunkern!
Worte gleichen stolzierenden Junkern!
Worte sind Diskrepanz und Gedudel!
Worte sind apportierende Pudel!
Worte turnen, wie Akrobaten!
Worte sind standhafte Zinnsoldaten!
Worte wechseln, wie die Moden!
Worte sind nickende Pagoden!
Worte sind die schnellsten Depeschen!
Worte die langsamsten Postkaleschen!
Worte sind, wie verhängte Spiegel!
Worte sind salomonische Siegel!

Ein anderer aus der ersten Rangloge schließt seinen Exkurs:

Worte sind List! Worte sind Lug!
Worte gibts über und über genug!
Worte sind unser letztes Wissen!
Worte sind bunte, bemalte Kulissen!

Das letzte „Wort" hat dann auch ein Herr von der Galerie:

Worte prahlen! Worte prunken!
Worte sind die gemeinsten Halunken!
Worte quälen dich bis aufs Blut!
Worte sind die schlimmste Brut!
Worte sind die protzigsten Protzer!
Worte die rotzigsten Schmarotzer!
Worte sind Plebs! Worte sind Pöbel!
Worte Mob! Worte Möbel!
Worte sind Gänse, die gackern und schnattern!
Worte sind Fledermäuse, die flattern!
Worte sind kribbelnde, wibbelnde Milben!
Worte sind weiter nichts, als Silben![96]

Insgesamt erscheint dergleichen zunächst als Unsinn und als Spiel um des absurden Reimes willen. Gewiß sind eine Reihe von Zeilen sinnvoll, wenn sie aus dem Zusammenhang gelöst werden, wie etwa:

Worte können vieles verschweigen!

Oder:

Worte verdummen! Worte verblöden!
Worte sind Fässer ohne Böden!

Oder:

Worte sind abgebrauchte Schablonen!

Oder eben:

Worte sind unser letztes Wissen!

Betrachtet man diese Feier des Wortes jedoch als Ganzes, so zeigt sich, daß keiner dieser Sätze „beim Wort" zu nehmen ist. Der einzige ablesbare Sinn ist allein das Mißtrauen in das Wort als Kommunikationsmittel. „Worte sind nichts! Worte sind alles!" heißt es an einer Stelle, und das kommt wohl als Bezeichnung für den Gesamteindruck der 200 Zeilen am nächsten. Aber Holz geht über die Konstatierung der Fragwürdigkeit alles sprachlichen Ausdrucks hinaus, denn letzten Endes ist dieser Worterguß für und gegen das Wort selbst wiederum ein Stück – absurder – Literatur, komponiert aus Sprache. Gegenstand ist das Verhältnis des Wortes zur Realität, die Holz ja in diesen Zeilen in beträchtlicher Breite ansammelt, und was er im Grunde fordert, ist die Identität von Wort und Welt oder genauer von fragwürdigem Wort und fragwürdiger Welt. Denn von der fragwürdigen Welt war gerade vorher in der *Blechschmiede* ausführlich die Rede gewesen und von der Möglichkeit ihrer Wiedergabe im künstlerischen Werk auch. Dahinter stehen Gedanken aus den früheren theoretischen Schriften. Von dem allen Dingen immanenten Rhythmus hatte es geheißen: „Du greifst ihn, wenn du die Dinge greifst",[97] nur daß hier von der Identität noch nicht mit dem skeptischen Unterton gesprochen wird wie im Klagegesang an den Wassern Babylons. Da war Holz eher noch wie der „Wortverliebte", den er auf den „seligen Inseln" findet, „zu den von ihm geliebten ‚Kindern Florens' sich zärtlich herabbückend und sie mit seinen Vokabeln fast wie streichelnd".[98] Aber auch im frühen Ansatz schon zeigte sich die Tendenz der Dichtung, nicht mehr nur Realität zu beschreiben oder sie zu interpretieren, sondern sich in sie zu verwandeln und mit ihr eins zu werden. Mit den sprachlichen Mitteln wird, wie ein Kritiker bemerkt hat, ein eigener Aggregatzustand hergestellt.[99] Es ist eine aus der Skepsis, aus dem „Ignorabimus" geborene Poetik, die das dichtende Subjekt zu verbannen scheint oder es zumindest im Objekt aufgehen läßt. In letzter Konsequenz zeigt sich dergleichen dann bei Schriftstellern der Gegenwart, die sich ausdrücklich auf Holz als Vorbild oder Vorläufer berufen, bei Heißenbüttel zum Beispiel, Gomringer und Jürgen Becker. Dort soll ein solches Verfahren literarischer Produktion zu einer Art Bewußtseinserweiterung führen. Für Becker etwa ist die Sprache, in der er schreibt, die seiner „redenden Umgebung“, aber sie wird ihm im Schreiben selbst zum Problem: ihre Vorgeprägtheit, Schablonenhaftigkeit wird enthüllt. In der Bewußtmachung dieses Zustands will der Schriftsteller hinter die Oberfläche dringen und schließlich ein neues Verhältnis zu der durch Sprache bezeichneten Realität fördern.[100]

Holz ging jedoch weiter. Sein letztes Ziel ist immer geblieben, der Welt in ihrer von ihm selbst konstatierten Sinnlosigkeit einen großen Sinn, ein zusammenfassendes, synthetisches „Welt-Bild“ abzuringen. Das hat er dann auch im Metamorphosenmythos seines *Phantasus* getan, dessen lyrischer Held deshalb sinnvollerweise in diesem Akt der *Blechschmiede* erscheint, d. h. kurz nachdem die offenbar fehlende „Grundidee“ der ganzen Dichtung festgestellt wurde. Phantasus verkündet dort:

> Nebelfleck, Urzelle, Wurm und Fisch,
> alles war ich – verschwenderisch.
> Alles bin ich: Hottentott,
> Goethe, Gorilla und Griechengott.
>
> Ich bin die Rose, die der Lenzwind wiegt,
> ich bin der Wurm, der ihr im Schoße liegt.
> Ich bin ein Stäubchen nur im Wind,
> ich bin, was meine Zellen sind.[101]

In dieser monistisch geprägten Vorstellung von der Teilhabe des einzelnen an dem Ganzen der Welt hat Holz schließlich den letzten erfaßbaren Sinn seiner eigenen und aller menschlichen Existenz überhaupt gesehen, und er war überzeugt, damit dem neuen, naturwissenschaftlichen Jahrhundert sein dichterisches Weltbild gegeben zu haben. Die Klage an den Wassern Babylons ist deshalb am Ende auch nicht eine Klage über die Sinnlosigkeit der Welt schlechthin, sondern verengt sich zu der Klage des von eben dieser Welt verkannten Arno Holz. Dem „verlorenen Sohn“ fehlen selbst die elementaren Existenzmittel:

> Dir fehlt nichts, mein lieber Sohn,
> als eine lumpige Million.[102]

In der „Weltstadt“ muß er faustisch „über ‚Büchern und Papier‘“ schwitzen, statt im „blühenden Veilchengrund“ oder auf „Otaheiti“ sich auszuruhen. Trost sind ihm seine Gefährten im Geiste, die, wie er glaubt, sein „Märtyrertum“ geteilt haben:

> Lortzing, Schubert, Mozart, Kleist,
> euch befehl ich meinen Geist,

ihr habt zu flammend schön gelodert
und seid darum „mit Recht“ – vermodert![103]

Der Undank seines Vaterlandes ist ihm gewiß; der Schatten Lortzings verkündet zu Beethovens Musik:

Kennst du das Land, in dem die Phrase blüht?
Kennst du das Volk, das Volk mit dem Gemüt?
Das Volk, das Ulrich Hutten einst verstieß
und das mich, grausam, dann verhungern ließ?
Kennst du es wohl?
Dahin! Zu ihm,
auf goldnen Flügeln, tragt mich, Cherubim! [104]

Den in der Dachstube verhungerten Phantasus-Dichter aus dem *Buche der Zeit* empfindet er als sein „verfrühtes Selbstporträt“,[105] gleichzeitig war er aber auch der „Winkelried der Poesie“,[106] einer der sich für den Sieg des Neuen in die Bresche schlägt und opfert. Denn er hat keine Wahl:

Sitze ich über dem „Phantasus“,
nicht bloß, weil ichs „will“, nein weil ichs muß,[107]

so treiben ihn die Stimmen des von ihm selbst Geschaffenen immer weiter. Er ist nicht mehr Zweck, sondern nur noch Mittel, alles, was schon da ist, zu entziffern wie ein „Palimpsest“.[108] Das aber gibt ihm zugleich die Gewißheit von der Dauer seiner Existenz:

Ich *war* alles, ich *bin* alles, ich *werde* sein.[109]

In solchen Vorstellungen und im Verweis auf den *Phantasus* klingt die *Blechschmiede* aus. Seine Rolle als Schriftsteller, wie er sie sah, hat Holz hier wohl am deutlichsten bezeichnet. Vergleiche zu romantischen Vorstellungen von der Funktion des Dichters drängen sich auf. Der Dichter sei „wahrhaft sinnberaubt“, schrieb Novalis – „Dafür kommt alles in ihm vor.“ [110] Subjekt und Objekt, Gemüt und Welt vereinigen sich in ihm. Aber zugleich wird die Distanz deutlich, die Holz von solchen Gedanken trennt. Das Bewußtsein der Transzendenz, das den Untergrund der romantischen Vorstellungen bildet, fehlt Holz, wie gerade die *Blechschmiede* hinreichend gezeigt hat. Das Ich bleibt der einzige Fixpunkt in der Flucht der Erscheinungen, und so wird das Werk schließlich nicht zum Bild der Welt, sondern zum Denkmal des Dichters selbst:

In der Rechten seinen „Phantasus“,
in der Linken sein „Ignorabimus“.[111]

Denkmal wird schließlich auch die ganze *Blechschmiede*, deren letzter Akt ein kurzes Satyrspiel, ein „Hochgericht" über den Dichter des „Seelendramoids" ist. Vorausgegangen war ein Zwischenspiel über den „göttlichen Dulder Odysseus", in dem Holz den Präfigurationen seines Leidens – Hiob und dem verlorenen Sohn – noch eine weitere hinzufügt.

Das Finale bringt noch einmal die Literaten ins Bild. Appollonius Golgatha beklagt sich, Impresario Bahr tritt auf mit langen säuselnden Prosamonologen, meist Zitaten, Bardochai-Mombert, Lukas-Dehmel, selbst Dafnis und Pickelhering erscheinen, um den Herrn Mitte Dreißig zu bestrafen, da er sie verhöhnt und, wie der Verdammte selbst glaubt, aus der gesamten deutschen Literatur „Wurscht gemacht" habe. Dafür wird er erdolcht und verbrannt, aber hat schließlich doch das letzte Wort:

> Zu eurem windigen Gewese
> bin ich die lachende Synthese! [112]

Die Zirbeldrüse ist wieder bloß Zirbeldrüse.

Es bleibt die Frage nach Sinn und Bedeutung der *Blechschmiede*. Überblickt man die fünf Akte, so erscheinen sie deutlich als Holz' Versuch, verschiedene, aber eng miteinander verbundene Komponenten seiner Persönlichkeit zu stilisieren. Im Sängerstreit steht der spöttisch-aggressive Kämpfer einer Welt von poetischen Gegnern in Vergangenheit und Zukunft gegenüber, denen er samt und sonders überlegen ist. Die Walpurgisnacht zeigt den Seher und Weltweisen, der die Nichtigkeit allen Daseins erkennt, ohne seinen letzten Glauben daran zu verlieren. Lebenslust ist deshalb auch die Losung auf den Inseln der Seligen, und der Epikuräer Holz feiert sich hier im Genuß von Essen, Trinken und Fortpflanzen. Aber da die zeitlichen Verhältnisse nicht so sind, folgt die Hiobsklage des Enttäuschten, Geschlagenen, Verkannten, der sich jedoch an sich selbst und seinem Werk wieder aufrichtet. So ist er im Hochgericht schließlich nicht nur der Vernichtete, sondern auch der Erhobene und Erhabene. Es sind Muster oder Modelle, die in Holz' Werk immer wieder begegnen, es sogar bestimmen. Der durch Herkunft und Zeitumstände, psychische Eigenart und Gesellschaft in die Isolation gedrängte Schriftsteller Arno Holz hat, wie bereits vielfach zu sehen war, in seinem Werk immer wieder den Versuch gemacht, diese Einsamkeit nicht nur zum Thema zu machen, sondern sie zugleich zu verklären und außerdem noch zu überwinden. Daß er sich dabei in Widersprüche verwickeln mußte, ist offensichtlich und führt zu der Brüchigkeit, die für die meisten seiner größeren Werke immer wieder konstatiert werden muß. Die *Blechschmiede* ist ein deutlicher Beleg dafür. Sowohl Literatur- wie Zeitsatire kommen nicht zur Entfaltung, da alles auf eine Apologie des Autors hinausläuft und die gegnerischen Fronten nicht differenziert gesehen werden. Da er sich selbst als den Fortschrittlichsten betrachtete – „Mit mir beginnt ein Neues!“ [113] – sah er alles, was ihm nicht folgte, als Rückschritt an. Entsprechendes gilt für die weltanschaulich-religiösen Partien, wo Länge und Breite die Kenntnis neuer Tendenzen sowie vorsichtiges Abwägen und Präzision im Urteil ersetzen. Der Wirrwarr der Gestalten und ihr fehlendes Profil sind ein charakteristisches Symptom dafür ebenso wie das Fehlen jedes wirklichen Dialogs in dem immerhin als Drama konzipierten Werk, wenngleich es als Gattung hybrid und letzthin unbestimmbar bleibt. Die Rezitation von Versen tritt an die Stelle des Redewechsels; wo etwa das Publikum im Chorus den fehlenden Reim nachliefert, wird solche monologische Grundstruktur noch formal bestätigt – der „Antwortende“ wird gleichgeschaltet. Das episch-lyrische Soliloquium des *Phantasus* meldet sich an.

Welch zwiespältigen Eindruck jedoch auch immer die *Blechschmiede* in ihrer Gesamtheit als geschlossene Dichtung hinterlassen mag, so weist sie doch im einzelnen Züge auf, die Aufmerksamkeit und fortdauerndes Interesse verdienen. Das betrifft in erster Linie die parodistischen Teile des Werkes und in Verbindung damit die Verwendung sprachlicher Mittel überhaupt. Darauf wurde bereits bei der Besprechung der einzelnen Akte eingegangen, so daß hier ein paar zusammenfassende Bemerkungen genügen. Art und Absicht der literarischen Parodie bei Holz unterscheiden sich wesentlich von den parodistischen Formen bei Mauthner, Gumppenberg, Blei oder Robert Neumann. Geht es dort jeweils darum, einen bestimmten Autor zu „treffen“, also Stilzüge und Leitthemen durch Überbetonung oder Trivialisierung zu exponieren und zu karikieren, so versucht Holz eher, eine ganz neue Qualität des literarischen Ausdrucks zu schaffen. Auch die auf einzelne Dichter, also auf Bahr, Dehmel oder Mombert etwa bezogenen Teile der *Blechschmiede* sind nicht um dieser Persönlichkeiten willen da. Holz benutzt hier parodistische Mittel, um einen „Sängerkrieg“ zu führen, sich also in literarischer Form mit der Entwicklung und Geschichte der Literatur oder spezifischer der Lyrik in Deutschland auseinanderzusetzen. Seine Absicht ist demnach, die Parodie als Stilmittel bei der Darstellung eines Zusammenhanges zu verwenden; sie ist nicht auf einzelnes gerichtet. Aber auch das bezeichnet nur einen Teil ihrer Möglichkeiten. Holz verwendet parodistische Mittel auch dort, wo es ihm keineswegs mehr darum zu tun ist, sich mit vergangener oder gegenwärtiger Literatur zu beschäftigen, sondern wo durchaus Eigenes und Neues gesagt werden soll. Wenn zum Beispiel am Ende der Walpurgisnacht der „Kunstgreis“ aus Weimar verkündet:

> Kaffer, Zulu, Hottentott,
> ja, so wills mir scheinen,

jeder Mensch hat seinen Gott,
habe du drum deinen!

Den fast nichts als Kinderschreck,
jenen allzu Kleinen,
darfst du freudig, darfst du keck,
darfst du fromm verneinen!

Jede Schranke, die dich hemmt,
dingt dich dem Gemeinen,
nur wem nichts mehr wesensfremd,
ahnt den Ewig-Einen! [114]

so ist das zwar einerseits Parodie klassischen Tones, andererseits aber durchaus auch der ganz ernstgemeinte Ausdruck der Phantasus-Religion vom „werdenden", daß heißt weltimmanenten Gotte. Parodistische Mittel werden hier aus regelrechter Sprachnot benutzt. Was Holz fürchtet und immer wieder gefürchtet hat, ist die Gefahr, mit einem gängigen, schon einmal oder oft benutzten Wort, Reim oder Ausdruck auch einen alten, gebrauchten Gedanken mitzubekommen, der dem, was der Dichter eigentlich aussagen wollte, in die Quere kommt. Die Suche nach einer neuen, unverbrauchten Sprache ist eine Sorge des Schriftstellers, die von der Konstatierung der „Sprachkrise" bis in die experimentelle Dichtung unserer Tage führt. Das bewußte, absichtsvolle Spiel mit der tradierten oder vorgefundenen Sprache gehört zu den Versuchen, eine solche Krise zu überwinden. Das parodistische Zitieren in der Absicht, Neues zu schaffen und auszusagen, ist zu einem wesentlichen Element der Literatur im 20. Jahrhundert geworden, von Thomas Mann und Bertolt Brecht bis zu Heißenbüttel und Handke, und Holz ist dabei einer der ersten gewesen. Was er im *Papa Hamlet* begann, hat er in der *Blechschmiede* und im *Phantasus* in teilweise groteske Ausmaße gesteigert.

Überhaupt gehört das Spielen mit sprachlichen Mitteln und Möglichkeiten zu den wichtigsten Kennzeichen moderner Dichtung, denn es stellt die Freiheit des Schriftstellers gegenüber der von alten Inhalten und Gedanken geprägten Sprache wieder her. Holz' gesamtes Werk liefert dafür reichlich Beispiele. In der *Blechschmiede* war es vor allem der Reim, den Holz in allen „Spielarten" verwendet. Gewiß ging es ihm zunächst darum, nur eben die gedankliche Beschränktheit und Klischeehaftigkeit der an den Reim gebundenen Dichtung satirisch nachzuweisen, aber wenn er seitenlang Reime auf Bäume und Pflanzen ausprobiert –

Grollt er unter Deutschlands Eiche,
ist der Erbfeind eine Leiche.

Träumt er abends unter Rüstern,
fühlt er, wie sie ihn umdüstern.[115]

so wird das Nonsense-Dichtung im Sinne des Herrn v. Korf, der Palmström „nur des Reimes wegen" begleitet. Morgenstern übrigens, so behauptete Holz in einem Brief, habe 1902 in Italien durch einen gemeinsamen Bekannten die erste Buchausgabe der *Blechschmiede* kennengelernt und sei von ihr geradezu „wie besoffen" gewesen, so daß „auf diese Weise die Wiege Palmströms, Korfs & Cie. gewissermaßen an der Riviera gestanden" habe.[116]

Holz' psychotisches und absurdes Spiel mit dem Reim in der *Blechschmiede* verweist natürlich auch auf die Absurdität der Welt überhaupt, für die darin ein adäquates Darstellungsmittel gefunden wurde,[117] aber es setzt dieses Werk auch zugleich in Beziehung zum europäischen Manierismus. Der manieristische „phantastisch-intellektuelle Kunstingenieur" etabliert seine Freiheit, indem er „alles in alles zu verwandeln" sucht und die Welt seiner Vorstellung „zum künstlerischen Ereignis" werden läßt.[118] Das führt unter Umständen in Abgründe und Gefahren, zu Isolation, Desorientation in der Gesellschaft oder regelrechter Misanthropie, wie sie bei Holz deutlich genug zu erkennen sind. Zugleich aber ist jeder noch so begrenzte Versuch, Konventionen des Lebens, Denkens und Sprechens aufzuheben oder wenigstens in Frage zu stellen, ein Schritt vorwärts. Darin liegt auch die eigentliche Bedeutung der *Blechschmiede.* Was Holz in ihr analytisch bot, sollte dann im *Phantasus* zur Synthese geführt werden.

Riesen-Phantasus

Die große Idee, die Holz in seinem *Phantasus* darstellen wollte, hat er schon bald nach dem Erscheinen der 100 „Fragmente“ 1898/99 in einem Brief ausgedrückt. Am 25. Juni 1900 schreibt er an Karl Hans Strobl:

„Das letzte ‚Geheimnis‘ der von mir in ihrem untersten Fundament bereits angedeuteten Phantasuskomposition besteht im wesentlichen darin, daß ich mich unaufhörlich in die heterogensten Dinge und Gestalten zerlege. Wie ich *vor* meiner Geburt die ganze *physische* Entwicklung meiner Spezies durchgemacht habe, wenigstens in ihren Hauptstadien, so *seit* meiner Geburt ihre *psychische*. Ich war ‚alles‘ und die Relikte davon liegen ebenso zahlreich wie kunterbunt in mir aufgespeichert. Ein Zufall, und ich bin nicht mehr Arno Holz, ‚der formale Erneuerer der modernen deutschen Poesie‘, dessen mißglückte Zinkotypie der letzte Literaturkalender brachte, sondern ein beliebiges Etwas aus jenem Komplex. Das mag meinetwegen wunderlich ausgedrückt sein, aber was dahinter steckt, wird mir ermöglichen, aus tausend Einzelorganismen nach und nach einen riesigen Gesamtorganismus zu bilden, der lebendig aus ein und derselben Wurzel wächst.“ [1]

Später hat er diesen Gedanken immer wieder paraphrasiert oder noch genauer zu fassen versucht. Der Dichter als „der letzte, gesteigertste Menschheitstyp“ sollte alles in sich vereinen, „alle Qual, alle Angst, alle Not, alle Klage, alle Plage, alle Wonnen, alle Verzücktheiten, alle Jubel, alle Beglücktheiten, alle Seligkeiten, alle Ekstasen, alle Entrücktheiten!“ [2] Nichts Menschliches sollte ihm fremd sein, und der Menschheit Wohl und Wehe wollte er auf seinen Busen häufen. Den Bezug zu Faust brachte Holz in der Tat selbst herbei, nur sogleich mit der Einschränkung, daß Goethes Dichtung als wirkliches „Weltgedicht“ ausscheide, da sie in ihren Voraussetzungen auf „naivem, längst überwundenem Vorväterglauben beruhte“ und überdies „zu absurd-abstrus ... und zu wenig komplex“ sei.[3] Hatte die heidnische Antike die Epik des Homer als ihr Weltgedicht erhalten und das christliche Mittelalter Dantes *Divina Commedia,* so stand dergleichen für das „naturwissenschaftliche“ Zeitalter noch aus. Eben dieses neue Weltgedicht aber und nichts weniger wollte Holz mit seinem *Phantasus* liefern, ein „Riesen-Phantasus-Nonplusultra-Poem“,[4] wie er es nannte.

Sieht man einmal von der Größe des Anspruches ab, so treten die Anstöße für ein solches Unterfangen deutlich zutage. 1899, also im gleichen

Jahre wie das zweite Heft der Urfassung des *Phantasus,* erschienen Ernst Haeckels *Welträtsel,* worin er sein schon früher formuliertes biogenetisches Grundgesetz auf die vier großen Gegebenheiten Mensch, Seele, Welt und Gott anzuwenden versuchte. „Die Ontogenesis ist eine kurze und schnelle Rekapitulation der Phylogenesis, bedingt durch die physiologischen Funktionen der Vererbung (Fortpflanzung) und Anpassung (Ernährung)", hatte er dort formuliert. Das war im Geiste der Naturwissenschaften empfangen, aber Haeckel weitete das in eine neue monistische Weltreligion aus, bei der alle scheinbaren Gegensätze schließlich verschmelzen und die „ersehnte Einheit der Weltanschauung" von dem großen Zusammenhang des Kosmos, von Ich und Welt entstehen sollte.[5] Haeckel fügt sich wiederum in die Geschichte der Darwin-Rezeption ein, die in Deutschland eine besonders ausgeprägte Tendenz auf einen dem Ausgangspunkt Darwins polar entgegengesetzten schwärmerischen Pantheismus und Anthropomorphismus hin annahm. Das wurde vor allem offenbar bei den Friedrichshagenern wie Wilhelm Bölsche, die romantischem Denken und insbesondere dem Werk von Novalis stark verpflichtet waren. So träumten sie von einer „Weltregierung der Liebe", die sich aus der Macht des Menschen über die Natur ergeben sollte. Ein solcher Traum, meint Bölsche, sei „auch das Ideal aller sozialen Entwicklung, aller realen Hoffnungen auf Besserung der Dinge durch Beherrschung der Natur, – er ist das große Zukunftsbild einer Menschheit, die sich selber zum liebenden Gotte wird, weil sie Gottesmacht über die Naturkräfte erlangt und zugleich diese Naturkräfte dirigiert auf die größtmögliche Harmonie der Welt".[6] Der Aufsatz, aus dem dieses Zitat stammt, erschien unter dem Titel *Ob Naturforschung und Dichtung sich schaden?* und will der Kunst und speziell der Literatur die Aufgabe stellen, diese neue, der Naturforschung verpflichtete Weltschau in Leitbildern darzustellen. Das ist dann auch in der Dichtung der Zeit vielfältig versucht worden. Heinrich Hart arbeitete schon seit den achtziger Jahren an seinem *Lied der Menschheit,* in dem er sich als Mittelpunkt und Sprecher der Natur und als Entschleierer bisheriger Welträtsel verstand. Sein Bruder Julius veröffentlichte 1899 als „Ausblick auf das kommende Jahrhundert" das Buch *Der neue Gott,* das vielleicht die weitschweifigste Darstellung solcher religiösen Anthropozentrik geworden ist. Die Vision eines „Pantheismus", einer „Allgottlehre" oder eines „Welt-Ichs" wird beschworen, die über die bestehenden Religionen hinausgehen und sie zugleich in sich einschließen sollen: „Der Christus und der Buddha sind durchaus nicht etwas anderes als Du, als jeder Mensch, als die Blume auf dem Felde, als das Tier im Stall, als der Stein auf der Straße. Auch Du bist Christus und Buddha, Weltschöpfer, ewig, allmächtig, das Alles, das Eine Einzige. Du bist – und der Jesus von Nazareth, der Siddharta von

Kapilavastu sind nicht mehr. Jetzt sind sie nur Dein Traum und Deine Einbildung. Jetzt leben sie nur durch Dich und in Dir.

Ich, Julius Hart, löse aber auch wieder Dich auf, Dich meinen Leser. Ich bin, – Du bist nicht. Ich bin, – aber meine Hand, die dieses schreibt, ist nicht – mein Auge, mein Leib sind nur Einbildungen von mir ...

Kommt es wie Wahnsinn über Euch?

Und doch: nichts ist gewisser als dieses.

Es ist eine ganze Weltanschauung – eine ganze Wahrheit unter all den Millionstel-Wahrheiten unseres Lebens in den Tiefen.“ [7]

Im Jahre des Erscheinens des zweiten kleinen *Phantasus*-Heftes ist hier bei Hart schon der ganze Mythos dieses Werkes in nuce enthalten: „Die Welt, so wie sie ist, steckt noch einmal in Eurem Kopf als die Welt Eures Ichs. Dieses Ich ist weit mehr als nur Euer Körper, alle Menschheit, alles Lebendige und Unlebendige, von dem Du weißt, ruht in ihm und macht seinen Inhalt aus. Deine Freunde und deine Feinde, – das ganze deutsche Land – der Ozean mit seinen Wogen und Stürmen – die Erde – die Sonnen und die Sterne: das alles sind nur Teile dieses Deines Geistes-Ichs.

Du bist nie in Amerika gewesen, – aber Dein Ich war darin und besitzt es. Du lebtest nicht, als Caesar und Pompejus miteinander kämpften, aber Caesar und Pompejus leben in Deinem Ich. Dein Auge sah keine Eiszeit und keine tertiäre Erdperiode, aber Dein Ich weiß von ihnen. Dies Dein reales einziges und einzelnes, Dein Ein-Ich schwebt als Geist über den weitesten Fernen des Raumes und der Zeit und spottet der engen Schranken, die Deinem Körper gezogen sind. Du siehst nicht nur mit Deinen Augen, Du erlebst nicht nur mit Deinem Leibe, – sondern Du siehst mit den Augen der ganzen Menschheit, die je gewesen ist und die heute mit Dir lebt. Und nicht nur der Menschheit. Nein, auch der Vormenschlichkeit. Auch sie, – die ganze Natur webte und wirkte das Gewand Deines Geistes. Dein einziges Ich vereinigt in sich das Bewußtsein zahlloser Ichwesen.“ [8] Materielles und geistiges Ich befinden sich in einem großen Wechsel- und Ergänzungsspiel, das das Leben ausmacht, und Zeit und Raum sind in solcher Synthese aufgehoben. Hart verkündet am Schluß ein hymnisches Lob auf Einheit und Vielfalt des Kosmos sowie auf den neuen, zum Bewußtsein seines wahren Wesens kommenden Menschen: „Ewig Dieselben, ewig anders, nie geboren und unsterblich, – in ewigen Verwandlungen, stets neugestaltet, schreiten wir durch alle Räume und Zeiten durch ewig neue und andere Welten dahin, – zugleich unser Schöpfer und unser Geschöpf.“ [9]

Solche Anschauungen und Proklamationen stehen in Beziehung zu einer Krise des Ich-Bewußtseins und der menschlichen Identität, die sich im Laufe des 19. Jahrhunderts mit der offensichtlich wachsenden Macht des Menschen über die Natur und zugleich mit der Erkenntnis seiner Determiniertheit durch viele Faktoren außerhalb seines Machtbereiches immer stärker entfaltet hatte. Um die Jahrhundertwende wurde sie zu einem beherrschenden Thema, und Hermann Bahr gab ihr im Gegensatz zum gläubigen Jubel von Julius Hart das negative Schlagwort mit dem Titel seines von Gedanken Ernst Machs ausgehenden Essays aus dem Jahre 1904: *Das unrettbare Ich.*[10]

Reflexionen über diese Konflikte finden sich vielfach in der Literatur der Zeit, sei es in der Vergänglichkeitsmotivik der Lyrik des jungen Hofmannsthal, in Georges früher narzißtischer Selbstbehauptung oder in Rilkes Heiligung der Dinge. Was Julius Hart allerdings in seinem *Neuen Gott* apostrophierte, waren vor allem „Werke der Klarheit", in denen über die Konstatierung eines fragwürdig gewordenen Weltverhältnisses hinaus „das Ich zur ganzen Menschheit, zum Einen und Allen" ausreifen, „immer mehr von der Welt in sich hineintrinken, immer mehr in die Welt sich ergießen und fließen" werde und somit eine neue poetische Religion entstehe.[11] Es ist offensichtlich, daß Momberts visionäre Dichtungen vom Menschen als Helden der Erde und des Kosmos, Däublers *Nordlicht*-Kosmogonie, Otto zur Lindes *Charontischer Mythus* oder auch Schlafs vielfältige Versuche zu einem geozentrischen Weltbild zu solchen Forderungen in engem Bezug stehen. Auch Holz' *Phantasus*-Projekt fügt sich in diesen Rahmen ein. Die Dialektik von Welt und Ich, die Julius Hart mit „ergießen" und „trinken" zu bestimmen versuchte, sollte bei ihm ebenfalls das treibende Motiv seiner allumspannenden Dichtung sein. Auf den roten Faden einer epischen Handlung mußte allerdings unter derartigen Voraussetzungen verzichtet werden: „Ein ‚Weltbild' heute noch in den Rahmen irgendeiner ‚Fabel' oder ‚Handlung' spannen zu wollen, hätte mir kindlichstes Vermessen geschienen! Was zu einem Weltbilde heute ‚gehört', ist in seinen einzelnen Bestandteilen zu weit auseinanderliegend, in seinen Elementen zu buntwimmelnd kaleidoskopisch, als daß auch die komplizierteste, raffinierteste ‚Legende' imstande wäre, für einen solchen ‚Inhalt' den dazu nötigen Untergrund zu schaffen!" [12]

Ovid hat Phantasus als Sohn des Morpheus beschrieben, „welcher in Land, in Gestein, in Wasser, in Balken/ Und was der Seel' entbehrt, mit glücklicher Leichtigkeit eingeht".[13] Und da Holz auch dem Dichter solch proteische Verwandlungsfähigkeit zur Aufgabe machte, verschmolz er selbst mit seinem lyrischen Helden, und sein Werk wurde, wie er es sah, zur „in denkbar weitestem Ausmaße abgesteckten Autobiographie einer Seele".[14] Hier beginnen sich nun allerdings die Intentionen zu kreuzen. Denn schien es Holz einmal um die Darstellung eines wirklichen Wechselverhältnisses zwischen Ich und Welt zu gehen, um den Bezug zwischen irdischer wie kosmischer Totalität und der Totalität im Inneren des „gesteigertsten Menschheitstyps", so verwies der Gedanke an eine Autobiographie der Seele eher auf eine Hypertrophie des Inneren gegenüber vielseitigen Manifestationen des Äußeren. Nun ist gewiß die Subjektivität des Künstlers eine unüberwindbare und unerläßliche Voraussetzung für seine Arbeit, aber mit der weitgehenden Identifizierung zwischen Künstler und lyrischem Ich beschränkte Holz von vornherein seine Gestaltungsmöglichkeiten. Hatte er ursprünglich die Absicht, Spiegel der Welt zu sein, d. h. die Ontogenesis des Dichters zu einer Phylogenesis von Menschheit und Kosmos werden zu lassen, so kehrte sich das in Wirklichkeit um. Die dargestellte Welt wurde ein vielfarbiger Spiegel seiner selbst, und Qual, Angst, Not, Klage, Plage, Wonnen, Verzücktheiten, Jubel, Beglücktheiten, Seligkeiten, Ekstasen und Entrücktheiten seiner Dichtung waren nicht so sehr die der ganzen Menschheit, als vielmehr nur seine eigenen.

Soziale wie psychologische „Reproduktionsbedingungen" seiner künstlerischen Existenz hatten Holz, wie zu sehen war, in eine Isolation hinein gezwungen, die es ihm von sich aus ganz unmöglich machte, sein vorgesetztes Ziel zu erreichen. Die „Dachkammerexistenz" bot den denkbar ungünstigsten Ausgangspunkt für Universalität und Totalität. So wurde der *Phantasus* das Werk einer leidenschaftlichen Ich-Besessenheit, die jede echte Beziehung zu Welt und Gesellschaft aufhebt. Der Inhalt sind die Wünsche, Triebe, Hoffnungen und Gedanken von Arno Holz, die er ins Universum zu projizieren versucht. Aber das Universum interessierte ihn eigentlich nur noch so weit, als es Interesse für seine Dichtungen entgegenbrachte, und so verengte sich sein Gesichtskreis immer mehr, während er überzeugt war, daß er sich ins Unendliche erweiterte.

Der Stoff des *Phantasus* steht in seiner Begrenztheit im Gegensatz sowohl zu den riesenhaften Ausmaßen der Dichtung wie zu den Entfaltungsmöglichkeiten, die ihm in der selbstgeschaffenen sprachlichen Form gegeben waren. Was an Stofflichem nach 1899 hinzutrat, beschränkte sich fast ausschließlich auf Literatursatire und Literatensorgen. Der biogenetische Entwicklungsgedanke war in den frühen *Phantasus*-Gedichten schon präfiguriert worden und wurde nun nur ins Überdimensionale ausgearbeitet, ebenso wie das Autobiographische und die immer monumentaler werdenden Kleinbürgerträume. Die ständig neuen sozialen und politischen Erschütterungen und selbst das Massaker des Weltkriegs fanden keinen Eingang in die hermetische *Phantasus*-Welt. In dieser Hinsicht blieb Holz vom Horizont seiner Dachkammer durchaus befangen.

Mit welchem monomanischen Eifer Holz seine Ziele verfolgte, zeigte sich schon bei der ersten erweiterten Fassung der Dichtung. Die Unzulänglichkeit der Ausgabe von 1898/99 war ihm von Anfang an klar gewesen. Noch 1899 brachte der PAN zehn weitere Gedichte; dann nahmen ihn die Arbeit an *Dafnis, Blechschmiede* und der *Sonnenfinsternis* in Anspruch. Spätestens seit dem Erscheinen dieses letzteren Dramas im Jahre 1908 werden aber in Holz' Briefen auch wieder Pläne zur Umformung und Erweiterung des *Phantasus* sichtbar, und am 17. Juli 1913 meldet er dem Freunde Robert Reß: „Um vor langer Weile nicht zu krepieren, habe ich mich an den ‚Phantasus' gemacht. Die sieben Hefte so ziemlich fertig, Schrift wie die beigefügte Probe, Format 25 zu 34. Text wie Umschlag Bütten und Preis pro Exemplar 5 Mark. Zweite Oktoberhälfte hoffentliches Erscheinen." [15] Was tatsächlich erschien, waren drei Mappen, die jeweils sechs Bogen enthielten, auf denen einseitig, groß und anspruchsvoll insgesamt 73 Gedichte gedruckt standen. Beigelegt aber war ein vom Autor gezeichnetes Blatt: „Von mir selbst sistierte Ausgabe in sieben Heften, von der nur die vorliegenden drei gedruckt wurden. Die gesamte Auflage wurde eingestampft mit Ausnahme von 24 Exemplaren." [16] Seinen Perfektionstrieb und seine Konsequenz ließ Holz sich etwas kosten; später sprach er von „schweren Opfern", unter denen er diese Ausgabe hatte kassieren lassen.[17]

Was er 1913 in den drei Heften vorlegte, waren, abgesehen von wenigen neuen, im wesentlichen Gedichte aus der Ausgabe von 1898/99, aber zum Teil beträchtlich erweitert. So ist etwa das kleine Genrebildchen „Ich zeige dir den Mond durch einen Frühlingsbaum" von sieben kurzen Zeilen zu sieben langen Seiten aufgeschwollen.[18] Insgesamt ist bereits die spätere Gliederung der ersten vier Teile erkennbar: Kindheitserinnerungen, Kleinstadtträume und Großstadtnöte, Natursehnsucht und Naturseligkeit, Liebesglück und Liebesleid. Die kosmische Präexistenz des Phantasus als Schwertlilie vor sieben Billionen Jahren ist allerdings nach wie vor nur erst durch ein einziges Gedicht angedeutet. Das Schwergewicht liegt trotz aller Aufschwellung im einzelnen noch auf den Momentaufnahmen aus der persönlichen Erinnerung, und das mag Holz wohl schließlich auch bewogen haben, das Ganze wieder zu „sistieren".

Die nächste Ausgabe hatte dann in der Tat „kosmische" Größe angenommen. 1916 brachte der Insel-Verlag den *Phantasus* im Format eines Folianten der Shakespeare-Zeit heraus, und der Wälzer wurde mit seinen 336 Seiten und den Riesenzeilen von der Kritik sogleich als „Elephantasus" verspottet.[19] Die Publikation war mitten im ersten Weltkrieg ein erstaunliches Unternehmen, aber Holz war nicht verlegen, ihr eine nationale Bedeutung zu geben. In einem nur wenigen Exemplaren beigelegten Geleitwort erklärte er, daß sein Kampf seit dreißig Jahren der Führung des „deutschen Gedankens" in der Literatur gegolten habe, „wie Hunderttausende heute dafür bluten, daß sein Bestehen nicht aus der Welt der Völker gedrängt wird".[20] Von der „kommenden, unausbleiblichen Führerschaft Deutschlands" [21] auf dem Gebiete literarischen Schaffens war Holz fest überzeugt, und über die Kampfkraft und Wirkung seiner Produkte hat er sich die seltsamsten Vorstellungen gemacht. So habe er von einem Unbekannten gehört, „der seinen Riesen-Phantasus bis in alle Schützengräben schleppte und seinen Kameraden, die mir dann davon erzählten, in stillen, bombenfreien Nächten daraus vorlas".[22] Es ist bekannt und psychologisch verständlich, daß eine wesentliche Funktion von Tornisterliteratur die Bereitstellung von Stoff zu Fluchtträumen auf dem Schlachtfeld war. Nur hatte Holz, wenn er geschmeichelt über Macht und Wirkung seiner Dichtung berichtete, wohl eher an Stärkung und Aufrichtung in Parallele zu Bibel und *Faust* gedacht. Denn eben hier, in der Ausgabe von 1916, glaubte er zum erstenmal sein *Phantasus*-Weltbild klar umrissen gegeben zu haben, auch wenn er noch keineswegs von der Endgültigkeit dieser Fassung überzeugt war. Der Bauplan war jedoch erkennbar, in sieben Büchern entfaltet sich die *Phantasus*-Existenz aus der Ewigkeit in die Ewigkeit hinein. Das persönlich Erfahrene und Erlebte ist eingebettet in einen überindividuellen weltgeschichtlichen, ja kosmischen Zusammenhang, und das Werk klingt aus in einer Apotheose des Dichtertums, das die Totalität des Seins in sich begreifen und von dieser Totalität aufgenommen und umgriffen werden soll.

An diesem Grundgedanken hat Holz nichts mehr geändert, obwohl er noch bis zu seinem Tode an der Erweiterung und Vertiefung seiner Dichtung gearbeitet hat. 1924/1925 erschien in neun Einzelheften eine neue Fassung, die, zusammengenommen, in der Ausgabe des Gesamtwerks von 1925 drei Bände mit 1345 Seiten umfaßte; und 1961/1962 schließlich wurde aus dem Nachlaß die endgültige Version in wiederum drei Bänden mit insgesamt 1584 Seiten publiziert.[23]

„Ich gestalte und forme die ‚Welt', sagte ich mir, wenn es mir gelingt, den Abglanz zu spiegeln, den sie mir in die ‚Seele' geworfen! Und je reicher, je mannigfaltiger, je vielfarbiger ich das tue, um so treuer, um so tiefer, um so machtvoller wird mein Werk!" [24] hatte Arno Holz 1918 über Idee und Gestaltung des *Phantasus* aufgezeichnet, und in diesem Sinne ist er auch verfahren. „Holz wird sehr leicht problematisch, wenn man über ihn redet; wenn man ihn liest, ist er es nicht",[25] hat Oskar Loerke einmal in einer Rezension des *Buches der Zeit* geschrieben und dazu aufgefordert, mit dem *Phantasus* eine Probe aufs Exempel zu machen. Die Lektüre dieses großen „Weltgedichts" unterstützt in der Tat Loerkes Beobachtung. Ein immenser, sich jeder Zusammenstellung in einer Konkordanz widersetzender Wortschatz täuscht eine Fülle und Vielfalt vor, die das Werk gedanklich gar nicht hat. Die Grundspannung bleibt die alte zwischen der „Filzlatschenrealität" [26] der Dachkammer und deren versuchter Überwindung im Traum.

Ich
überträume alle Träumer! [27]

proklamiert Holz-Phantasus, und er macht sein Buch zum „Entsetzensschmöker“,

in
dem ich
mir
Zeit und Weile
vertrieb,
in den ich sämtliche Farben rieb, in den ich
alles
geduldig schrieb, was mir das Leben schuldig blieb! [28]

So läßt sich Holz' Weltgedicht auf eine relativ geringe Zahl von Hauptmotiven reduzieren, die in seiner Person und den Reproduktionsbedingungen für seine Arbeit als Künstler begründet sind.

Holz schließt seine *Phantasus*-Dichtung mit einer Art großem Testament, das in der Nachlaßfassung die Überschrift „Für ewig und immer!“ erhielt. Als der Erde „eingeborenster Sohn“ hat er das „Lied von ihr“ gesungen, das ihm „zersprang ... verklang. Gelang!“ Und im Sinne des pantheistisch-proteischen Verwandlungsmythos empfindet er: „Alles durchrann mich!“ [29] Eine Aufzählung aller Nuancen dieses Durchströmtseins folgt: Suchen, Sehnen und Sinnen, Unbekümmertheit, Einfalt und Zuversicht, Zweifelsucht und Herrscherkraft, Ungebundenheit und Zurückgezogenheit. Er war Mann und Weib, Richter und Empörer, Meuterer, Rebell, Schwelger und Schlemmer, Geizhals, Gejagter und Verstoßener, Bruder und Kain. Geplagt wurde er von Reue, Schulderkenntnis, Gewissensangst, Sorgen und Demütigungen, erhoben von Hoffnung, Glaubenssicherheit und Liebeslust. Aber der Liebeswonne folgte Liebesentzauberung, der Schaffenspein hinwiederum Schöpferekstase und Schöpferverzückung. Tropenurwaldfülle hat ihn ebenso umgeben wie Wüstenöde, Ureisgletschernacht wie Südmeerherrlichkeit, die große Welt ebenso wie das „heimatstille“ „Perlmutterwölkchen“, wie Grashalm und schüchternes „Vögelchen“.

Nichts,
nichts, nichts, nichts, nichts
war
mir ... fremd! [30]

Die Thematik von der Allverwandelbarkeit des Ichs durchzieht die ganze Dichtung, am überzeugendsten wohl gestaltet in einer oder der anderen lyrischen Miniatur, wie sie schon im ersten *Phantasus* stand oder hätte stehen können.

Sieben Septillionen Jahre
zählte ich die Meilensteine am Ende der Milchstraße.

Sie endeten nicht.

Myriaden
Äonen
versank ich in die Wunder eines einzigen Tautröpfchens.

Es
erschlossen sich ... immer neue.

Meine ... Seele
erschrak!

Mein Sinn ... erschauerte! ... Mein Herz
erzitterte!

Selig ins Moos
streckte ich mich ... und ... wurde Erde.

Jetzt
ranken Brombeeren
über mir,
auf
einem sich wiegenden
Schlehdornzweig
zwitschert ein Rotkehlchen.

Aus
meiner Brust ... springt fröhlich
ein Quell,
aus
meinem Schädel ... wachsen Blumen.[31]

Damit wird allerdings auch schon die Beschränkung sichtbar, die das Werk in den meisten Teilen eher zerspringen als gelingen ließ. Gelungen ist diese kleine Szene nicht nur durch die Kondensation auf die wenigen kontrastierenden Bilder von Unendlichkeit und Realität, auch nicht allein durch die Assoziation mit dem alten Gegensatz von kosmischer Unendlichkeit und dem „Tautropfen“ als Symbol des Großen im Kleinen. Erst die Gestaltung aus einem wirklichen Erfahrungsbereich von Holz heraus,

aus seiner Naturseligkeit, die sentimental seine frühen Gedichte beherrscht, die aber hier mit der Metamorphosenthematik eine gewisse Originalität und Frische empfängt, erweckt diese „dreizehn verschluchzenden Ikten in eine tönende Harfe" zu poetischem Leben. Auch seine „letztschöpferische Erkenntnis" – „Horche nicht hinter die Dinge. Zergrüble dich nicht. Suche nicht nach dir selbst. Du bist nicht!" [32] – hat einen gewissen Grad von künstlerischer Überzeugungskraft, denn wenn sich dieses aufgelöste Ich im Tropfen auf dem Fensterblech, im Singen der Lampe oder im Rauch der Zigarre wiederfindet, so bleibt auch das bei aller Ornamentik im Erfahrungsbereich des Dichters. Aber wenn die dialektische Umkehrung solcher Relation zwischen dem Ich und den „Dingen", wie sie in dem „ewigen Wiederkehrkarussell" [33] des Phantasus-Mythos angelegt war –

In dir ist alles, außer dir ist
nichts![34]

von Holz in Szene gesetzt wird, wenn das lyrische Ich also wie ein Schwamm alles Erfahrbare aufzusaugen versucht, entsteht oft eine erstarrte Konversationslexikonrealität und eine Synonymenwörterbuchpoesie, die auch durch allen Glauben des Dichters an seine Zauberkraft nicht zu vollem Leben erweckt werden kann. Das läßt sich deutlicher erkennen, wenn man die Stufen und Erfahrungsbereiche des Phantasus im einzelnen betrachtet.

Holz eröffnet seinen Verwandlungsreigen mit der Situation des Erwachens aus einem Traum, der ihm durch „purpurn balliges Gedicht" die Gewißheit gegeben hatte:

Sieben Billionen ... Jahre ... vor meiner Geburt
war ich
eine Schwertlilie.

Meine suchenden Wurzeln
saugten
sich
um einen Stern.[35]

Die Lilie als klassische Jugendstilblume wird also zum Symbol des sich über das Anorganische rankenden Lebens, das sich nun in aller Weite und Breite entfalten soll. Die „blaue Riesenblüte" der ersten Fassung ist allerdings in der letzten Version des *Phantasus* zu einer „dunkel-metallischen, halkyonisch-phallischen, klingend-kristallischen Riesenblüten-Szepterkrone" [36] geworden, ohne damit jedoch die ursprüngliche Assoziation mit dem Blumenkult des ausgehenden Jahrhunderts abzuschwächen. Eher

Illustration von Koloman Moser zu einem Phantasus-*Gedicht in* Ver Sacrum *(1898)*

noch intensiviert ihn die endgültige Fassung mit ihrer Anspielung auf das Zeugungsorgan, wenn man an die Rezeption der romantischen Blumenmotivik und insbesondere der blauen Blume denkt, die der französische Symbolismus kultivierte, der dann seinerseits Einfluß ausübte auf die deutsche Literatur der Jahrhundertwende, zum Beispiel in Georges „schwarzer Blume" im *Algabal,* in Rilkes Rosen oder allgemein in Dehmels und Bierbaums ornamentaler Blütenmetaphorik. Wenn Joris-Karl Huysmans' „Amorphophallus, une plante de Cochinchine, aux feuilles taillés en truelles à poissons, aux longues tiges noires conturées de balafres, pareilles à des membres endommagés de nègre" als mögliche Quelle für Georges Blumensymbol angeführt wird, so mag auch die Wirkung auf Holz mit bedacht werden, der Huysmans ausdrücklich in einem der ersten *Phantasus*-Gedichte nennt.[37]

Aus der Zuversicht der Ewigkeit biologischer Existenz entfaltet sich im *Phantasus* dann der „Machtmythus".[38] Unsicher, ob es „Gehirnspiel", „Wachtraum" oder „Rückerinnerung" ist, versucht Holz, eine Unterschicht des sich entwickelnden menschlichen Bewußtseins in schweifenden Bildern darzustellen. Ein Palisadentor mit den verunstalteten Leichnamen Gefolterter, ein reißender Urwaldstrom in üppig-gefährlicher Landschaft, eine mit Obszönitäten und reichem Schmuck bedeckte „Sandelholzpyramide", eine Tigerjagd im Dschungelgestrüpp und ein Banyanbaum „wie ein Tempelhain" bilden in prädikatlosen Sätzen die merkwürdige Einleitung zu diesem „Machtmythus", in dem Holz das Phantasus-Ich vom Hirtenhäuptling zum Teufelsgott emporsteigert.

Nach dem einigermaßen gemütvollen Auftakt mit der „traumblauen" Schwertlilie folgt also jetzt eine Bildersuada, in der sich Widerwärtiges auf Bestialisches türmt. Die Intentionen des Dichters sind deutlich: Sexualität und Grausamkeit, Lust an Üppigkeit und Reichtum werden als Erscheinungsformen eines im Inneren der Seele dominierenden Machttriebes gefaßt. Von seinen Stammesbrüdern wird der tibetanische Hirt trotz seiner „Niedrigkeit" zu ihrem

Führer, zu ihrem Häuptling
gekürt.[39]

Mit seinen Scharen breitet er sich über halb Asien aus, „mordgierig" und „ehrgeizgetrieben", hin zu „meerumwogenrauschten ... Wunderländern", also fernen Trauminseln. Er verwüstet die Welt mit „Raub, Mord, Kriegsgreuel und Notzucht", ist sich selbst „nicht einen einzigen Sekundenblitz lang" untreu, läßt „entmenschte Orgien" feiern, etabliert sich, von „Lustdirnen" umgeben, er, der „Enterbteste aller Enterbten", als mächtigster und reichster Herrscher auf dem „Weltherrschersitz aller Weltherrschersitze" und läßt sich schließlich als „Tückebolds-Teufelsgott" anbeten, dem gegenüber sämtliche Tyrannen nur „Blähschnuffelschnuckchen" und „Lämmchen" waren.[40]

Nun überrascht den Leser des 20. Jahrhunderts solche wortreiche und zum Teil sogar wortgewaltige Entblößung menschlicher Grausamkeit verhältnismäßig wenig. Die Psychoanalyse hat ausführlich genug das „Untier", die „Kanaille" und das „Biest" zu erkennen und zu bestimmen versucht, das, wie Holz es ausdrückt, „nachts im Traum" auftaucht und das er dann „nicht mehr so recht kontrollieren kann".[41] Auch was die praktische Ausübung der Bestialität angeht, kann sich das gegenwärtige

Jahrhundert durchaus mit den vorausgehenden messen. Der „Machtmythus" erschien immerhin zum erstenmal im Jahre 1916. Überdies gehörte die Darstellung von Machtrausch und Immoralismus zu dem Bild, das sich die Literatur des Fin de siècle von einer Gegengesellschaft entwarf, die sich allerdings bei näherem Zusehen eher als ästhetisierter Imperialismus erwies. Die satanistischen Ekstasen Stanislaw Przybyszewskis und Georges *Algabal*-Dichtung, die ihrerseits wieder in Beziehung zu Dichtungen wie den *Fleurs du Mal* Baudelaires steht, sind bezeichnende Beispiele dafür. Auch die Salome-Mode der Jahrhundertwende steht in diesem Zusammenhang. Erotik und Immoralität, Liebe und Tod, Innigkeit und Grausamkeit durchdringen einander schon in den Herodiaden von Mallarmé und Flaubert, aber dann doch vor allem in Wildes Drama 1894, das Richard Strauß 1905 zum Opernrausch und Welterfolg machte. Auch im *Phantasus* gibt es schließlich einen Todesgesang Jochanaans vor dem Liebestanz der Salome.[42]

Aber Holz' Phantasien lassen sich nur beschränkt aus zeitgeschichtlichen Bezügen erklären. Einmal übersteigen Extensität und Intensität der Schilderung von Grausamkeiten und Blutlust, von Machtakten und Besessenheiten alles, was andere zeitgenössische Dichter zu diesem Thema beigetragen haben. Außerdem geschieht dergleichen aber auch nicht mit der Absicht, aus Machtrausch und Gewalt das Bild einer sich über alte Konventionen hinweg revolutionär zu Neuem drängenden Gesellschaft entstehen zu lassen oder den Finsternissen der Zeit einen Spiegel vorzuhalten. Daß Holz nicht moralisierend zu Gericht sitzt, soll ihm nicht vorgeworfen werden und erst recht nicht, daß er das „Untier" in sich selbst mit epischer Breite in allen Schattierungen, die ihm die Wortbildungskraft seiner Sprache erlaubt, darzustellen versucht. Was vielmehr seinen „Machtmythus" schließlich bedenklich erscheinen läßt, ist dessen durch und durch privat-psychologische Motivation, die gerade in ihrer Wertneutralität, in ihrer Gleichgültigkeit gegenüber den tatsächlichen Grausamkeiten der den Dichter umgebenden Welt mit den inhumanen Tendenzen des Zeitalters unbewußt und unwillentlich konform geht, ja sie kritiklos bestätigt oder vorausdenkend annimmt.

Was Holz hier als „Machtmythus" des Phantasus-Ich vorstellt, ist in erster Linie eine ins Überdimensionale gesteigerte Triebprojektion des Dichters selbst. Es ist der „verlorene Sohn", der Verachtete und Verkannte, aus der Niedrigkeit Emporgestiegene, der, von einer kleinen, tapferen Schar von Freunden zum Führer erkoren, einer Welt von Feinden gegenübertritt, die er sich schließlich unterwirft, „kühnbewußt" dem „Endziele"[43] zustrebend. Unbezwinglich und groß, unbarmherzig gegen alle Widersacher, sitzt er schließlich verehrt und gefürchtet auf dem Thron, der ihm schon immer gebührte. Exotische Südseefülle und orientalische Haremswollust, Servilität und Anbetung umgeben ihn. Der „formale Erneuerer der modernen deutschen Poesie" hat sich in seiner ersten Präexistenz etabliert.

Das alles soll nicht bedeuten, daß Holz, von finsteren Tyrannengelüsten beherrscht, humanen Denkens und Empfindens nicht fähig gewesen sei. Holz billigte nicht rundheraus diese immoralistisch-brutale Präfiguration seiner Dichterexistenz. Er spricht sogar ausdrücklich von den seine frühen „Missetaten ausgleichenden, auswetzenden, ausschartenden" Wiedererscheinungen, Wiedergeburten und Nachexistenzen.[44] Auch erfolgt immer wieder eine Relativierung der Traumbilder durch selbstironischen Bezug auf die Dachkammerrealität. Aber das Modell des um seine Anerkennung und Macht Ringenden und Kämpfenden bestimmt auch weiterhin die Dichtung, und die Lust am Grausamen oder Brutalen, an Gewalt und Machtausübung, der sich die sexuelle Omnipotenz zuordnet, zieht sich durch das ganze Werk. Die ursprünglich beabsichtigte Darstellung der von Zeit und Raum unbegrenzten Allverwandelbarkeit des Subjekts wird bei näherer Betrachtung reduziert auf dessen Einsetzung als absoluter Herrscher über Raum und Zeit. Die Wunschwelt des Träumenden wird in das spezifisch Holzisch-Psychopathische abgedrängt.

Die Beschränkung des Stoffes trotz aller scheinbaren Universalität auf eine persönlich-autobiographische Motivation und Thematik wird auch in dem folgenden Gedicht des *Phantasus* deutlich, dem Holz so große Bedeutung beimaß, daß er es 1923 in einem kostbaren Sonderdruck „auf deutschem Japanpapier" unter dem Titel „Pronunciamento" erscheinen ließ.[45] Das gedankliche Leitmotiv setzt Holz gleich an den Anfang:

Ich
werde niemals untergehen!

Ich
kehre
fortwährend, bis in alle Ewigkeit, myrionengestaltig mich verändernd,
immer wieder!

Ich
bin schon stets,
vor
aller Vergangenheit, seit Urururunendlichkeit
gewesen![46]

Sein Fatum habe ihn in allen Gestalten durch alle Zeiten, Höhen, Tiefen, Leidenschaften und Empfindungen hindurchgetrieben und gewirbelt. Der prähistorischen Etablierung des „Kämpfers" und Herrschers Arno Holz im „Machtmythus" schließt sich also jetzt die historische Perspektive der eigentlichen Menschwerdung an, die als Rückgang auf die Entstehung aus dem Urschleim gezeigt wird. In umgekehrt chronologischer Reihenfolge hat Holz diese ganze „sogenannte ‚Struggle for life'-Entwicklung" von der Uramöbe zum ersten Pavian und dem „ganzen widerigen Gelichter, das der homo sapiens so herrlich krönt",[47] wiederholt, wie er das in ähnlicher Form auch in der *Blechschmiede* tat. Das ist im Grunde poetisierter Haeckel, den Holz hier vorführt, und Einzelheiten lassen sich sogar unmittelbar zu Haeckels Schrift *Die Welträthsel* in Beziehung setzen. Es ist die „Stufenleiter der Seele", wie Haeckel es nennt, die Holz in diesem Gedicht rückwärts geht und die er beim „Protoplasmaklümpchen" enden beziehungsweise anfangen läßt. Eben dieses Plasma ist für Haeckel die „materielle Basis der Psyche",[48] aus der alle höheren Organisationen des Geistes von Reflexen und Empfindungen bis zu dem Bewußtsein der Freiheit hervorgehen. Chronologisch geordnet geht Holz' Entwicklungsgeschichte – zunächst weitgehend Haeckel folgend – vom Plasma zum Ringelwurm im Präkambrium, zu Trilobit, Panzerfisch, Schuppenlurch, Riesenechse, Fischvogel, „Androdryopithekus" und schließlich zum Steinzeitmenschen. Dem folgen Manifestationen menschlicher Möglichkeiten in historischer Perspektive. In immer wieder neuen Metamorphosen ist das Phantasus-Ich ein Hohepriester in Karnak, eine für die Tempelprostitution bestimmte Tochter des babylonischen Königs Nabopolassar, ist Galeerensklave, karthagischer Reiterhauptmann, führt das wollüstige Leben der Kaiserin Messalina, macht als Angelsachse in Britannien „Weiber, Greise und Kinder" nieder,

briet
die Mönche, sott die Priester
marterte, schändete,
lustwürgte
die
Nonnen,[49]

geht als Harun-al-Raschid inkognito durch seine Stadt, zieht mit im Kinderkreuzzug und ist der Matrose, der vom Mastkorb auf Kolumbus' Schiff Amerika entdeckt. Auf einem deutschen Marktplatz wird Phantasus als Hexe verbrannt, führt als Rokokokavalier ein stilvoll-tändelndes Leben in Schlössern, Parks mit Fontänen und Taxushecken, Liebesinseln, chinesischen Pagoden, Pfauen und was sonst zum Fin-de-siècle-Stil zweier Zeiten gehörte, und ist schließlich „am Hut die Kokarde", ein Bastillestürmer. Holz' Intentionen für eine solche Weltgeschichte in Bildern sind deutlich genug. Auf die – biblische – Frage des Karnak-Priesters:

Was ... bin ich? ... Was ... war ich? ... Was ... werde ich sein?

gibt Holz-Phantasus die tröstende Antwort:

Heute ... weiß ich![50]

Denn er leitet mit der Selbstsicherheit des an die Naturwissenschaften Glaubenden aus dem unumstößlich erkannten Gesetz für die Herkunft und Entwicklung des Homo sapiens auch die Gesetzesgewißheit für dessen Gegenwart und Zukunft ab. Hier soll das allumfassende Weltbild des *Phantasus* seine Fundierung erhalten. Betrachtet man nun aber Holz' Wahl seiner charakteristischen Entfaltungsstufen des Menschlichen im einzelnen, so zeigt sich, daß diese Wahl doch wieder auf einen recht schmalen Bereich beschränkt ist. Um freies Volk auf freiem Grunde geht es gewiß nicht in erster Linie, politische Aspekte werden nur flüchtig gestreift, und der Jakobinerheld ist „menschheitsseligkeits-zukunftstraumschwärmerisch" [51] eher dem jungen Holz des *Buches der Zeit* mit seiner allgemeingehaltenen „In tyrannos"-Gesinnung ähnlich. Als Ausgeburten des Dichter-Ichs erweisen sich auch die anderen Erinnerungsphantome. Es sind im Grunde alles Variationen des „Machtmythus" im historischen Kostüm. Von den „Wiedererscheinungen", die dessen frühe „Frevel", „Verbrechen" und „Missetaten" auswetzen könnten, ist nicht mehr die Rede. Herrscher triumphieren glanzvoll und blutig über ihre Untertanen, Feinde werden viehisch hingeschlachtet, Macht verbindet sich mit sexueller Ekstase. Christliche Intoleranz und Inhumanität erhalten ihr Teil, und schließlich steigen aus dem dunkel-unerkannten Sklavendasein im Bauch der Galeere die Entdecker und Pioniere hervor. Es ist der simple Matrose Rodriguez Bermejo, der als erster den Ruf „Tierra!" ausstößt, der also das Neuland noch vor seinem großen Admiral gesehen hat, über den ihn die Geschichte später vergessen hat.

Holz bleibt auch in seinem Pronunciamento-Mythos vom Horizont seiner „Dichter und Kämpfer"-Existenz befangen, so sehr er sich gerade hier bemüht hat, ihn zu überwinden. Daß es ihm trotz aller Wortgewalt, trotz aller Fülle im Detail nicht gelang, das eigene Selbst zu dem der ganzen Menschheit zu erweitern, macht die Begrenztheit seines Weltbildes aus und erklärt auch das beschränkte Interesse, daß schon die eigene Zeit seiner *Phantasus*-Dichtung entgegenbrachte und das er nie recht begreifen konnte. Goethe, dem nach Holz' Ansicht doch eigentlich „die Spitze" fehlte, gab in seinem *Faust* das „Drama der Menschengattung",[52] indem er es als dialektischen Prozeß verstand, der die Identifikation des Dichters mit einem dramatischen – oder lyrischen – Helden von vornherein ausschloß. Faust selbst wurde wiederum nur mittelbar Zeuge jenes Vorgangs der Urzeugung, den Goethe in mythisch-allegorischen Bildern vorführte, wo Holz sein Phantasus-Ich unmittelbar einbezogen und identifiziert haben wollte. Das bestimmt den Unterschied in den Dimensionen zwischen der klassischen Walpurgisnacht im *Faust* und dem in biologischer und historischer Wortekstase erstickenden „Pronunciamento". Der Vergleich bedeutet nicht schlechthin eine Herabsetzung von Arno Holz gegenüber Goethe; er zeigt nur vielmehr, daß hier einer Unmögliches begehrt. Die Prämissen des „naturwissenschaftlichen" Zeitalters, von denen Holz ausging, waren keine Phänomenologie des Geistes, sondern nur die Beschreibung eines biologischen Entwicklungsvorgangs, der vom Menschen als Gesellschaftswesen nicht Notiz nimmt und deshalb eine allzu schwache und begrenzte Fundierung für ein neues „Weltbild" darstellt. Holz' Plan, dem „unrettbaren Ich" ein anthropomorphes „Welt-Ich" entgegenzusetzen, mißlang, weil sich die moderne Welt in ihrer gesellschaftlich-ökonomischen Struktur und im geistigen Zustand eines „Zerfalls der Werte" nicht durch ein biogenetisches Gesetz fassen und deshalb auch nicht in ein „Welt-Ich" zusammenbündeln ließ; der Versuch konnte nur im Privat-Autobiographischen enden, indem sich das Ich des Dichters zum Mittelpunkt der Welt erklärte.

Die Beschränkung auf den persönlichen Erfahrungsbereich des Dichters wird dann in den übrigen Teilen des *Phantasus* noch klarer und greifbarer. Gegen Ende des fünften Teiles der Dichtung, der die Überschrift „Taten und Träume" trägt, steht ein Monolog des gealterten und enttäuschten Dichters:

Das
das . . . das
ist nun . . . dein . . . Leben!

Der Tisch,
die Bücher . . . und . . . die Lampe.

Der
kleine Lichtkreis
und
im Hirn:
die Welt . . . ist . . . bitter!

Hat das
noch „Sinn"? . . . Hat das . . . noch „Zweck"?
„Lohnt" sich
das?

Ich
öffene . . . müde das
Fenster.

Weiße Wolken
schwimmen am Mond vorbei,
aus dunkelen Gärten
klingt Musik.

Die
Brunnen rauschen.

Ah!
Frühlingsnacht! Frühlingsnacht!

Süße,
deutsche ... mildweich ... holde
Frühlingsnacht!

Das romantische Deutschland zieht dem Träumenden nun jenseits des Fensters vorüber – ein wehmütiger Travelogue. „Fliederdüfte", „verbaute Städtchen" mit „verwunschenen Gäßchen", „verträumte Mühlen" und „erinnerungsstolze Reichsstädte", Rathäuser, Rolands und steinerne Brücken, Flüsse und die schöne Natur:

Wie ... oft,
in
deiner vollen
Pracht,
über weiten, glastflimmrigen, muldig fruchtwiegigen Talgebreiten
mit
kuppig, flußlängs,
weichgewellt sich schmiegenden
Hügelzügen
glimmend, heimlich, nebelseetief
schlummernden
Gründen
und
tausend kleinen,
grüßend
freundlichen,
anheimelnd, schillernd, sternfarben
aufblinkenden
Lichterchen,
...

mit jauchzend, jugendfroh überquellendem Herzen,
saß ... ich und ... sang,

„Zwischen Frankreich und dem Böhmerwald“, „Der Gott, der Eisen
[wachsen ließ“,
„Gaudeamus igitur“,
die
alten, immer wieder wunderbar köstlichen
Lieder!

All das ist dahin und vorbei, die Jahre sind darüber hinweggerollt, und was bleibt, ist ein Zustand von Trauer, Erinnerung und Sehnsucht:

Traurig,
langsam, schmerzlich,
drehe
ich ... mich
um.

Wie
ein ... Kerker ... das
Zimmer!

Staub,
Bücher ... Bücher ... Bücher,
Bücher ... Bücher
und
... Papier! ...

Jugend,
Jugend, Jugend,
die
mit tausend Armen, sehnsüchtig, in die Himmel griff![53]

Dieses Gedicht – obwohl noch wesentlich länger – wurde deshalb so ausführlich zitiert, weil es in mehr als einer Hinsicht charakteristisch ist für weite Teile der Dichtung wie für Arno Holz überhaupt. Die Umkehrung der Faust-Situation ist offenbar, die Anspielungen auf Kerker, Bücher und Papier sind womöglich sogar gewollt. Die Welt, die sich dem beengten Phantasus vor seinem Fenster auftut, ist aber nicht das weite Land des Erdgeistes, in das sich der Magier hineindrängen will, sind nicht „neue Sphären reiner Tätigkeit“, sondern der Erinnerung „kindliche Gefühle“, es ist mit einem Wort Vergangenheit, die Idylle einer deutschen kleinbürgerlichen Jugendzeit, die jenes Dichters „Taten und Träume“ bestimmt, der einst angesetzt hatte, das Lied der neuen Zeit von „Stahl und Eisen, Stein und Erz“ zu singen.

Zugleich macht das Gedicht die Wurzeln von Holz' schon früher erkennbarer starker Sentimentalität sichtbar. Der Dichter und die bittere Welt sind sich fremd geblieben; aber da sich Holz nicht mit der Konstatierung dieser Fremdheit zufriedengeben will, da er Heimkehr sucht, so gibt es nur den Rückzug auf das Vergangene. Sentimentalität erweist sich durchweg als Ausweichmanöver vor der Unbarmherzigkeit intellektueller Einsichten und Konsequenzen. Dem erschüttert-verzweifelten Zusammenbruch des Dichters am Ende von Meditation und Rückschau in einer deutschen Frühlingsnacht läßt Holz die „letztschöpferische Erkenntnis" des „Horche nicht hinter die Dinge" folgen, die den sich Zergrübelnden wieder auf den höheren Zusammenhang des Phantasus-Welt-Ichs verweisen soll. Die Waagschalen geraten jedoch nicht ins Gleichgewicht; die Weltanschauungssynthese zerbricht an der Unfähigkeit des Dichters, seine eigene Problematik, sei es bewußt oder unbewußt, in bezug zur Problematik seiner Zeit zu setzen. Das läßt den *Phantasus* in den immer neuen und breiteren Variationen nach 1916 in seinem Inhalt zugleich immer anachronistischer werden. Daß Holz dagegen in der sprachlichen Form in Bereiche vorstieß, die weitgehend noch unentdeckt waren, macht die merkwürdig zwiespältige Wirkung dieses Werkes aus.

In der Ausgabe von 1916 hatte Holz das Werk in sieben Bücher gegliedert, von denen er das erste und siebente für die Ausgabe von 1924/25 jeweils in zwei unterteilte, ohne die neun Teile aber mit Überschriften zu versehen. Diese standen nur auf den gleichzeitig erschienenen Sonderdrucken der einzelnen Abschnitte und bezeichnen folgende Gliederung:

I. Sieben Billionen Jahre vor meiner Geburt.
II. Kindheitsparadies.
III. Fern liegt ein Land.
IV. Über die Welt hin.
V. Taten und Träume.
VI. Das tausend und zweite Märchen.
VII. Götter und Götzen.
VIII. In meine Dachkammer.
IX. Ecce poeta.

In der Nachlaßfassung sind diese Überschriften beibehalten worden, nur ist die Zählung auf fünf Teile reduziert worden, so daß der erste Teil Bücher I und II, der zweite Teil Bücher III, IV, V und VII umschließt, während der dritte, vierte und fünfte Teil mit den Büchern VI, VIII und IX identisch sind. Auch die einzelnen Gedichte haben Überschriften erhalten.

Überblickt man den *Phantasus* als Ganzes, so trennen sich deutlich vorwiegend epische von lyrischen Teilen, oft allerdings auch einfach nur längere von kürzeren Gedichten. In sich abgeschlossen sind der sieben Billionen Jahre vor der Geburt beginnende Evolutionsmythos, das westöstliche 1002. Märchen und der Sängerkrieg auf der Dachkammer. Die übrigen Teile enthalten Gedichte in der Art der ersten Ausgabe des *Phantasus* von 1898/99, von deren hundert insgesamt siebenundneunzig in die späteren Fassungen übergegangen sind, teilweise kaum verändert, teilweise kaum noch wiederzuerkennen. Die Prinzipien der Überarbeitung und Ausgestaltung des *Phantasus* sind vom Inhaltlichen her schwer zu fassen, da die sprachlichen Mittel eine immer stärkere Tendenz zur Autonomie zeigen und so zwischen Sprachform und intendiertem Weltbild eine Lücke aufklafft.

In seiner Einführung zum *Phantasus* aus dem Jahr 1922 hat Arno Holz das Ziel seiner Arbeit an dem Eingangsgedicht von der sich um einen Stern klammernden, sich in ihn saugenden Riesenblüte zu erläutern versucht. Der Schluß der Fassung von 1899 lautete:

Auf seinem dunklen Wasser
schwamm
meine blaue Riesenblüte.

1913 wurde das verändert in:

Aus seinen sich wölbenden Wassern,
traumblau
in neue, kreisende Weltenringe,
wuchs,
stieg, stieß,
zerströmte, versprühte sich meine dunkle Riesenblüte.

1916 war in der Mitte der letzten Zeile dann nur ein Gedankenstrich und am Ende ein Ausrufungszeichen hinzugekommen. 1918 – in dem Aufsatz über Idee und Gestaltung des *Phantasus* – gliederte Holz jedoch den ersten Teil des Satzes noch weiter auf, aber erst 1922 glaubte er, „nun wirklich endgültig" eine befriedigende Fassung erreicht zu haben:

Aus seinen sich wölbenden Wassern,
traumblau,
in
neue,
kreisende Weltenringe,
wuchs,
stieg, stieß,
steilte, teilte,
zerströmte, versprühte sich ... meine dunkele Riesenblüte.

Der Grund für die erneute Variation war der „kleine Widerstand", den sein Ohr aufgriff und der „zwischen ‚stieß' und ‚zerströmte' mir das Fehlen noch irgendwelcher Inhaltswerte verriet, die ich offenbar übergangen hatte, und die sich dann auch wirklich prompt einstellten, nachdem mir auf diese seltsame Weise zum Bewußtsein gekommen war, daß mein Vorstellungsvermögen an dieser Stelle, und sei es vielleicht auch nur minimal, ausgesetzt haben mußte. So, wenigstens für mich und mein Fassungsvermögen, erstaunlich schafft der jedweilige Inhalt nicht bloß seine ihm jedesmal adäquate Form, sondern diese Form zeigt dann auch noch obendrein durch sich selbst an, falls der betreffende Inhalt noch nicht genügend intensiv durch sie gepackt sein sollte! Wozu allerdings ein inneres Ohr gehört, wie es die bisherige alte, lediglich auf apriorische Metrik basierte Form naturgemäß noch nicht hatte zeitigen können, und von dessen allmählicher Verfeinerung jetzt, ebenso naturgemäß, die Fortschritte dieser neuen Technik abhängen werden".[54] Auch bei Holz selbst machte die neue Technik noch weitere Fortschritte, und in der Nachlaßfassung ist schließlich aus dem dreizeiligen Satz das Folgende geworden:

Aus
seinen sich wölbenden
Wassern,
blumenblätternarbig, goldpfeilfädenstäubig,
traumblau,
in
neue,
wallende, werdende, wogende,
brauende, brodelnde,
kreisende
Weltenringe
wuchs
stieg, stieß,
steilte, teilte, speilte,
verglühte, zerströmte, versprühte
sich,
geheimnisträchtigst, geheimnismächtigst,
geheimnishehrst
sich selbst begattend, sich selbst befruchtend, sich selbst beschattend,
[sich selbst
zerzeugend,
Flammenkugelmeteore,
Kometenkaskaden, Planetenbuntkränze
verschwenderisch

um sich regnend, verspenderisch um sich segnend,
vergeuderisch
um sich
schwingschleudernd,
meine
dunkel-metallische, halkyonisch-phallische, klingend-kristallische
Riesenblüten-Szepterkrone![55]

Was Holz vorschwebte, hat er immerhin in der Einführung von 1922 so deutlich wie möglich gesagt: es ging ihm darum, die Totalität aller äußeren und inneren Erscheinungen und Vorgänge ins Bewußtsein zu heben dadurch, daß er sie bis in die letzte Vorstellungsnuance zur Sprache brachte. Getreu dem Ausgangspunkt konnte das für Holz in der Tat eine neue Beziehung zwischen Welt und Ich durch das Medium des Wortes bedeuten, aber wenn er das zu einem gültigen, umfassenden Weltbild seines Zeitalters erklärte, verkannte er, daß diese neue Beziehung gerade durch das Wort doch einseitig an das demiurgische Ich des Dichters gebunden war und so jene Entgrenzung und Verallgemeinerung nicht stattfinden konnte, von der er träumte und die er beschwor. Die erstrebte All-Einheit der Phantasus-Welt zerschellte immer wieder an den Grenzen der Vorstellungskraft und der eigenen Welt des Phantasus-Dichters.

Das wird beim Vergleich der Überarbeitung der verschiedenen Fassungen vielfach deutlich. Einmal erweitert sich der Horizont von Holz' Welt selbst kaum noch, und wenn aus den „kleinen, sonnenüberströmten Gärten mit bunten Lauben, Kürbissen und Schnittlauch" im ersten *Phantasus* ein fünfundzwanzigzeiliges Monstrum „voller Georginen, Sonnenblumen, Stockrosen, Kaktusdahlien, Gurken, Tomaten, Feuerbohnen, Kürbissen und Schnittlauch"[56] wird, so ist damit hinsichtlich einer Vorstellungstotalität wenig geleistet, denn die Aufzählung ist beliebig zu erweitern und verkürzen. Allerdings war es Holz' Absicht, in der Überarbeitung seiner Gedichte nicht nur alle denkbaren Schattierungen eines Eindrucks oder einer Empfindung aufzuhäufen, sondern zugleich den jeweiligen Gedanken eines Gedichtes, sein eigentliches ideelles Zentrum stärker herauszuarbeiten und zu intensivieren. Wenn der Leutnant im Tiergarten über die Brücke reitet, so ruft eben in der endgültigen Fassung nicht nur ein Kuckuck, sondern vom nahen Zoo tönt auch „erfreulich ohrenbeleidigend, metallisch-schrillgell, markdurchdringlich" ein „verliebtes" Affengekreisch als lyrischer Kommentar.[57] Zur Steigerung des Vorgestellten werden endlose Ketten von Adjektiven, Verben und Adverbien aneinandergereiht, die ganze Seiten des *Phantasus* überschwemmen. Hier löst sich nun deutlich die sprachliche Gestaltung von dem wirklich Auszudrückenden, d. h. ins Bewußtsein zu Rufenden, ab. Um der Klangeffekte willen oder aus Lust am Sprachmimischen, an den vielfältigen Variationsmöglichkeiten der Sprache und schließlich einer mathematisch errechneten Parallelität halber werden Effekte ausprobiert, die sich mit Verstärkung oder Verdeutlichung der jeweiligen Vorstellungsinhalte nicht mehr erklären lassen. Das zeigt sich in dem „Blüten"-Gedicht in Zeilen wie

verglühte, zerströmte, versprühte

oder

verschwenderisch
um sich regnend, verspenderisch um sich segnend,
vergeuderisch
um sich
schwingschleudernd...

Daß Holz mit solchen Sprachexperimenten seiner Zeit um ein Beträchtliches vorauseilte, steht, wie gesagt, in merkwürdigem Gegensatz zu dem Stoff, an dem er sie machte.

Die inhaltlichen Erweiterungen und Ergänzungen betreffen fast ausschließlich Autobiographisches – eine Beschreibung der Uraufführung der *Sozialaristokraten* zum Beispiel – oder verharren im Themenbereich der früheren Fassungen und sogar des *Buches der Zeit,* etwa bei Kirchenbesuchen des lieben Gottes inkognito in Berlin-N. und Berlin-W. Zumeist wird die Identifizierung des lyrischen Ichs der einzelnen Gedichte mit dem Helden der ganzen Dichtung vollzogen. Ehe der Bürgerschreck auf der Siegesallee das Mädchenpensionat zu antiker Lust auffordert, ertönt jetzt der offensichtlich triumphierende Ruf:

„Phantasus!" [58]

Und war es in der Urfassung Neptun – „*Sein* Bart blitzt" – der die schönste Meerjungfrau erwischt, so ist es später das in den Meergott verwandelte Phantasus-Ich – „*Mein* Bart blitzt" – dem solch Vergnügen zuteil wird.[59] Auch in anderer Hinsicht drängt sich das Ich stärker vor. Wenn Holz in der ersten Fassung konkret ein kleines Jugendidyll malt von einem stillen Sommernachmittag im Heimatstädtchen, so enthüllt gegenüber dem Präsens der Impressionen nur die letzte Zeile:

Ich schließe die Augen. Ich sehe sie noch immer.[60]

die Erinnerungsdistanz des Autors, genug, um dem Gedicht eine „Stimmung", eine – wenn auch noch so bescheidene – seelische Dimension zu geben. In der endgültigen Fassung dagegen findet sich schon gegen den Anfang zu eine erklärende Zeile:

Daß mir doch dies alles noch so lebendig geblieben ist!

Und am Schluß über die Farben, die er noch immer sieht:

Nie ... blinkten ... mir
schönere!

Ein
halbes Leben,
ein
ganzes Menschenalter
verrann![61]

Die Beispiele ließen sich häufen. Der Drang zum direkten Kommentar, zur unmittelbaren und unmetaphorischen Selbstaussage verstärkt sich. Daß Holz damit Sentimental-Gefühlvolles hat verfremden wollen, läßt sich schon angesichts der Beispiele nicht aufrechterhalten; eher wird Sentimentalität noch verstärkt dadurch, daß alles ausgesprochen wird. Holz' Absicht ist, die Dominanz des Phantasus-Ichs auch wirklich handgreiflich zu machen. Das heißt aber mit anderen Worten, daß die einzelnen Gedichte nicht nur nach einer Zyklus-Idee arrangiert sind, sondern daß sie funktionelle Teile eines großen, weltumspannenden Epos sein sollen: die Metamorphosen des Phantasus von Ewigkeit zu Ewigkeit. Diese Tendenz zur Episierung wird nicht nur durch die Aufhebung oder Störung einer lyrischen Spannung mittels eingeschobener Kommentare deutlich, sondern auch durch die Umgestaltung kleiner Bildchen in Geschichten. Aus der lyrischen Miniatur vom Traganth-Zwerg Turlitipu wird ein Weihnachtsmärchen von fünfzehn Seiten. Aus der rührseligen Klage der aus Not zur Prostitution Getriebenen:

Der tote Mann! Die armen Kinder![62]

wird eine „Moderne Großstadtballade" im Stile Kretzers oder Else Jerusalems, oder zumindest der Umriß dafür. Alles soll sich in der überarbeiteten und erweiterten Form noch deutlicher dem großen Zusammenhang zuordnen: der Ontogenese der menschlichen Seele und des menschlichen Lebens von den Urformen alles Lebens zu ihrer höchsten und kompliziertesten Gestalt, dargestellt am Paradigma von der eigenen Existenz des Dichters.

Überschaut man zum Schluß den Inhalt des *Phantasus,* so ergibt sich etwa der folgende Ablauf. Der Urzeugung *Sieben Billionen Jahre vor meiner Geburt* und der Etablierung des Ichs darin im „Machtmythus" ordnet sich das *Kindheitsparadies* zu, in dem von der Geburt des Dichters in der

Königlich preußischen,
privilegierten
Apotheke

„Zum
schwarzen Adler“ [63]

erzählt wird und von den wehmütigen Erinnerungen an „frohen, reinen Kindersinn“, die schon die früheste Fassung des *Phantasus* bestimmt hatten.

Die nächsten Bücher – *Fern liegt ein Land, Über die Welt hin, Taten und Träume, Götter und Götzen* – beziehen sich auf Erfahrungen und Lebenskreise des erwachsenen Dichter-Ichs. Das Motiv der Großstadt wird eingeführt. Den Auftakt bildet eben jenes frühe *Phantasus*-Gedicht, das dem durch die Friedrichstraße Heimkehrenden eine Traumwelt vorgaukeln läßt: das „ferne Land“ seliger Natur und verschwundenen ersten Liebesglücks. „Über die Welt hin“ versucht sich der Dichter dann zu arrangieren. Zwar klingen immer wieder Rufe in ihm auf „aus einer Welt, die unterging“, aber zum Traum tritt jetzt reales Familienglück – „gleichweit von Geburt und Tod“ – und das Glücksgefühl der Teilhabe am Unendlichen im Kleinen, in Tautropfen, Gras und Blume.[64] Dieses Glück ist jedoch nur Episode; Klagen über die Vergänglichkeit erscheinen erneut.

Dunkele
Ranken über eine verfallende Mauer
sind
meine Tage.[65]

Aus der Sehnsucht nach echter, dauernder Erfüllung entstehen Taten in Träumen. Phantasus wird als erzener Held Befreier der schönsten Jungfrau:

Alle
Könige
beugten vor mir ihr Knie,
alle
Königinnen
haben nach meinem
Mund gelechzt![66]

– ebenso wie bald darauf Salome nach dem des Jochanaan. Das Blumenschiff fährt auf die Insel der Vergessenheit, der Held wird Drachentöter und alles

kniet vor mir, im Staub,[67]

bis sich dann die Dachkammerrealität wiedermeldet, die aber mit dem Traum von „deutscher Frühlingsnacht“ und der Erkenntnis vom großen Zusammenhang erneut überwunden wird.

Bei den „Göttern und Götzen“ schließlich geht es in mythische Dimensionen, und anstelle der sehnsüchtig erinnerten Heimat steigt die Fata Morgana eines exotischen Paradieses auf, wo sich die Götter ein Stelldichein geben. Das Idol der christlichen Kirche, der „anthropomorphe All-Einige", ist der Quälende und Folternde, dem der Leidende de profundis ein „hohndankknirschendes Hosianna" zuschreien muß.[68] Aber Aphrodite ersteht wieder, der Olymp, „angenehm nackt", veranstaltet ein Sonnenfest, Liebe und Tod verbinden sich bei „Dionysos-Pan-Thanatos" rauschhaft glücklich auf der „schwimmenden Liebeswunder-Zaubergarten-Toteninsel Tio-Tiu".[69] Und wenn auch alle Paradiese wieder versinken, so bleibt für Phantasus doch über allem „Ignorabimus" ein letztes „Und doch", der Glaube an ein „ewiges immer wieder Werden". Aus dem Schädel des Toten wachsen Blumen – die „dreizehn verschluchzenden Ikten" sind Abschluß dieses Teils der Dichtung.[70]

Die folgenden zwei Bücher der endgültigen *Phantasus*-Dichtung bilden jeweils eine gewisse, in sich geschlossene epische Einheit. Besonders seinem 1002. Märchen hat Holz unendlich viel Mühe zugewandt, und er hat sich gerühmt, darin einen Satz von nicht weniger als 2516 Zeilen geschrieben zu haben, „den längsten aller Zeiten und Literaturen, der alle auch nur entfernt ‚ähnlichen' siriusweit hinter sich läßt, und von dem mir nicht recht wahrscheinlich vorkommen will, daß er jemals durch einen noch längeren und ‚kühneren' übertrumpft und überboten werden könnte",[71] womit er recht haben mag. Gegenstand dieses Satzungetüms ist die Beschreibung des Palastes der Traumprinzessin Gülnare, der in all seiner unvorstellbaren Fülle, Üppigkeit und Jugendstilpracht den absoluten Gegensatz zur Ärmlichkeit der Dachkammer des träumenden Dichters darstellt. Dessen Problematik steigt denn auch immer wieder hinter der Schilderung dieses den materiellen und geistigen Reichtum und die Schönheit aller Zeiten und Völker in sich bergenden Luftschlosses empor.

Es ist Phantasus' Reise in die große Welt, die Holz in diesem Märchen geben wollte; die im Lehnstuhl der einsamen Dachkammer beginnende Traumreise führt ihn über den vorderen Orient, über Tibet und den Pamir, im Zeppelin über China bis hin zu jener fernen Südseeinsel, wo ihm dreizehn Freiersproben auferlegt werden, ehe er die nicht nur reichste und schönste, sondern auch in allen Liebeskünsten erfahrene Prinzessin erringen kann. Diese Proben bestehen nun aber im Verzehren unappetitlicher, ekler Gerichte, von denen das zehntausend Jahre alte Ei des Vogels Rok oder ein Elephantenphallus, der ihm noch dazu von einer Art Tiermensch vorgekaut werden muß, das mildeste sind. Masochismus gesellt sich zu Sadismus. Der Erfolg der kulinarischen Bemühungen scheitert am letzten Gang, dem Rizinusöl, das ihn veranlaßt, sich wieder „rückwärtszuschrauben" und allen weiteren Verwandlungsversuchen, etwa in die Großen der Weltgeschichte, zu widerstehen.[72] Denn anders als Faust findet Phantasus in die Welt der Politik keinen Eingang; das Herrschertum, in dem er sich im „Machtmythus" gelegentlich etablierte, bleibt exotisch oder archaisch fern von den Problemen, die Holz' eigene Zeit bewegten und die auch nicht allegorisch-symbolisch in der ästhetischen Ferne des Exotischen und Archaischen oder der Ornamentik des Jugendstils gespiegelt werden. Phantasus zieht von seinem Traumausflug schließlich „friedwärts" in die wesentlich weniger anspruchsvolle und anstrengende Fata-Morgana-Welt der einst verlassenen Heimat:

Reich
meines ersten,
nie
vergessenen,
jungfrohen, jungreinen, jungfrühen
Werdens!

Stätte
meines sorglos,
herrlich, unbekümmert
gläubigen,
arglos
unschuldigen, treuherzigen
Wachsens!

Wiege
meiner süßen, jubelnd frommen,
von
allen Wundern
übergnadeten, überbenedeiten, übersegneten
Kindheit!

Sei mir
gegrüßt!! Sei mir ... gegrüßt!![73]

Was immer Großes Holz mit diesem Märchen beabsichtigte, was immer Hinreißendes er an gelegentlichen wortmächtigen Schilderungen zu geben hat – das Ganze zerschellt an der Trivialität des Vorwurfs, für den der banal rührende Ausgang nur eine geradezu logische Folge ist. Gewiß ist das „Märchen" von Ironie und Selbstironie durchsetzt, und der Armchair-traveller sieht immer wieder kritisch-spöttisch auf sich selbst herab, wenn er sich zwischendurch an Schlafrock, Lehnstuhl und Filzlatschenrealität seiner wirklichen Existenz erinnert, wenn er Berliner Jargon und fremdsprachige Brocken in die Konfrontierung mit der großen Welt untermischt. Aber der sprachliche Spielraum ist auch hier wesentlich größer als die dargestellte und ausgedrückte Substanz. Im Grunde kehren nur die längst bekannten Motive wieder: Phantasus als der omnipotente Allerweltskerl in der großen und kleinen Welt, der im Märchen die Misere überfliegen möchte und dann doch still zurückkehrt hinter das Fenster seiner Behausung.

Etwas Ähnliches ereignet sich nun auch in dem sogenannten „Dachkammer"-Gedicht, das aus den 19 Zeilen in der Fassung von 1899 zu einem Buch von mehr als 260 Seiten in der letzten Ausgabe aufgeschwollen ist. Thema ist der Besuch fünf seiner Freunde, des „Meisters" R. W. Martens, des „Meesters" Max Wagner, des „Maestro" Georg Stolzenberg, des „Maestrino" Robert Reß und des „Maestrillo" Reinhard Piper in seiner Stube. Jeder der Besucher trägt eines seiner Gedichte im Holzschen Mittelachsenstil vor, wobei es sich um tatsächlich von den Betreffenden verfaßte Verse handelt, die nur von Holz wieder beträchtlich erweitert und umgestaltet worden sind. Piper schließt sich von der Rezitation aus und wird zur Strafe dazu verdammt, den übriggebliebenen Kuchen zu essen. Der Rest sind Literaturplänkeleien im Stile der *Blechschmiede*, ist die Darstellung von Holz' Mühe, die poetischen Geschöpfchen seiner gelehrigen Schüler recht zu formen und sie zu schützen, und ist schließlich die stille Erkenntnis, daß die Großen, aber zu ihrer Zeit oft Armen, Verachteten oder Vergessenen, daß Shakespeare, Cervantes, Dante, Firdusi, Rembrandt, Bach, Stamitz, Mozart und Beethoven als ewige Zeitgenossen unter ihnen, den nach Neuem Drängenden, mit anwesend sind.

Den Ausklang des *Phantasus* bildet, daran anschließend, dann auch das „Ecce Poeta", das die Apotheose des Phantasus-Ichs bringen soll. Hier sind noch einmal frühere Einzelgedichte zusammengebündelt: der nächtliche Besuch der Muse, der durch Fixsternwälder in neue Welten vordringende Pegasus, die Attacke gegen den „Antipoden" George, persönliche Reminiszenzen an die eigene Dichtervergangenheit, aber auch wiederum Trauer, Traum und Selbstzweifel. Schließlich veranstaltet Phantasus auf der „lustigen Hallelujawiese" seines Herzens, dem Muster der *Blechschmiede* folgend, eine Art Dichterkongreß, bei dem sich eine repräsentative Auswahl aller Weltliteraten zusammen mit einem bunten Gemisch ihrer eigenen Geschöpfe, mythologischen Gestalten sowie einem Nackt- und Schleierballett einfinden. Die Zusammenkunft steigert sich also zu einer riesigen Orgie, bei der sich am Ende alles wahllos miteinander paart, und der Weisheit letzter Schluß bleibt:

Der
Mensch ist nichts, als
ein
Adnexus zu ... seinem Sexus.[74]

Das Ende sind Tod und Verklärung. Auf sein fernes „Felsklippeneiland" Salas y Gomez, das Chamisso der Literatur erschlossen hat und das auch Mombert faszinierte,[75] hat sich der Dichter geflüchtet und möchte selbstverloren von all den Phantomen Abschied nehmen, denen er einst nachgejagt war, von Glück, Ruhm, Ehre, Liebe, Vaterland und schließlich den Menschen selbst. Aber ein Holzsches Sehnsuchtsmotiv – das Fenster – klingt noch einmal an, wenn Phantasus mit dem Blick aus seinem Traumschloß schließlich das Zeitliche segnet. Sein großes Testament „Für ewig und immer" faßt alle Verwandlungen, durch die er hindurchgegangen ist, zusammen. Man hat den Dichter-Phantasus umjubelt und angespien, Hosianna gerufen und ihn gekreuzigt; nun liegt die Welt als „erloschener Höllenhimmel", als „Nebelwüste" und „Schattenlandschaft" hinter ihm. Das Proteus-Ich verstiebt ad astram ins All.

Höher und höher
strebt
mein Geist,
läutert sich, erlöst
sich, hebt sich,
verschwebt sich, verwebt
sich
ins . . . All!
. . . .
Mein
Staub verstob;
wie
ein Stern strahlt mein
Gedächtnis![76]

Nonplusultra-Poem

Maximilian Harden hat Holz einmal „ein musikalisches Talent" genannt: „Sein Ohr ist ungewöhnlich fein und scharf, er hört die Menschen leben und kann die Klangbilder, denen sich das ovale Fenster öffnet, mit merkwürdiger Kraft und Kunst vor minder hellhörigen Ohren wieder lebendig machen." Allerdings sah Harden auch die Einschränkungen und Gefahren einer solchen Anlage: „Ein Künstler, in dessen Sinn so viel Melos lebt, wird für lautliche Eindrücke besonders empfänglich sein und, wenn er liebend dabei zugleich stets den charakteristischen Ausdruck sucht, leicht zu einer Überschätzung der Technik der Sprache gelangen." [1]

Der Vorwurf, eher ein Formtalent zu sein als ein Künstler, der etwas zu sagen hat, ist Holz von seinen frühesten Tagen an gemacht worden. Ob das Wort Vorwurf berechtigt ist, mag dahingestellt bleiben. Sicher ist, daß der formale Aspekt von Holz' Werk nicht nur dessen eigene Aufmerksamkeit, sondern auch die seines Publikums in einem Maße in Anspruch genommen hat, das dergleichen Interesse bei anderen Schriftstellern weit übersteigt. Schließlich hat sich Holz auch gern selbst zitiert als „der formale Erneuerer der modernen deutschen Poesie".[2] Keinesfalls läßt sich also die Frage nach Sinn und Bedeutung des *Phantasus* als Gesamtkunstwerk von der Frage nach Sinn und Bedeutung der spezifischen Form trennen, in der die Dichtung sich in ihren späteren Fassungen präsentiert.

Holz hat seinen *Phantasus* als ein religiöses Buch verstanden wissen wollen. „Religiöser als der ‚Phantasus' war nicht das Buch Hiob!" [3] schreibt er an Franz Servaes. Das ist nicht im Sinne einer mythischen Religionsstiftung zu verstehen; gerade der Gedanke von der Allverwandelbarkeit und Proteushaftigkeit des Phantasus-Ich hätte solchem Unterfangen entgegengestanden, so sehr die Dichtung natürlich mythische Elemente und mythologische Motive in sich aufsog.

Holz' „Religion" in seinem *Phantasus* steht in enger Beziehung zu der Vorstellung von einem werdenden Gotte, wie er sie in der *Blechschmiede* verkündet hatte:

> Jede Schranke, die dich hemmt,
> dingt dich dem Gemeinen,
> nur wem nichts mehr wesensfremd,
> ahnt den Ewig-Einen![4]

Was Holz damit sagen wollte, hat er eigentlich den ganzen *Phantasus* hindurch zugleich zu demonstrieren versucht, daß nämlich das sich in alles verwandelnde, das alles sich anverwandelnde Ich das eigentliche Zentrum der Welt bildet, aus dem bei völliger Entgrenzung auch ein neuer Gottesbegriff entstehen kann – „Gott wird" – der sich mit herkömmlichen Termini wie Pantheismus nur schwer fassen läßt. Eher wäre es wohl eine Art „Ich-Vergottung" zu nennen, denn dem Holzschen Phantasus-Ich fehlt wie den Gestalten in der *Blechschmiede* und dem *Dafnis* im Grunde jede wirkliche Transzendenzerfahrung; worauf sich dieses Ich bezieht, das sind eigentlich immer nur „Dinge", so groß die Dimensionen auch im einzelnen sein mögen. Sein „All" bleiben doch die „Fixsternwälder", bleibt die Spanne zwischen Urzeugung und Tod im ewigen Kreislauf des Lebens und bleibt schließlich die auslotbare Tiefe der eigenen Seele mit ihrer bunten Fülle von Gedanken, Gefühlen, Vorstellungen und Empfindungen. Insofern ist der Phantasus-Mythos in der Tat das Produkt eines naturwissenschaftlichen Zeitalters. Es ist der Versuch, der festgestellten Determiniertheit und Begrenzung der menschlichen Existenz einen universalen, tröstenden und optimistischen Aspekt abzugewinnen. In einer allgemeinen Krise der Transzendenz wird eine Art biogenetische Proteus-Metaphysik entwickelt.

In diesem Sinne hat Holz also seinen *Phantasus* als Weltgedicht und religiöses Werk verstanden wissen wollen und sich nicht damit begnügt, die „Autobiographie einer Seele" [5] etwa nur als eine Art Psychoanalyse zu geben. Über „Mikrosektion" und „Mikrophotographie" des Inneren, wie sie Flaubert, der „Einsiedler zu Croisset", mit seiner *Tentation de Saint-Antoine* betrieben hat, mokiert er sich ausdrücklich am Ende seines 1002. Märchens: „Gratias!! Danke!!" [6] Dennoch ist ein Verständnis des *Phantasus* und seiner spezifischen Form nicht möglich ohne den nochmaligen Blick auf die Persönlichkeit seines Schöpfers in ihrer psychopathischen Verstrickung mit Zeit und Umwelt.

In seiner Untersuchung über *Schizophrenie und Sprache* hat Leo Navratil den Versuch unternommen, die sprachlichen Äußerungen psychisch Kranker zu analysieren, wobei er eine gewisse Verwandtschaft zu Erscheinungsformen moderner Sprachkunst festgestellt hat. Schizophrenie geht auf ein Versagen menschlicher Anpassung an die Ordnungssysteme und Normen der Gesellschaft zurück. „In der Schizophrenie zerbricht das soziale und konventionelle Beziehungsgefüge, es zerbricht damit die ratio, die Welt, die Realität, das Ich. In der Phase der Restitution wird das alles von Grund auf neu aufgebaut." Beim Schizophrenen sind nun das Krankheitsgeschehen selbst und die daraus hervorgehenden Versuche zu künstlerischen Äußerungen der angedeutete Restitutionsvorgang, aber Navratil verwahrt sich mit Recht vor voreiligen Parallelen: „Die schöpferische

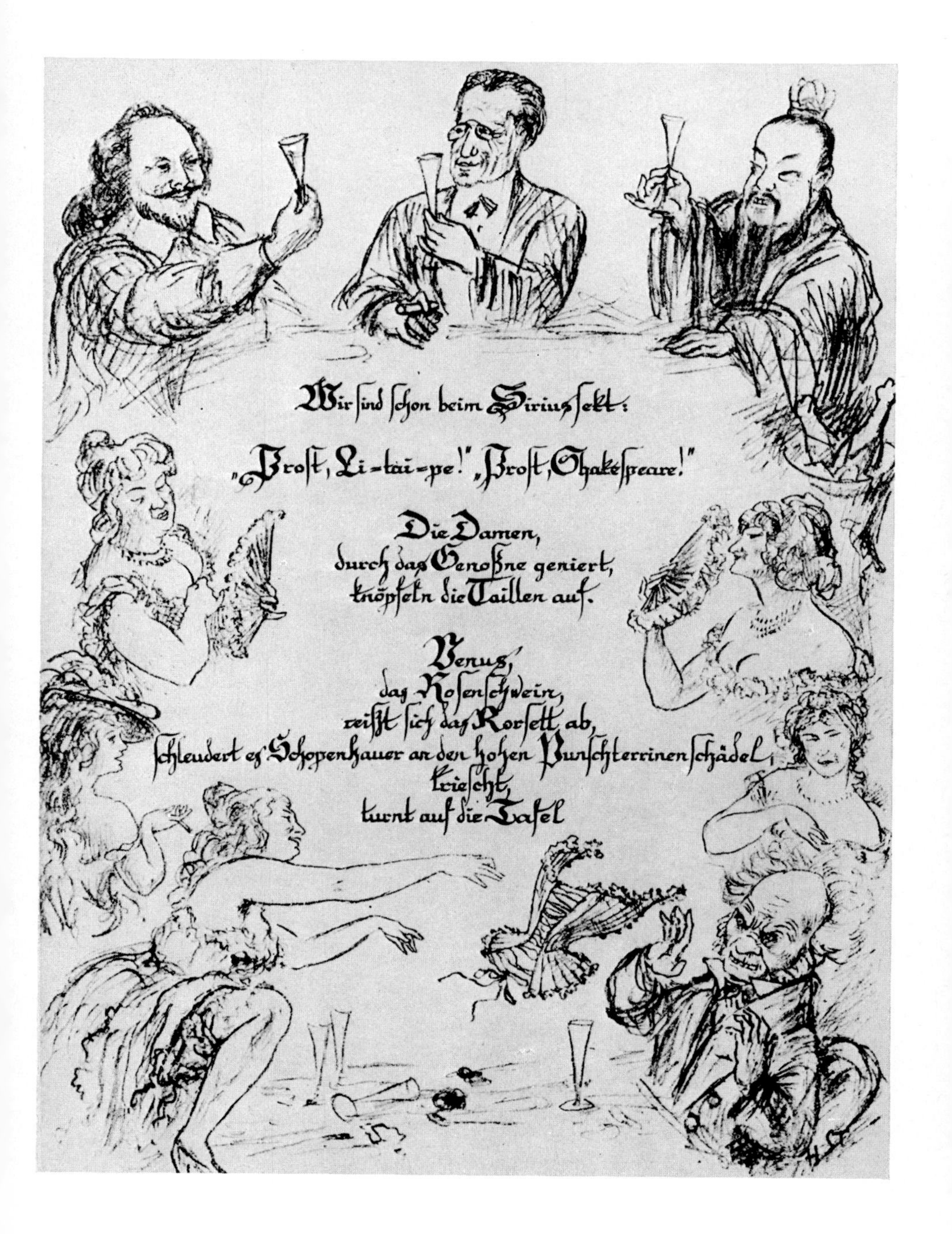

Seite aus Deutsches Dichterjubiläum. *Sonderdruck eines Gedichtes aus dem* Ecce Poeta *zu Holz' 60. Geburtstag (1923)*

Fähigkeit des Naiven, des Kindes, des Primitiven – des Künstlers stammt aus einer ähnlichen seelischen Dynamik, hat aber nichts mit Krankheit zu tun." [7] Dennoch ist natürlich interessant zu sehen, wie viele der von Navratil aufgezeichneten Charakteristika schizophrener Sprache in gewisser Verwandtschaft zu Phänomenen der Sprache von Arno Holz stehen, wie sie sich besonders in den späteren Fassungen des *Phantasus* finden. Das betrifft allgemein die Neigung zum formalen Spiel und zu sprachlicher Deformation wie im besonderen die Vorliebe für große Zahlen, für Neologismen, Riesenworte, Glossolalien, das Spiel mit der Orthographie und überhaupt eine Sprachbesessenheit, die sich immer stärker in den Überarbeitungen des *Phantasus* und auch der *Blechschmiede* äußert. Das von Navratil gegebene Zitat aus einem phantastischen Reisebericht eines seiner Patienten mutet fast wie eine *Phantasus*-Parodie an, denn der Kranke unternimmt „vom Gottvatter-Himmel-Steern-Zohrn-Riesen-Gletscher, in direkter Begleitung Gott des allmächtigen Vatters, auf einem riesenhaften Kolang-Transport-Luxus-Vogel, (oh wie schön.) eine Lust-Reise nach dem Zentrum des, zirka, 680 Miriaden Quadrat-Miriameter Flächeninhalt repräsentierenden Himmels".[8] „Sprech- und Sprachautomatismen" gehören ebenso zu typischen Eigenschaften der Sprache von Holz wie Erscheinungen des Sprachmimischen, die, wie Navratil bestätigt, auch in der Psychiatrie stärkere Aufmerksamkeit finden, wo von „psychopathologischem Plagiieren" gesprochen wird.[9] Ein anderer Psychiater, Alexander Mette, hat im Pawlowschen Sinne gerade am Beispiel Holz die Entfesselung „sprachmotorischer Reaktionen" einerseits mit Tonuserhöhungen in dem die Empfindungen, Wahrnehmungen und Assoziationen kontrollierenden ersten Signalsystem und andererseits mit gewissen Hemmungen in dem Wortbildung und Sprachverständnis durch das Denken kontrollierenden zweiten Signalsystem zu erklären versucht. Solche Tonuserhöhungen manifestieren sich „in gesteigerter Ausdruckskraft, gesteigerter Bildhaftigkeit und Konkretheit der wörtlichen Äußerungen" und sind zuweilen im Initialstadium schizophrener Erkrankungen festgestellt worden.[10]

Sowenig nun bei Holz an abnormalen Zügen oder Tendenzen in seiner Persönlichkeitsstruktur gezweifelt werden kann, sowenig soll ihm allerdings Schizophrenie angedichtet werden. Was hier vielmehr, wenn auch nur in Umrissen, sichtbar und greifbar wird, sind einerseits die schwer zu beschreibenden und festzulegenden Beziehungen zwischen außerordentlicher Begabung und Krankheit – „Genie und Irrsinn", um in der Sprache von Holz' eigener Zeit zu reden [11] – und andererseits die verschiedenartigen Beziehungen zwischen dem schöpferischen Individuum und der es umgebenden, sich wandelnden Welt. Künstlerische Produkte sind Auseinandersetzungen mit diesen Beziehungen und ihrer Problematik, und Navratil bezeichnet deshalb auch treffend die Funktion der Sprache im Dienste des Individuums als „Bannung, Beschwörung, Bewältigung“ [12] solcher Konflikte. In ihrem Inhalt wie in ihrer künstlerischen Gestaltung, in ihrem Gelingen wie in ihrem „Zerspringen“ sind Holz' Werke Ausdruck nicht nur für persönliche Potenzen, Veranlagungen und Eigenschaften, sondern auch für die Zeit, gegen die und mit der sich eben diese Potenzen, Veranlagungen und Eigenschaften entwickelten. Mette hat bei Holz sogar dessen „erstaunliche Höhe kinästhetischer Unterscheidungs- und Reproduktionsfinesse“, dessen Entfesselung „sprachmotorischer Reaktionen“ in Wortgirlanden und Wortkaskaden als eine Art „Schutzmechanismus“ zu erklären versucht und solchen Schutzmechanismus mit der „Erschütterung seiner unausgereiften politischen und literarischen Hoffnungen“ schon in den „letzten achtziger Jahren“ in Verbindung gebracht.[13] Den Zusammenhang zwischen hoffnungsloser Isolation in einer von ihm selbst verkannten bürgerlichen Umwelt und seinem sprachlich-formalen Avantgardismus hatte auch der Arzt Alfred Döblin bei Holz diagnostiziert.[14] Die Ablösung der Jugendideale, „halb Rousseau, halb Lassalle“, „Volksmann“ und „Poet“, Vorkämpfer und Präzeptor zu sein, durch den Ehrgeiz, sich einst als „formaler Erneuerer“ der deutschen Literatur [15] gefeiert zu sehen, setzt in der Tat mit der Arbeit an den *Neuen Gleisen* ein.

Es darf außerdem bei all seiner wachsenden psychopathischen Ich-Besessenheit nicht übersehen werden, daß Holz das Bewußtsein von Fragwürdigkeit und Gespaltenheit seiner künstlerischen Existenz durchaus nicht ganz und gar gefehlt hat. Immer wieder bricht die teils selbstironische, teils verzweifelte, teils allerdings auch wehleidig-sentimentale Erkenntnis durch von der Abgeschlagenheit des schöpferischen Individuums in die Isolation eines Elfenbeinturms, einer Dachkammer oder irgendeiner anderen Variation der Innerlichkeit. Holz steht damit schließlich in Korrespondenz zu einer Reihe seiner Zeitgenossen, die den offensichtlich unheilbaren Widerspruch zwischen Künstler und Öffentlichkeit wie zwischen Kunst und Leben empfanden und ihn zum Thema ihrer Werke machten. Aber Heinrich Manns Künstler Mario Malvolto zum Beispiel zerbricht an der Erkenntnis, daß er eben nicht mehr „stählerner Daseinskämpfer“, nicht mehr Pippo Spano, einer der „Condottieri des Lebens“ ist, sondern „ein steckengebliebener Komödiant“, dem die Kraft zum Handeln fehlt und für den „die Welt nur Stoff ist, um Sätze daraus zu formen“.[16] Holz dagegen geht es um Versöhnung, um die Aufhebung aller Tragik in einer monistischen Allphilosophie, die jede Distanz zwischen ihm und seinem lyrischen Helden schließlich beseitigt. Das Werk bleibt Autobiographie und Phantasus, wie es Gustav Stresemann in einem Beitrag zu einer Festgabe für Holz einmal treffend formuliert hat, ein „Dilettant des Lebens“.[17]

Das Besondere an Holz' Werk ist jedoch, daß gerade die künstlerisch unbewältigte Zeitproblematik einhergeht mit Entdeckerfahrten in den Bereich der dichterischen Sprache, mit denen er wegweisend für ganze Schriftstellergenerationen wurde, ob sie sich dessen nun im einzelnen bewußt waren oder nicht. Der gestörte Bezug zwischen Innen und Außen, den Holz in seinem Phantasus-Mythos vergeblich aufheben wollte, wurde ihm zugleich zur Triebfeder seiner sprachkünstlerischen Experimente, in denen das Auseinanderbrechen des Materials, aus dem das Gesamtwerk errichtet werden sollte, den Ausgangspunkt für neue, konstruktive Gestaltungsmöglichkeiten schuf. „Das Ganze entglitt ihm. Aber sein Unbewußtes, gegen sein Gehirn, befahl ihm zu folgen, und er kam auf ein neues Gebiet", konstatierte Alfred Döblin.[18]

Wie sich die gebrochene Relation zwischen Außen und Innen in der Motivik des *Phantasus* durch die häufig verwendeten Spiegelungen und Spiegelbilder zeigt, die die Realität nur noch in der Distanz des Abbildes wiedergeben, so findet sich in der Sprache des *Phantasus* eine entsprechende Tendenz zur verfremdenden Benutzung des schon gebrauchten sprachlichen Ausdrucks, des Zitats und der Collage anstelle der unmittelbaren Reproduktion des Gesehenen und Empfundenen. Mit der parodistischen Kontrastierung von Berliner Bohème-Jargon und der klassischen Sprache von Schlegels Shakespeare-Übersetzung hatten Holz und Schlaf schon im *Papa Hamlet* über eine epigonale Erzähldiktion hinauszudringen versucht und so ihre Unzufriedenheit mit den ihnen zur Wiedergabe der „Natur" zur Verfügung stehenden „Reproduktionsbedingungen" zum Ausdruck gebracht. Das Zitieren beginnt nun in den sich immer stärker erweiternden Fassungen des *Phantasus* wie eine Pilzflechte zu wuchern. Das geschieht in doppelter Form: einmal als das Einfügen eines wirklichen, aus dem Werk eines anderen Autors stammenden Zitats, das leicht variiert in den Text verwoben wird und mit seinem Anspielungscharakter vom „Kenner" genießerisch empfangen wird, zum anderen aber als eine Art Selbstzitat, in dem das Gesagte durch Anführungszeichen distanziert und als nicht eigentlich vom Autor direkt so gemeint bezeichnet wird.

„‚Rätin, er lebt!' hatte niemand geschrien",[19] stand schon gleich am Anfang von Holz' lyrischer Autobiographie. Im 1002. Märchen zwingt ein „zarter, sanfter, süßgeheimnisvoller Flötenton" dem Phantasus-Faust plötzlich „das Glas" von seinem Munde.[20] Vom barocken Dafnis-Ton und der entsprechenden Orthographie wird weidlich Gebrauch gemacht:

„Drotz Schnillerleben und drotz GOETHE
mißacht ich nicht die Opitz-Flöte!!"[21]

Christian Reuter – „Der Tebel hol mer"[22] –, Friedrich Rückert, Richard Wagner, Kaiser Wilhelm werden herangezogen. Manches ist mehr beiläufiger Jux mit dem zum Klischee gewordenen Zitat aus dem „Bildungsstoff“:

Sehe jeder, wie er's
treibe, bleib mir vom Leibe,
geh zum Henker, geh zum Teufel, geh zum
Weibe.[23]

Oder auch die „Jungfrau“:

Mein ist der Helm und mir gehört er zu.[24]

Das letztere Zitat findet sich in jenem großen Literaturkonvent in der Dachkammer des Dichters, der zu einer regelrechten Zitatenmontage wird. Schon der Begrüßungschorus ist ein Zitatenpotpourri, das nur noch gelegentlich kleine redaktionelle Eingriffe erfährt:

„Brüder, auf zum Bunde!“ „Nieder mit die
Hunde!“
„Wer wider uns,
der ist ein Schuft!“ „Hurrah, wir
wittern
Morgenluft!“
„Stäupt mit Besen! Haut mit
Thesen!“
„Verstand ist stets bei wen'gen nur
gewesen!“
„Bewahrt das Feuer und das Licht!“ „Der wackre Schwabe forcht sich
nicht!“
„Wir fühlen uns“ „durchaus geboren!“ „Der rechte Ring“ „ging nicht
verloren!“
„Rupft eure Lyren,
Mann für Mann!“ „Bald naht die Nacht, wo niemand wirken kann!“
„Prescht
die Romanzler, die
Balladler!“ „Denn wo's nach Aas stinkt“, „sammeln sich die Adler!“ [25]

Der ganze Sängerkrieg am „Großen Dichtermittwochnachmittag in meiner Feuerstuhlbude“ wird über Seiten hinweg zu einem solchen literaturgeschichtlichen, der *Blechschmiede* verwandten Sammelsurium, das dann auch folgerichtig beim Neusten und Höchsten endet:

„Sein oder Nichtsein, das ist hier die
Frage!“ „Verzage
nicht,

nach altem Brauch abwechselnd gegenseits sich wie überfließendes, wie aus so viel und viel Pistolen sich schießendes,
wie aus den Ärmeln sich schüttendes, vollmaßlichst sich rüttelndes,
wie in einem Pantinenkeller klappendes, nie sich vertappendes, wie mit Hetzhunden sich jagendes, nicht einen Augenblick versagendes,
joko-danteskes, ulko-michelangeleskes,
sich überkugelnd sich überschlagend sich überpurzelnd bardeskes,
barbareskes, giganteskes,
tohuwabohuhaftes Begrüßungsgebrüll:

„Brüder, auf zum Bunde!" „Nieder mit die Hunde!"
„Wer wider uns, der ist ein Schuft!" „Hurrah, wir wittern Morgenluft!"
„Stäupt mit Besen! Haut mit Thesen!" „Verstand ist stets bei wen'gen nur gewesen!"
„Bewahrt das Feuer und das Licht!" „Der wackre Schwabe forcht sich nicht!" „Wir fühlen uns durchaus geboren!" „Der rechte Ring ging nicht verloren!"
„Rupft eure Lyren, Mann für Mann!" „Bald naht die Nacht, wo niemand wirken kann!"
„Prescht die Romanzler, die Balladler!" „Denn wo's nach Aas stinkt . . ." „sammeln sich die Adler!"
„Geliebtes Deutsch! Wie klingst du schlecht . . ." „sobald dich jemand radebrecht!" „Von allen Seiten plärrt's von Frommen . . ." „die Mitleid ließ zu hohen Jahren kommen!"
„Keiner stöhne!" „Keiner klöhne!" „Jeder töne!" „Jeder dröhne!" „Seinen Päan . . ." „der Kamöne!"
„Die Sache will's!" „Klar zum Gefecht!"
„Wir sind mit vollstem Fug und Recht . . ." „daß niemand sich gen uns erfrecht . . ." „in einem neuen Weltverflecht . . ." „ein anders denkendes Geschlecht!"
„Stoßt! rammt! bohrt sie in den Grund . . ." „die zu alten Alten!" . . . „Das uns anvertraute Pfund . . ." „wollen wir verwalten!"
„Vom Bober bis zum Ganges!" „Auf Flügeln des Gesanges!"
„Vom Stein am Rhein bis zum Skamander!" „Die Geister platzen auf einander!"
„Blickt man umher in diesem edlen Kreise . . ." „vermißt man Daumer, Dahn und Heyse!"
„Warum nicht gleich, uns wird ganz schwach . . ." „wir schreien ‚Mord!', wir zetern ‚Ach!' . . ."
„kein Mensch vom Bau . . ." „schrieb je so flau"
„uns wird ganz mau . . ." „ganz grau, ganz blau"
„kein Mann vom Fach . . ." „schrieb je so flach . . ." „uns flammt das Dach . . ." „wir schlagen Krach"
„den guten Berthold Auerbach!"
„Was einst weiß und wangenrot . . ." „von brävstem Korn, von echtstem Schrot . . ."
„über allem Drang und Kot . . ."
„teils to Pierd und teils to Foot . . ." „gewandet oft in feinstem Kloth . . ."
„dem Schnicksal Stirn und Nase bot . . ."
„trat längst befreit aus aller Not . . ." „die Zeit sowie Herr Zebaoth . . ."
„mehr oder minder . . ."
„mausetot!"
„Ob Teutsche, Wenden oder Sorben . . ." „auch Patroklos ist gestorben!"
„Wer lagert heut noch um den Born . . ." „der Hippel, Heinse, Hagedorn?" „Gottsched, Eßner, Göckingk, Gotter . . ." „sind uns Eier ohne Dotter!"
„Lichtwer, Liscow, Langbein, Lappe . . ." „nur noch Liliputs aus Pappe!"
„Bodmer, Breitinger und Boie . . ." „was ward aus der deutschen Treue? . . ." „bei des Himmels bläuster Bläue . . ." „grause, längst kastrierte Göie!"
„Klopstock, diesen alten Knaben . . ." „braucht man nicht erst zu kombaben!"
„Zu Staub, zu nichts zerbarst sein Kiel!" „O unglückselig Flötenspiel!" „Längst schon sitzt er, eine Leiche!" „Seht das Angesicht, das bleiche!"
„Auch der Biedermensch Musäus . . ." „o du heiliger Eumäus . . ." „wirkt heut nicht mehr als Tyrtäus!"
„Zschokke, Bitzius, Hebel, Haller . . ." „wem sind sie noch heute Knaller?" „Niemand schwärmt mehr für die zarten . . ." „Matthissen und Kosegarten!"
„Sallet, Seidl, Salis-Seewis . . ." „ihre Glorie war höchst brevis . . ." „nemini ars erat levis!"
„Menzel, Meißner, Möser, Merck . . ." „Schimmel pilzt auf ihrem Werk!"
„Ach, es ist schon lange her!" „Sohn, da hast du ihren Speer!"
„Mahlmann, Miller; Müllner, Mosen . . ." „Mädchen, süß war einst ihr Kosen . . ." „keine mehr flicht ihnen Rosen!"
„Fouqué, Feuchtersleben, Weiße . . ."
„dichteten mit größtem Fleiße . . ." „jeder fest auf seinem Steiße . . ." „doch es blieb bei ihrem Schweiße!"
„Joachim Heinrich Campen . . ." „kann keiner mehr schlampampen!" „Schwapp, schloß sich der gleiche Schlitz . . ." „auch über Uz und Leisewitz!"
„Auf Thümmel, Tiedge und auf Tieck . . ."
„haben wir fast einen Piek!" „Und gründlichst stehn uns überzwerg . . ." „Görres, Gellert, Gerstenberg!"

Der Anfang des Literaturkonvents in der Dachkammer in der Ausgabe des Phantasus *von 1916*

du Häuflein
klein!" „In neue Schläuche neuen Wein!"
„Kommen Se
rein, kommen Se rein, kommen Se rein,
kommen Se
rein!"
„Die Kunst hat die Tendenz, die Natur zu
sein!" [26]

Dieser Literaturspaß über viele Seiten ist wohl hauptsächlich als eine Abrechnung mit der literarischen Tradition gemeint, über die man sich hinwegsetzt und die man überwunden zu haben glaubt. Aber wie auch schon in der *Blechschmiede* ist Parodie bei Holz mehr mimisch als das Wesen des Parodierten treffend. So ist Zitat nicht immer nur literarisches Zitat, sondern die für Holz unwiderstehliche Reproduktion einmal irgendwo Gelesenen oder Gehörten, wie hier die Lockrufe – „Kommen se rein!" – des Schaubudenbesitzers. Denn in eben so reichlicher Fülle wie Zitate aus allen möglichen literarischen, philosophischen oder wissenschaftlichen Werken finden sich Entlehnungen aus Jargons und Dialekten, die aber eben nicht mehr wie in den frühen Studien zur Charakterisierung des sprachlichen „Milieus" einzelner Personen verwendet werden, sondern zur Relativierung oder Ironisierung des selbst Gesagten, zur Distanzierung des Autors von seiner eigenen, persönlichen Diktion. Im 1002. Märchen wird die Überquerung der Wüste Gobi, mit verfallenen Oasen und gerippeübersäten Ruinenstädten, geschildert:

Puh!
Jejend,
Jejend, nischt wie Jejend![27]

Berolinismen wuchern: „Nabend!" „Moin!" „Det Aas hats jut!" Naßforscher Offiziers-, Kommis- oder Studentenslang findet sich im seriösen Kontext: „Unanjenehm!" „Ent- oder Weder!" „Wärtswärts!" Man „kombabt", sagt „Ex", „Verschiß" und spürt, „wie was mit Grundeis geht!" [28] Auch Außerberlinischem kann Holz nicht widerstehen, so als Dank bei einem der Gerichte seines Märchens:

„Gratias! Merssi! I donk scheen! I hob schon!"
„Wann's wieder so beliebt!" [29]

Der Spaß an der Reproduktion der vorgefundenen Sprache gibt dem Klang einer Wendung den Vorrang über deren Bedeutung an sich oder im Zusammenhang. Das wird besonders prägnant in der großen Festivität der „Hallelujawiese", wo unter anderem auch Goethe auftritt:

Hafis,
das Luder, benimmt sich mit Bathseba, Shakespeare, der Luntrus, mit
[Dorchen Lakenreißer,
Goethe,
der Hundsfott,
(Was die spinöse, was die malitiöse, was die
odiöse
Frau von
Stein! Sie war zu uns beiden zu gemein! Laß sie laufen, laß sie sein!)
langt sich
quer über den Schoß, vollhüftig und
bloß,
los, Kinder, los, famos, famos,
die dicke Vulpius!

Sie
herzen sich küssend,
Arm in Arm,
er hält sie sicher, sie hält ihn
warm,
sie sind sich
ihr
gegenseitiger
Schwarm, Cupido, blinzelnd, bläst Alarm.

„Tritt
gefaßt! Acht gepaßt!

Eins = zwei ... *Eins* = zwei ... *Ein* = zwei
...
So!“ [30]

Was hier zu parodistischem Zitat – „Erlkönig“ – hinzutritt, ist die Verführung durch Sprachmimik und Assoziation. Man hört Franz Biberkopf durch die Straßen Berlins ziehen und begreift, warum Döblin behauptet hat, von Holz sei viel zu lernen.

Dazu tritt die beständige Relativierung des Selbstgesagten, nicht direkt Zitierten oder mimisch „Plagiierten“ mit Hilfe der Anführungszeichen, so weit, daß in der Nachlaßfassung des *Phantasus* Holz ganze Teile eigener Gedichte oft auf diese Weise von sich selbst und dem Leser abrückt. In der ersten *Phantasus*-Fassung hieß ein George verspottendes Gedicht:

Er kann kein Vogelgezwitscher vertragen.

Die sogenannten Naturlaute der Nachtigallen und Lerchen
sind ihm zuwider.

Sein Hirn
ist vollständig mit Watte tapeziert.

In der Mitte
kauert eine kleine Rokokovenus
und piet aus Silber
in einen goldnen Nachttopf.[31]

In der endgültigen, drei Seiten langen Fassung sieht der erste Satz so aus:

Er
kann kein
„Vogelgezwitscher"
vertragen.

Die
„sogenannten Naturlaute"
der
„Nachtigallen",
„Amseln" und „Lerchen"
sind ihm: zuwider![32]

Gewiß, auch das soll der sprachlichen Differenzierung dienen und George für die in Anführungsstriche gesetzten Worte verantwortlich machen, aber durch die Ausdehnung des ganzen Gedichts ist die Satire oder der Spott entschärft, und der Akzent liegt – wie übrigens auch in den ursprünglich als Literaturparodie konzipierten Teilen des „Dichtermittwochnachmittags" und der „Hallelujawiese" – schon mehr auf der Skepsis an der Tragfähigkeit des überkommenen Sprachmaterials und auf dem Versuch, es spielerisch neu zu organisieren. Überhaupt wird die Reflektion über die eigene Sprache bei Holz immer mehr zur Manie und Manier, so wenn er, sich an erste Schriftsteller- und Druckerarbeiten erinnernd, einst

„Artikel" dort „schrieb" und „Bogen falzte"[33]

oder wenn Herr Krügel, das in den *Sozialaristokraten* verewigte Berliner Original, seine Tabaksdose

ohne „Hitze", ohne
„Hatz" wieder gebannt an ihren „Platz"[34]

Er kann kein „Vogelgezwitscher“ vertragen.

Die sogenannten „Naturlaute“ der „Nachtigallen“ und „Lerchen“
sind ihm zuwider!

Jene „stupide“, „perfide“, „insipide“ „Futteralangelegenheit“,
die die „Menschen“ die „Liebe“ nennen,
ausgenommen unter „Brüdern“,
als welche er „Christus“, „Sakya Muni“, „Moses“, „Lao- tse“ und „Zoroaster“,
„Confuzius“, „Cheops“, „Hannibal“,
„Pythagoras“ und „Heraklit, den Dunklen“,
„Sokrates“, „Plato“, „Pindar“, „Phidias“, „David“, „Dante“, „Diogenes“, „Cesare Borgia“, „Michel Angelo“, „Christoforo Colombo“, „Shakespeare“, „Lionardo da Vinci“,
„Apollonius von Tyana“ und „Friedrich den Großen“ herzählt,
ist ihm fremd!

In seinem Hirn,
das, vollständig mit Watte tapeziert, „Vulgäres“ nicht mehr praktiziert,
das sich um nichts mehr tourmentiert, das über alles voltigiert, für das die „Welt“, wie ausradiert, im Grunde nicht mehr existiert,
das nur noch um sich selbst rotiert,
in seinem Hirn, o Gschesü Krih, in seinem Hirn, gestatten Sie,
in seinem Hirn, in seinem Hirn,
in seinem Hirn,
in einem leeren, hehren,
— Wie soll ich das sagen? Wie läßt sich das ausdrücken? Wie kann man das erklären? —
prekären, kapazitären, rudimentären Hohlraum,
— Famos!! Famos!! —
nackt und blöß, kaum erbsengroß, von Zuckerino Zackino, nicht von Veit Stoß,
in seinem Hirn,
„allein“,
„rein“,
„keusch“ und „heilig“,
nur noch „Kunst“, nur noch „Kulturbijou“,.
nur noch „Kultkalkül“,
kauert eine kleine, entzückendst gemeine, reizendst feine,
sublime, intime,
allerliebste, kristallne Rokokovenus
und piet aus Silber
in einen goldnen Nachttopf!

Das „George“-Gedicht in der Ausgabe des Phantasus *von 1916*

stellt. Selbst in Holz' private Korrespondenz drangen die Anführungszeichen in beträchtlicher Zahl ein, wie etwa ein Brief an Max Wagner aus dem Jahre 1905 zeigt:

> Lieber Herr Wagner! Wenn Sie mich nochmal in einer „geschriebenen Anrede“ „sehr ehren“, sind wir „schuß“. „Lieb“ zu haben haben Se mich. „Verstanden?“ Sie kennen doch das alte schöne Wort: „Liebe mir, oder ick zerhacke Dir die Kommode!“
> „In diesem!“ Herzlichst! Ihr A. H.

Selbstkritisch fügte Holz allerdings hinzu:

> P. S. So viel Gänsefüßchen in so wenig Zeilen hab ich selten verzapft. Nichtsdestotrotz![35]

Diese beständige Reflexion über die eigene Sprache, die Distanzierung von ihr, auch die Kommentierung des eben Selbstgesagten und damit dessen Relativierung wird einer der bestimmenden Faktoren der Überarbeitungen des *Phantasus* und der *Blechschmiede.* Von der kleinen Rokokovenus im Hirn des „verehrten Antipoden" George heißt es später, daß sie

in seinem Hirn, in seinem Hirn, in
seinem
Hirn,
in einem leeren, in einem hehren, in
einem
(Wie soll ich das ausdrücken? Wie läßt sich das künden? Wie
kann man das
erklären?) prekären,
kapazitären, rudimentären
Hohlraum,
(Famos!! Famos!!)
nackt und bloß ... kaum ... erbsengroß,
von
Zuckerino, Zackino,
nicht
von ... Veit
Stoß,
(Kurios!! Kurios!!)
in
seinem Hirn,
in
rätselglauem, rätselblauem,
rätselhaftem
Schein,
„allein", „rein",
„keusch" und „heilig",
nur noch „Kunst", nur noch
„Kulturbijou", nur noch „Kultkalkül",
duckhuckt.[36]

Abgesehen von der einfachen Erweiterung, die vielleicht mit der von Holz immerzu erstrebten Präzisierung seiner Vorstellungen wenigstens im Idealfall noch etwas zu tun haben mag, findet sich hier in Reinkultur auch das Ungenügen gegenüber der eigenen Sprache ausgedrückt, wenn er sich im Gedicht selbst fragt, wie er es nun eigentlich ausdrücken soll. Solche regelrechte Sprachnot entstand offensichtlich aus dem Drang, durch die Vermeidung des konventionellen Ausdrucks auch den konventionellen

Gedanken zu vermeiden und über den neuen, präziseren Ausdruck auch zum neuen, differenzierteren Inhalt vorzustoßen. Dem Gefühl des Ungenügens tritt aus der Distanz der Reflexion noch das Vergnügen über gelungene Wendungen zur Seite, wie es sich in den verschiedensten Interjektionen zeigt. Eine ähnliche Ironisierungs- und Distanzierungsfunktion hat bei Holz, wie schon im *Buch der Zeit* zu sehen war, das Fremdwort, sozusagen als Verfremdungswort, abgesehen von seinem reinen Klangwert. Es wimmelt im *Phantasus* von Fremdwörtern und fremdsprachigen Ausdrücken, die nicht allein der Präzision oder Differenzierung dienen, sondern die zunächst als Auffrischung des in der Epigonenlyrik träge fließenden „Sprachbluts" gedacht waren. Ein bezeichnendes Beispiel dafür war die Eröffnungszeile eines Gedichtes in der ersten Fassung des *Phantasus* aus dem Jahre 1898:

So eine kleine Fin-de-Siècle-Krabbe, die Lawn tennis schlägt!

Rote, gewellte Madonnenscheitel,
eine lichtblaue Blouse aus Merveilleux
und im flohfarbnen Gürtel ein Veilchensträußchen,
das nach amerikanischen Cigaretten duftet.[37]

Modeworte verschiedener Provenienz werden hier und in anderen Gedichten der Sammlung erfrischend durcheinandergeschüttelt. Eine sich in den späteren Fassungen ausbreitende Funktion des Fremdwortes ist dann vor allem sprachliche Ironie, so wenn es über George heißt:

Vollkommen ohrlos
als
„Dichter",
strengst hieratisch, kargst
asthmatisch,
herbst
emphatisch, fast wie lunatisch,
immer
in
ein und den
selben
Minuskeln, ohne Majuskeln,
verfaßt er,
kleibt er, verzapft er, schreibt er,
verbricht er,
falls mir gestattet, falls
ich es wagen darf, falls ich so sagen darf:

cui bono,
ewig im gleichen
Unisono
seine algabalischen „Gedichte", seine sardanapalischen „Gesichte", seine
luperkalischen,
traurigen, schaurigen
„Tänze"
von
„Traum und Tod".[38]

Ironie und Verfremdung werden verstärkt durch den Versuch einer phonetisch getreuen Orthographie. Etwas ist „körribepaudert", zu einer Vorstellung erscheint „Tu Bärläng", im Gedicht auf George ist von „Gschesü Krih" die Rede,[39] und lexikalische Übungen werden so poetisiert:

Schwein!

Cochong! Cotschino!
Mallatsch!
Porku!! Pork!!
Pick!!
Domutz!! Farken!!

Swinja! Swinsko!

Swin!

Porkatschjo!!![40]

Eine Konsequenz ist schließlich die Collage-Technik, die überhaupt nur noch Fremdes aneinanderreiht und Sprache durch sich selbst parodiert und relativiert. Das findet sich bei Arno Holz bereits 1916 in der großen *Phantasus*-Fassung in einem Gedicht, das eine Litfaßsäule zum Gegenstand hat:

„ACHTUNG! ACHTUNG!! ACHTUNG!!!"

Mit
grellen Farben schreit die
Litfaßsäule:

„Mondamin!"

„Dreißigtausend Menschen waren im Meßpalast!"

„Pst, Sie!

Die geplatzte Emma!"

„Halt!
Mehr Goethe!"

„Papst Cohn!"

„Wilhelm, der Geschmackvolle,
als
Erzieher!"

„Das neue Weib!"

„Abeles,
der
Neo-Romantiker!"

„Das
weltenträtselnde Substanzgesetz!"

„Wie
sag' ich's meinem
Kinde?"

„Nietzsche oder die Philosophie
als
Serpentintänzerin!"

„Wählt Zubeil!"

Ein
Platzregen prasselt,
der ganze Dreck ... hängt in Fetzen.[41]

Die zeitgenössische Welt wird wie auf einer der Collagen von Kurt Schwitters zu einem Sammelsurium aus fragwürdigem Geist und fragwürdigem Genuß, nur daß der Dichter hier im Gegensatz zu seinen expressionistischen und dadaistischen Kollegen noch einen Kommentar anzuhängen versucht hat.

Collagen dieser Art zeigen sich, wenn auch nicht so ausgeprägt, ebenfalls an anderen Stellen von Holz' Werk. In einer „Fünfminutenphantasie anläßlich einer vorzüglichen Muratti" [42] wird eine Art Dünnschliffquerschnitt durch die nachrichten- und sensationslüsterne Gegenwart gegeben: ein preußischer Prinz wird in Windeln Leutnant, Pastor Müllensiefen verschwindet mit der Kirchenkasse, nachdem er seine Konfirmandinnen ihrer jungfräulichen Intaktheit beraubt hat, in der Peter-Pauls-Festung werden zwei Zwölfjährige hingerichtet und im englischen Unterhaus ereignet sich eine Frühgeburt. An anderer Stelle überreicht Phantasus als Gastgeschenk einem Wirt auf seiner Märchenreise:

das
für ihn eigens,
in einem einzigen Exemplar,
auf
alttibetanischem Toktubajanpapier
abgezogene Hirzel'sche „Verzeichnis einer Goethebibliothek",
herausgegeben,
erläutert und fortgesetzt,
sowie mit textkritischen Anmerkungen versehen,
benebst
einem betreffenden,
gelehrten,
höchst exakten, höchst kompakten, höchst
vertrackten
General-Schlagwort-Register,
von
Professor Doktor B. Suphan,
fünf
anderthalb
Kilokartons Biocitin,
oder
wie verlängere, wie erneuere, wie
stärke, festige
und
vermehre ich meine beste
Lebenskraft.[43]

Das letzte Zitat zeigt noch deutlicher als die „Litfaßsäule" ein anderes Kompositionselement Holzscher Sprache: die Reklame oder Werbung, die Max Bense übrigens in seiner Texttheorie als „eine ausgesprochen neuzeitliche Literaturgattung" bezeichnet hat, wobei er überhaupt auf die Verbindung zwischen „Design" und Sprachkunst hinweist. Wenn in Werbung wie konkreter Dichtung das „visuelle Arrangement der Wörter" maßgebend ist, wenn überhaupt die „Warenwelt" zu einer „Plakatwelt", zu einer „Zeichenwelt" wird, die der moderne Mensch in ihrer Vielfalt durchschaubar machen muß, um sie bewohnbar zu machen,[44] so sind Holz' sprachliche Experimente eine nicht unbeträchtliche Vorleistung dafür.

Die das Bewußtsein verformenden Sätze, Sätzchen und Slogans der

Propaganda und Reklame verfolgen Holz überall. Der Olymp wird kommun:

Juno,
pardon, ein Büstenhalter; Luna ein Selbstrasierapparat;
Merkur
ein
in allen Staaten patentierter
Hemdenknopf;
Mars
eine Kragenform;
Jupiter
eine von mir erst vor wenigen Sekunden
wieder,
um dieses hier niederzuschreiben,
in
Tätigkeit gesetzte,
vorzügliche, tadellose
Bleistift-
Schärfmaschine;
Neptun ein Schwimmgürtel; Amor ein
Schutzschwamm.[45]

Auf seine Traumreise begleitet Phantasus sein „Kodak", „Günther und Wagner'sche Pelikantusche", „J. A. Henckels Solingensche Papierschere" und natürlich der „modisch elegante ‚Salamander'-Stiebel".[46] Vom Minarett aber weht eine Fahne:

„Allah il Allah",
„Die gute Massary" und „Salem aleikum".[47]

Der Akzent auf dem „evokativen" und „signalisierenden Charakter" der sprachlichen Zeichen, wie Bense es nennt, verführte bereits Holz dazu, Poesie nur noch durch optisches und akustisches „Arrangement" vorgefundener Sprache herzustellen.[48] Die „poèmes trouvées", wie sie zuletzt Handke und Bienek vorgelegt haben, stehen schon mehrfach im *Phantasus*. Ein Ausschnitt aus dem Theaterzettel der Uraufführung der *Sozialaristokraten* wird unverändert übernommen, eine fürstliche Speisekarte erscheint als Mittelachsenpoem:

Lucullus –
Vorgerichte: Henckell trocken;
Echte
Schildkrötensuppe;
Rheinsalm

mit Kaviartunke: Bernkastler Doktor;
Lammrücken garniert: Chateau Latour, premier vin, Schloßabzug;
Helgoländer Hummernaufbau
nach Admiralsart: Winkler Hasensprung;
Rehziemer, altdeutsch: herrlicher, herber, granatblutroter Zwölfapostel-
Poularde [wein;
am Spieß gebraten, mit Weinbergswachteln
umlegt:
Pommery et Greno;
Artischockenböden mit grünen Spargelspitzen;
Eiskegel Nelusko;
Früchte, Chesterstangen, Nachtisch.[49]

Geologische Studien auf der Märchenreise erbringen eine Liste der Gesteinsarten, die er zerpocht:

Trikliner Feldspat, Kieselgur,
rezente Laven,
grünlichschwarze Hornblende,
Syenit, Granulit, Porphyrit, Batrachit.
Eklogit, Apatit,
Trachyt,
Flasergabbro,
Grauwacke, Augitgneis,
Serpentin, Turmalin, Olivin, Andesin, Sanidin,
Diabas, Orthoklas,
lamellarer,
bläßlich gelblicher, bis dunkeltombakbräunlicher
Magnesium-
und
zarter,
perlmutterschimmeriger, silberig-rötlich weißer
Kaliglimmer,
Nagelfluh, Bimssteintraß,
Nosian, Obsidian,
tetragonaler, glasgrün glänzender, säulenförmiger
Vesuvian,
Brachiopodenmergel,
Quarzite,
Dolomiten, Nummuliten-
und
Korallen-

Kalke aus dem
Eozän,
paläozoischer, jurassischer, und ganz gewöhnlicher, äußerst kommuner,
höchstgangundgäber, höchstgemeiner, höchstordinärer
Tonschiefer![50]

Eine derartige Liste hat natürlich poetische Tradition in der Geschichte der deutschen Literatur, aber von Wolframs Steinkollektion im *Parzival* unterscheidet sich doch Holz' Aufzählung um einiges. Die Verzauberung bei Holz geht hier im wesentlichen nur noch von dem Klang der Wörter aus, von den Möglichkeiten, sie zu Lautkompositionen zusammenzustellen, die mit ihrem Funktionswert innerhalb der Aufzählung oder gar der ganzen Dichtung nichts mehr zu tun haben. Auf diese Weise macht sich bei Holz die Sprache allmählich selbständig, löst sich von etwas Auszusagendem und erreicht eine gewisse Autonomie. Der alte, einst verurteilte Reim kommt wieder zu Ehren, allerdings nicht als „Bindung des Zusammengehörigen", als Prokrustesbett für den gestaltenden Dichter, sondern in vielfachen Variationen als Stabreim, Binnenreim und Endreim der Klangeffekte halber. In dieser Hinsicht ist Holz seinen früheren gegen den „Leierkasten" gerichteten Prinzipien tatsächlich nicht untreu geworden. Wort- und Reimspiele, Assoziationsketten, Variationsreihen und pure Klangeffekte bestimmen beträchtliche Partien der späten Fassungen des *Phantasus*. Das beginnt schon bei den Wortbildungen selbst, die nicht mehr nur aus dem Streben nach Präzision und der Reduktion des x erklärbar sind. „Waldmenschenbrustgebrast", „Wolkenwundereiland", „Altarterrassentreppenteocalli", „Höllenfeuerflammenfunkenfontainen", „Doppelhoppelpoppeltischgebäu", „Löwengreifklauenkatafalkporphyrpratze", „Baumriesenwipfelblütengigantenschmetterlinge", ein „allabendlich trikotbeinedurchkankanktes, champagnerpropfdurchknalltes, jeunessedoréedurchmonokeltes Ballokal" [51] oder was sich dergleichen noch an Wortungetümen in einer aller lexikalischen Erfassung widerstrebenden Menge und Vielfalt im *Phantasus* findet, empfängt seine Bedeutung nicht mehr durch die möglichst komplette Vorstellung, die dadurch auch gar nicht mehr hervorgerufen wird, sondern ist vielmehr ein Ausprobieren neuer Klangkombinationen, die ihren Sinn letzten Endes in sich selber tragen. Durch den Wortinhalt hervorgerufene visuell-sinnliche Vorstellungen lassen sich nicht mehr erreichen, wenn Holz über eine ganze Seite hinweg die Farbenpracht der Vögel auf seiner Hallelujawiese durch einen eher nach Klangqualitäten zusammengestellten Katalog von Farbkombination gibt, in dem sich unter anderem folgende Arrangements finden:

oliven,
azuren, orangen, lasuren,

königsblau, bischofsblau, himmelblau, fliederblau, enzianblau, veilchen-
[blau,
kornblumenblau, vergißmeinnichtblau,
mondblau, nachtblau,
ultramarin,
meergrün, glasgrün, apfelgrün, blaßgrün, resedagrün,
grasgrün,
vitriolgrün, lauchgrün, eidechsengrün,
hauchgrün,
kaffeebraun, zimmetbraun, tabackbraun, bronzebraun,
rostbraun,
kastanienbraun,
maulwurfsgrau, eselsgrau, schiefergrau,
aschgrau, bleigrau,
beinschwarz.[52]

Und wenn diese Vogelschar zu singen anfängt, dann tut sie es – wiederum seitenlang – in einem Gemisch aus Geräuschwörtern und ostpreußischem Platt, die dem Dichter aus einer verdrängten Schicht seines Bewußtseins zuzufliegen scheinen:

Tlicktlacktlucktlönn! Schuw em rönn!
Plödderiplarsch! Aewer quarsch! Plödderiplär! Aewer quär!
Op m Stohl! Anne Eer!
Drömmeldidrank! Aewre Bank! Drommeldidrett! Aewert Bett!
Drömmeldidrickjeck! Rönn ön n Spickspeck!
Tscharktscheräktschönn! Dor geit nich rönn! Tscherktscheräktschut!
[Dor geit blot rut!
Tscharktscheräktscho! Glik bito! Tscharktscheräcktschi! Dicht derbi!
Pinkeplinkeplengel! Wat n Stengel! Tinketlinketlengel! Wat n Schwengel!
Binkeblinkeblengel! Wat n Bengel!
Tschäckteräcktschief!
Stat de stief!
Tschittscheretschönn! Lat em sönn! Plittschereplönn! Drönn is drönn!
Lock is Lock! Lüd de Klock!
Tschittscheretscharig! Büss all fahrig! Plitschereplarig! Si nich narig!
Lüllelüllelü! Bis morjens früh![53]

Das ganze Konzert vollzieht sich auf der Spitze eines

umklipperten, umklapperten
umgickerten, umgackerten, umschnickerten,
umschnackerten,

umlärmten, umschwärmten,
umrucksten, umglucksten, umbalzten, umschnalzten,
durchguleruguten, durchkrukerukruten,
durchzinkzerängzänkten, durchschnickschneräckschnänkten, durchpinck-
[perängpängten,
durchschnetterängdängten,
durchtschaktschaktschakten, durchtacktacktackten, durchduckduckduck-
[ten, durchtucktucktuckten,
durchtschieptschieptschiepten, durchfliepfliepfliepten,
überhollahüten, übertrollatrüten,
überplänkperängpleiten, überschängtscherängtscheiten,
überkritzikräten, überzitzijäten,
überquittquittquiedelten, überfittfittfidelten,
überjäckjeräckjäckerten, überschnäckschneräckschnäckerten
überschickschickschirkten, überschnickschnickschnirkten,
besippsippsirrten, beschnippschnippschnirrten,
beplarrplarrplarrten, beschnarrschnarrschnarrten, bequarrquarrquarrten
beknarrknarrknarrten,
bequickquelierten, beräsonierten, bedideldumdierten,
beflötierten,
betrillerierten und bemusizierten,[54]

Baumes. Solche Wortkaskaden sind nicht extreme Einzelbeispiele, sondern typische Stilzüge des ganzen, sich über drei Bände erstreckenden Werkes in seinen späteren Fassungen. Gewiß war ihr ursprünglicher Sinn die möglichst lückenlose Wiedergabe einer Art Bewußtseinsstrom, einer sich in ihrer höchsten und letzten Intensität enthüllenden Seele. „Fast der gesamte ‚Phantasus' entspringt einer beinahe ununterbrochenen ‚Ekstatik'", schreibt Holz in einem Brief aus dem Jahre 1926,[55] und diese Ekstatik findet ihre sprachliche Entsprechung in reichlicher Verwendung von Superlativen und Ausrufungszeichen. Aber im Unterschied etwa zu dem „stream of consciousness" im Traume Finnegans bei Joyce bleibt der Wort- und Assoziationsschwall bei Holz einschichtig, ohne die mythischsinnvolle Doppelbödigkeit des Iren. Der Sinn bei Holz liegt suggestiv in Klang, Rhythmus, Ton und ist als Denkzusammenhang nicht mehr zu fassen.

Damit geht auch die Auflösung der Syntax einher. Obwohl Holz den Satz als grammatische Einheit nicht aufgegeben hat, hat er ihn doch durch Ausdehnung ins Maß- und Grenzenlose zu einem Labyrinth und Vexierbild verwandelt. Das Vorherrschen von Ellipsen und Partizipialkonstruktionen charakterisiert den Satzbau des *Phantasus*. Häufig wird das Prädikat durch ein Partizip ersetzt, was bei dem scheinbaren Wortfluß zu grammatischen Stockungen führt. Und ähnliches resultiert, wie ein Literaturwissenschaftler feststellt, auch aus der Zeilenbrechung, die den immanenten Rhythmus wiedergeben soll: „Anstelle eines wellenförmig schwingenden Rhythmus tritt ein harter Staccato-Rhythmus mit zahlreichen Stauungen und Pausen.“ [56] Zwar glaubt Holz noch, daß durch die Beibehaltung der Subjekt-Prädikat-Objekt-Relation selbst des längsten Satzes „aller Zeiten und Literaturen“ in seinem 1002. Märchen auch dessen Symmetrie und Ordnung bewahrt seien: „Dieser Siebenhundertunddreiundvierzig-Zeilensatz federt als um seine Achse, die erst ganz kurz vor dem Schluß auf der letzten Seite ‚verankert‘ wird, um ein einziges einsilbiges Verbum.“ Er erweiterte ihn dann auf 2516 Zeilen und gab zu, daß er am Ende nicht einmal abgeschlossen sei, sondern jäh abbreche, „indem sein ‚Schluß‘ sich sofort in eine ‚Tat‘ umsetzt“.[57] An dem Glauben, daß dieses Satzmonstrum und alle seine zum Teil nur geringfügig kürzeren Verwandten Einheit, Sinn und Ordnung seines „Riesen-‚Phantasus‘-Nonplusultrapoems“ widerspiegeln, hat er sich nicht irre machen lassen. Er hat in immer neuen Anläufen diese Ordnung und Struktur durch neue Gliederung sichtbar zu machen versucht, wobei sich grammatische, rhythmische, klangliche und bedeutungsbedingte Prinzipien untrennbar vermengten. Aber die Umstellung und neue „Verkonschtruierung“ seiner

Riesen-,
Titanen-, Giganten-,
Bandelwurm- und Schachtelhalm-
Sätze [58]

blieb ein zuletzt doch nicht erfolgreicher Versuch, dem Labyrinth zu entgehen. Holz hat diesen Versuch, zu einer letzten, endlichen, die ganze Konstruktion als Schlußstein zusammenhaltenden grammatischen „Pointe“ zu kommen, nie aufgegeben. Aber statt einer inneren Gliederung gab er damit nur eine äußere. Der Versuch entspricht dem anderen, ebensowenig erfolgreichen, in seinem *Phantasus* aus dem Chaos einen Kosmos formen zu wollen und ein Weltbild zu geben.

Eine letzte Folge von Sprachmanipulationen ist die Unverständlichkeit. Geradezu ironisch heißt es gegen Ende des *Phantasus,* als in „Tropenurwaldüberschwenglichkeit“ und „Tropenurwaldüberüppigkeit“ wieder einmal alles „ohrenzerreißend“, „ohrenzergellend“, „ohrenzerschrillend“ durcheinanderplappert, schnallert, schnarrt, knattert, knarrt, quarrt, kreischt und kriescht:

„Du verstehst nicht dein Wort.“ [59]

Das ist natürlich nur beiläufig gemeint, aber die sprachliche Kompliziertheit weiter Teile des *Phantasus* in seinen späteren Fassungen haben von vornherein den Leserkreis beschränkt, wie das allerdings allgemein auf sprachexperimentierende Dichtung zutrifft von *Finnegans Wake* und dem *Tod des Vergil* bis zu den Konstellationen der konkreten Dichtung, die tatsächlich häufiger „erhoben“ als gelesen werden. Daß alle Unverständlichkeit relativ sei, hatte schon Friedrich Schlegel festgestellt und daran die Hoffnung geknüpft, „die Menschheit werde sich endlich in Masse erheben und lesen lernen“.[60] Ähnliche Vorstellungen hat sich auch Holz gemacht und den Vorwurf an den Leser zurückgegeben. Sowenig sich „Beethovens große B-dur-Sonate“ oder das Chopinsche „H-Moll-Scherzo“ auf Anhieb vom Blatt spielen ließen, ebensowenig sei der *Phantasus* sogleich auffaßbar. „Wer das Gesamte mit allen seinen vielhundert Einzelheiten nicht mindestens zwölfmal hat auf sich wirken lassen, wird hinter dieses Gesamte mit seinen vielhundert Einzelheiten nie kommen! Dieses Opus ist nichts mehr und nichts weniger als eine Partitur; die also nicht gelesen, sondern gespielt sein will.“ Und er hat sich im Zusammenhang damit in die verwegensten Spekulationen über einen Zyklus von zwölf Vortragsabenden für den gesamten *Phantasus* vertieft, wobei der Text, den der Sprecher ja doch unmöglich auswendig lernen konnte, für das Publikum unsichtbar hinter dessen Köpfen „wie eine Bilderserie im Kinema“ abrollen sollte, damit die Fiktion des freien Vortrags aufrechterhalten werden konnte.[61] Daß der *Phantasus* zum Hören, nicht zum stillen Lesen bestimmt sei, haben er und seine Freunde wie auch eine Reihe von Kritikern immer wieder betont. Überzeugend ist das allerdings nur insofern, als auf diese Weise das „musikalische Talent“ des Dichters, von dem schon Maximilian Harden sprach, stärker zur Geltung kommt und damit insbesondere das Experimentieren mit den Klangmöglichkeiten der Sprache, mit ihrer autonomen Ästhetik. Daß der *Phantasus* ein „Ohrbild“ habe, steht in der Dichtung selbst; der Wortstil sei „auf Laut- und Klangwirkung gestellt“, heißt es in theoretischen Bemerkungen,[62] und in einem Brief an Jerschke schreibt Holz einmal über Ton und Rhythmus: „Grade *der* scheint mir oft *mehr* zu sagen, als die Worte *selbst!*“ [63]

Dennoch hat Holz darauf bestanden, mit allen phonetischen, semantischen und syntaktischen Aufschwellungen, Wucherungen, Verästelungen und Klangräuschen auch zugleich neue Inhalte zu entdecken und zu treffen. Daß bei ihm nicht Addition, also Häufung, vorliege, sondern Division, „*Differenzierung*“,[64] versicherte er ausdrücklich einem Kritiker, und 1926 bestätigt er sich in einem Briefe noch einmal, daß er „das geistig Komplizierteste des geistig Kompliziertesten evolutioniere“.[65]

Ansprüche dieser Art lassen sich zwar aus den persönlichen Wünschen und Hoffnungen des Künstlers Arno Holz in seiner verirrten Bürgerlichkeit erklären, deuten aber doch zugleich auf Zusammenhänge, die über die individuelle Problematik hinausgehen, wie schon die Parallelen hier und in der *Blechschmiede* zu verwandten Erscheinungen der modernen Literatur gezeigt haben. In seinem Aufsatz *Über reimlose Lyrik mit unregelmäßigen Rhythmen* aus dem Jahre 1938 stellt Bertolt Brecht fest: „Es ist zugegeben, daß das Lesen unregelmäßiger Rhythmen zunächst einige Schwierigkeiten bereitet. Das scheint mir aber nicht gegen sie zu sprechen. Unser Ohr ist zweifellos in einer physischen Umwandlung begriffen. Die akustische Umwelt hat sich außerordentlich verändert." [66] In seiner *Revolution der Lyrik* hatte Holz schon 1899 behauptet: „Unser Ohr hört heute feiner",[67] und die Erfahrungen gerade im Umgang mit moderner Musik, d. h. also die allmähliche Gewöhnung an das zunächst scheinbar Unmögliche vermögen das auf Schritt und Tritt zu bestätigen. Holz' Freund Robert Reß nennt einmal dessen „Urbegabung": „sein geradezu stupend phänomenales, gleichsam ähnlich einem Seismographen fast wie automatisch funktionierendes Ohr für Sprache, das auf alles in ihr psychologisch Vibrierende nicht minder fein reagiert, als auf ihr rein *Klangliches* und *beides* mit *derselben Exaktheit* registriert." [68] Sieht man von dem exaltierten Ton des kritiklosesten aller Verehrer Holz' ab, so bestätigt sich hier noch einmal ausdrücklich ein Verhältnis zur Sprache bei Arno Holz, das sich schon in den übrigen Beobachtungen erkennen ließ. Wie andere sensitive Künstler seiner Zeit registriert Holz, daß mit Veränderungen des Menschen im Verhältnis zu sich selbst und zu seiner Umwelt auch sprachliche Veränderungen einhergehen und daß gerade auf dem Wege einer Erfassung solcher Veränderungen auch ein Weg zum Selbstverständnis des Menschen in seiner sich verändernden Umwelt beschreitbar wird. Wie sich in der künstlerischen Entwicklung von Holz zeigte, verbindet sich damit der Versuch zu einem radikalen Bruch mit der dichterischen Tradition des neunzehnten Jahrhunderts, insbesondere zunächst mit den tradierten Kunstmitteln. Das Bild vom Dichter als Seismographen, wie es auch Hofmannsthal gebraucht hatte,[69] verweist zugleich auf eine grundsätzlich andere, sozusagen synchronische Einstellung der Sprache gegenüber, auch wenn das Reß nicht begriff. Im Extrem heißt das: alles kann Gegenstand der Kunst werden; der Dichter ist eher Registrator einer Fülle sprachlicher Phänomene, ohne sich anzumaßen, sie zu einem „Weltbild" zu ordnen.

Holz' Widersprüchlichkeit und Übergangssituation zwischen den Zeiten bestand darin, daß er das synchronische, seismographische Konzept seiner Sprachbehandlung mit einem aus dem Geist der Entwicklungslehre des 19. Jahrhunderts entsprungenen philosophischen Konzept zu vermählen versuchte. Seine sprachlichen Mittel – Zitat und Parodie, Assoziationsketten und Collage, Sprachmimik und Wortmagie, Klangspiel und Verfremdung des gängigen Klischees – sind längst feste Bestandteile modernen Dichtens geworden. Heißenbüttel nennt in einer Betrachtung zu einem eigenen Gedicht die Aufgabe und Absicht des Lyrikers „Zeigen mit Hilfe von Sprache. Nicht mit Hilfe von sprachlich nachgesprochenen Bildern. Nicht mit der durch Sprache provozierten bildhaften Vorstellungsfähigkeit. Oder doch nur nebenbei mit dieser. Zeigen von Wörtern. Zeigen von Namen. Zeigen von Wortgruppen, die in ihrer Verbindung eine besondere Färbung, eine besondere Tönung angenommen haben. Zeigen von Sätzen, die an etwas erinnern. Zeigen von Zitaten. Koppelung von Zitaten und Zeigen, was sich in der Chemie solcher Koppelung zeigt." [70]

Für die „Chemie solcher Koppelung" hatte sich Holz sogar ein eigenes ästhetisches System entwickelt, das er auf, wie er betonte, mathematische Überlegungen stützte. So erläutert er selbst 1918 in einem Aufsatz über die *Idee und Gestaltung des Phantasus* seine Erkenntnis, daß seiner Rhythmik „als *allerletztes* ein *bestimmtes Zahlenverhältnis*", eine „Zahlenarchitektonik" [71] zugrunde liege:

„Schönes, grünes, weiches
Gras.

Drin
liege ich.

Inmitten goldgelber Butterblumen!"

> Es ist nicht möglich, daß ich eins der drei „Eigenschafts- oder Beiworte" zu „Gras" weglassen kann. Die Zeile fiele sofort in sich zusammen und würde „tot" wirken! Und der ganze Gedichteingang, der mich bestrickt in seiner Einfachheit, der mich „gefangen" nimmt durch seine „Stimmung", und von dem ein Empfinden mir sagt, er ist „vollendet", schließt sich abermals in eine Dreiheit![72]

Das hat dann Holz in immer kühneren Kombinationen auszuarbeiten und zu „entdecken" versucht. Er erkennt „springende Reihen" von 1, 3, 5, 7, 9, 12, 15 usw. in seinen Wort- und Zeilenkompositionen. Andere Zahlenreihen wie 10, 11, 14, 16, 17, 19, 20, 22, 23, 25, 26, 29, 36, 42, 45, 48, 49, 54, 56, 60 vermißte er ganz, und er glaubte, hier auf dem Wege zu sein, die Dynamik seines Zeilenrhythmus durch eine gesetzliche Statik zu ergänzen. Immer mehr wurden seine weiteren Überarbeitungen des *Phantasus* – „ich wiederhole, ganz abgesehen von seinem Inhalt" – von solchen mathematischen Spekulationen bestimmt, immer getrieben von dem „Tasten und Suchen nach neuen Ausdruckswerten und Entwicklungsmöglichkeiten." [73]

Holz hat allerdings für die von ihm erkannte im Grunde ganz formalistische „Zahlenarchitektonik" doch wieder eine inhaltbezogene Erklärung zu finden versucht. So sehr er an der Vervollkommnung der offenbar mathematisch bestimmten Gliederung seiner Dichtung vom Inhalt unabhängig arbeitete, so sehr war er doch auch wieder überzeugt, daß sich die Zahlenkombinationen aus den „jedesmaligen Begriffswerten, also aus der mehr oder minder komplizierten Beschaffenheit des Inhalts"[74] ergaben. Mit anderen Worten: wo nach der „gesetzlich" erforderlichen Reihe von 3 und 5 und 7 Adjektiven zu einem Substantiv nur etwa erst 2 und 5 und 7 vorhanden waren, so „fehlte" in der ersten Zeile nicht nur rhythmisch, sondern auch inhaltlich noch etwas, wie er das schon an dem früher zitierten Beispiel einfacher erläutert hatte. Holz glaubte schließlich allen Ernstes, daß seine *Phantasus*-Rhythmik und ihre sie bestimmenden mathematischen Gesetze in einer „prinzipiellen *Struktur*analogie"[75] zur Natur überhaupt standen und daß damit seine Dichtung das höchste und tiefste „Weltbild" schlechthin war, weil sie nicht nur inhaltlich ein Universum alles Vergangenen, Gegenwärtigen und Zukünftigen in sich schloß, sondern weil sie auch den Strukturgesetzen der Natur, also ihrer Form und Gestalt zu allen Zeiten folgte. Holz' Freund Robert Reß hat es sich dann zur Aufgabe gemacht, dieses „Strukturgesetz" in einem Buch *Die Zahl als formendes Weltprinzip* nachzuweisen, das 1926 kurz nach der ersten dreibändigen Ausgabe des *Phantasus* erschien und dem er den sehr holzischen Untertitel „Ein letztes Naturgesetz" gab. Haeckel und Holz wurden die Säulenheiligen für eine abstruse Zahlenmystik, die von den progressiven Potenzen der Holzschen Dichtung eher ablenkte als sie erklärte. Reß entdeckte darin nämlich, daß sich Holz' Werk hauptsächlich „auf den ersten fünf ungeraden Zahlen und der Zwölf aufbaut", während die „13" für besondere Fälle als eine Art höhere Primzahl aufbehalten wird. Er entdeckt ferner, daß solcher „Zahlenkontrapunktik" „alle gleichartigen grammatischen Werte" gehorchen[76], was nun allerdings mit der schon früher erörterten grammatischen Strukturierung von Holz' Zeilengedichten in Zusammenhang gebracht werden könnte. Aber Reß verfolgt gerade diese Seite nicht weiter, sondern versucht vielmehr „Differenzierungsformeln" für die einzelnen Grundzahlen wie $3 = 1 + (1 + 1)$ oder $5 = 3 + 2 = (1 + (1 + 1)) + (1 + 1)$ aufzustellen, die sich nicht nur in der „Feingliederung" des *Phantasus* überall wiederfinden, sondern auch in der ganzen Natur. Für die Knochenelemente der Augenhöhle findet sich die dem *Phantasus*-Leser vertraute „Grundgliederung 3 + 6", genau wie Beckengürtel und Lendenwirbel „einschließlich des Steißbeins eine Phantasusformzahl, nämlich eine ‚Neun'" haben, und Phantasus-Strukturen zeigen sich bei den Regenwürmern ebenso wie in den Stammesverhältnissen der Australneger.[77] Die naturgesetzliche Richtigkeit von Holz' Lebenswerk war somit bewiesen.

Dergleichen parodiert sich selbst, nur bleibt gerade angesichts der wachsenden Aufmerksamkeit, die dem Verhältnis von Zahlen, Worten und „Figuren" gegeben wird, die Frage offen, ob sich damit auch schon die Sache selbst abtun läßt, also die Beobachtung gewisser Zahlenrelationen in einem poetischen Text. Wie Wilhelm Fucks in seinem Buch *Nach allen Regeln der Kunst* erst unlängst angedeutet hat, ist – mit dem biblischen Wort – „alles geordnet nach Maß, Zahl und Gewicht",[78] selbst im scheinbar willkürlichsten Zähl- und Sprechrhythmus einzelner Versuchspersonen. Es muß deshalb dahingestellt bleiben, ob Holz mit seiner „undichterischen *Wortmathematik*", wie sie ein Kritiker nannte, tatsächlich ästhetische Qualitäten zerstörte, was auch zu einer „*Verkümmerung des Gehalts*" führte,[79] oder ob vielmehr gerade in dieser Wortmathematik zumindest Ansätze zu einer neuen, auf ganz anderen Vorstellungen vom „Dichterischen" basierenden Ästhetik enthalten sind. Dabei handelt es sich nicht in erster Linie um eine Intellektualisierung der Kunst, wie sie schon früh in den ersten Sprachexperimenten des Naturalismus feststellbar war, sondern mehr um die Absicht, Ordnungsprinzipien zu schaffen, die irgendwo mit der Fülle des das schöpferische Individuum überschwemmenden Sprachmaterials fertigzuwerden versuchen.

Wie sich allerdings der Proteus-Mythos des *Phantasus* als nicht tragfähig erwies für die Darstellung der Komplexität der Wirklichkeit im Zeitalter imperialistischer Weltkriege, genausowenig erweist sich diese mystifizierte mathematische Poetik bereits dem Ansturm einer, solche Wirklichkeit ausdrückenden und damit begrifflich faßbar machenden Wortfülle gewachsen. Das hat Holz selbst, wenn auch vielleicht nicht in seiner letzten Tragweite, als Problem empfunden. Wenn er in der „Spätherbsttrauer" seines *Phantasus* klagt:

In
dumpfem Zimmer,
gebückt zwischen Büchern,
Tage,
Wochen, Monate
lang,
saß ich, sann
ich ... und ... schrieb!

Dinge, die mich qualvoll, einst geschmerzt, Dinge, die mich, freudig einst
[bewegt, Dinge
von vor tausend Jahren, Dinge, die noch niemals waren,
Dinge,
Dinge, Dinge,
Dinge!

Das
dumpfe,
karge, einsam enge
Zimmer,
der Stuhl, der Tisch, der
gelbe Lampenkreis ... die ... bleichtoten Bücher,
ein
Meer, ein ... Wust ... ein Berg
Papier,
Papier, Papier,
und
„Dinge" ... „Dinge" ... „Dinge",
„Dinge"!![80]

dann deutet das schöpferische Zweifel an, die über das hinausgehen, was Holz unmittelbar damit ausdrücken wollte und was wohl nur mehr Bruchstück des großen *Phantasus*-Ichs sein sollte. Es ist der Andrang einer unverstandenen, „verdinglichten" Welt, mit der das schöpferische Ich nicht mehr fertigwerden, die es eben nur noch registrieren kann. So sehr sich das Ich in den späteren Überarbeitungen des *Phantasus* noch in den Vordergrund zu stellen scheint, so sehr ist die Wirkung der Erweiterungen und Aufschwellungen doch gerade zerstörend in Hinblick auf die bildhaft-symbolische Wiedergabe eines individuellen Seelenzustandes, so daß Holz das Weltgedicht und Traumgebilde, das er schaffen will, geradezu mit der eigenen Sprache wieder zertrümmert. Holz wollte schöpferisch und „planvollst endzielbewußt" [81] zu Ende führen, wo allenfalls nur erst Anfänge greifbar waren. Das gilt auch für sein Opus als Ganzes, an dessen Zusammenhang und organische Einheit er geglaubt hat. Mit der bereits erwähnten Übertragung von Teilen aus dem Drama *Ignorabimus* in den *Phantasus* meinte er den Beweis angetreten zu haben, daß sein Dichten einer höheren Naturgesetzlichkeit folge, ohne zu sehen, daß er damit lediglich auf die Grenzen seiner Persönlichkeit stieß und sich eben „wiederholte".

Tatsächlich gehen allerdings die Gattungen bei Holz ineinander über, und wenn er seinen *Phantasus* später ein „Rhythmikon" [82] nennt, so ist das kaum mehr als ein Name, der von der Sache nichts verrät. Lyrisches und Episches ist durcheinandergemengt, kürzere dramatische Dialoge treten auf, ebenso wie in den großen Dramen, in *Sonnenfinsternis* und *Ignorabimus,* die Gattungscharakteristika nicht auseinanderzuhalten sind. Aber wie in moderner Dichtung überhaupt, so lassen sich auch hier bei Holz traditionelle Kategorien nicht mehr klärend oder erklärend heranziehen. Wie die Einstellung zur sich verändernden Welt selbst, so sind auch die Literatur und ihre Formen im Abbau, Umbau und Neubau begriffen.

Hier allerdings sind wir auch am Rande des wissenschaftlich feststellbaren angekommen, wo Neuestes mit Ältestem eine Verbindung eingeht. Ein Kapitel über „Alchimie und Wortzauberei" beginnt Gustav René Hocke mit dem Satz: „Wenn der Mensch Wertsysteme, in denen er lebte, gefährdet sieht, beginnt er meist neue geistige Weltbezirke zu entdekken."[83] Und ein Vergleich mit den vielfachen Symptomen und Erscheinungsformen des Manierismus in der Literatur zeigt, wie das schon bei der *Blechschmiede* sichtbar wurde, in welcher großen Tradition letztlich auch die Sprachexperimente von Arno Holz oder der modernen Dichtung allgemein zu sehen sind. Sprache als Ornament oder Labyrinth, Autonomie von Buchstabe, Wort, Metapher, Satz oder Periode, Wörter-Hieroglyphik und Sprachspiel, Kombinatorik von Fremdestem und „Klang-Poesie aus dem Geiste der Musik"[84] gehören ebenso zu dem Grundstock des Manierismus wie die Suche nach einer letzten, großen Welteinheit. Auch Heißenbüttels Chemie der Koppelungen ist auf das Eindringen in eine Welt gerichtet, die sich „noch der Sprache zu entziehen scheint".[85]

In einen größeren geschichtlichen Zusammenhang hat sich Holz selbst gestellt gesehen, wenn auch im Ausdruck etwas Spenglerisch gefärbt: „Durch das gesamte gegenwärtige Kunstschaffen unserer weißen Rasse, und zwar unterschiedslos auf allen Gebieten, geht eine einzige, riesige Erschütterungswelle: eine sich oft bis zu den schnurrigsten Sinnlosigkeiten versteigende Abkehr vom Überlieferten, ein Tasten und Suchen nach neuen Ausdruckswerten und Entwicklungsmöglichkeiten."[86] Damit aber habe er als erster auf seinem Gebiete begonnen. So ließe sich dann auch spekulieren, ob er mit seinem Werk etwa moderner Texttheorie vorgearbeitet hat, die mit Hilfe von elektronischen Maschinen „vollständige Texte" herzustellen versucht, wie sie Holz mit seiner mathematischen Methode nur amateurhaft zu erschließen versuchte. Das wären dann Texte, die wieder ein Teil von einem „Text aller Texte"[87] sind, und es entstünde die Frage, ob solche Poesie vielleicht wirklich die Darstellung „der inneren Welt in ihrer Gesamtheit"[88] wäre. Das Postulat dafür hat mit diesen Worten jedenfalls schon Novalis aufgestellt.

Vater Arno Holz

Aus Söhnen werden Väter, manchmal auch aus verlorenen. Die Berufung auf Arno Holz als Lehrmeister ist heutzutage besonders unter experimentellen Schriftstellern keine Seltenheit. „Vater Arno Holz" nannte Helmut Heißenbüttel einen Artikel, den er zum hundertsten Geburtstag des Dichters 1963 schrieb.[1] Zahlreich sind die Beziehungen und Verbindungslinien zwischen dem, was Holz in *Phantasus* und *Blechschmiede* ausprobierte, und dem Suchen und Tasten nach neuen Ausdrucksmöglichkeiten, wie es sich seit dem Expressionismus in der deutschen Literatur ausgebreitet hat. Holz hätte vermutlich seine Freude an den poetischen Konfessionen und Produkten mancher modernen Autoren. Friederike Mayröcker erklärt zum Beispiel, daß sie ihr „Wortmaterial auflade, atomisiere, deformiere, daß ich Collagen, Montagen, Assemblagen mache, daß ich verba substantiviere, substantiva verbalisiere, daß ich eine Armee von Satzzeichen einsetze, um sie attackierend, schmetternd, lockend, beiseitesprechend, besänftigend, neutralisierend funktionieren zu lassen", alles das mit dem Ziel, ein „totales" Gedicht zu geben, „das einen Ausschnitt aus der Gesamtheit meines *Bewußtseins von der Welt* bringt".[2] Die auf die Enthüllung von Unterbewußtem und Unausgesprochenem zielenden Assoziationsspiele in der Prosa von Alfred Döblin und später Arno Schmidt haben vielfache Muster im *Phantasus,* wie Schmidt überhaupt in Werk und Persönlichkeit zahlreiche Parallelen zu Holz aufweist. Und wenn Peter Handke generell seine Sorgen hinsichtlich der Möglichkeiten der Sprache als Vermittlerin zwischen Außenwelt und Innenwelt ausdrückt – „Kaum habe ich Worte für das, was ich wahrnehme – schon erscheinen mir die Worte für dies und für jenes als Witz."[3] – so hat ihm Holz auch das vorempfunden. In dieser letzteren Beziehung könnte Holz übrigens ein interessantes Studienobjekt der strukturellen Linguistik werden, wenn sie in der semantischen Analyse die verschiedensten Bedeutungskonzepte eines Wortes untersucht, um seine Vieldeutigkeit wissenschaftlich zu bestimmen. Holz' Wortfülle, seine Neubildungen und Wortmonstren waren gerade aus dem Bestreben entstanden, der Sprache wieder größere Präzision und Bestimmtheit zu geben, um sie ausdrucksfähig zu machen für Relationen zwischen Innen und Außen, Ich und Welt, die bisher nicht aussagbar gewesen waren.

Von seinen frühen naturalistischen Studien an hat Holz die Sprachproblematik als zentral für alle moderne Literatur angesehen und damit einen Lebensnerv des sprachlichen Kunstwerks überhaupt berührt. Dort, wo heute Ähnliches empfunden, gedacht oder gesagt wird, kann nun allerdings kaum schon immer von einem wirklichen Einfluß gesprochen werden. Gewiß haben sich Schriftsteller wie Heißenbüttel oder Mon direkt auf Holz berufen, aber die Übereinstimmungen und Berührungspunkte bei den meisten anderen sind nur mehr koinzidentell. Holz hat vielmehr sensitiv eine Tendenz der Zeit richtig gesehen und sie sowohl theoretisch in der begrifflichen Darstellung wie praktisch in der poetischen Gestaltung zu fassen versucht.

Es läßt sich über diese Tendenz und ihre Ursachen viel spekulieren. Mit einiger Sicherheit kann man behaupten, daß die Entstehung von Massenmedien im technischen Zeitalter entscheidend dazu beigetragen hat, daß der Mensch in einem immer noch wachsenden Maße mit Sprache überschüttet wird. Kommerzielle und politische Reklame versuchen, durch Sprachformeln und Sprachzeichen Bewußtsein und Handeln zu formen und zu manipulieren. Der Versuch, aus solcher Manipulation des Denkens und Empfindens, des Fühlens und Wünschens durch das sprachliche Klischee, die Phrase, die Sentenz auszubrechen, charakterisiert einen beträchtlichen Teil der europäischen Literatur seit dem Ausgang des 19. Jahrhunderts. Holz muß in diesem Zusammenhang gesehen werden, nicht als der einzige seiner Generation, aber zweifellos als einer der radikalsten.

Die Reorientierung der Kunst an der „Natur“ bedeutete für ihn in erster Linie die Rückkehr zum natürlichen, unverstellten, noch nicht durch Hunderte von vorgeprägten Bedeutungen belasteten Ausdruck für eine Sache oder eine Beziehung. Die Regeneration der deutschen Literatursprache sah er als seine größte Aufgabe an; und ihr hat er sich mit seiner ganzen Energie und Hartnäckigkeit gewidmet. Die vielen Überarbeitungen und Erweiterungen seiner Werke, insbesondere wieder des *Phantasus* und der *Blechschmiede*, bezeugen diese Mühe um die äußerste und letzte sprachliche Präzision. Er hat sich selbst einmal einen „Vollständigkeitsfex“ genannt;[4] daß dort, wo alles gesagt ist, wo totale Präzision, Eindeutigkeit und Vollständigkeit erreicht sind, wiederum der die Dichtung nachvollziehenden Einbildungskraft nichts mehr zu tun bleibt, bezeichnet eine ästhetische Grenze seines Werks.

Von anderen Grenzen und Beschränktheiten seines Dichtertums und seiner Persönlichkeit ist bei der Betrachtung der einzelnen Werke oft die Rede gewesen. Rechtfertigt sich also das Interesse an Arno Holz hauptsächlich dadurch, daß man ihn als feinfühligen Sprachexperimentator und als Vorläufer ähnlicher Versuche in der Gegenwart ansehen kann? Rückhaltlos läßt sich die Frage nicht bejahen. Keineswegs ist das, was moderne Autoren mit ihren Gedichten oder Texten versuchen, nun schon die Erfüllung dessen, was Holz geahnt hat, was ihm aber zu vollenden nicht glückte. Oft ist es nur ein Weitertasten auf demselben Pfade, manchmal auch ein Marsch im Kreise. Holz' Bedeutung wäre schmal, wenn sie allein in solcher Vorläuferschaft begründet wäre. In Wirklichkeit verdient Holz doch wohl Beachtung insgesamt für das, was er mit seinem Werk in die deutsche Literatur einbrachte. „Man darf ihn nur nicht gleich zu den Unsterblichen rechnen", meint Heißenbüttel am Ende seines Artikels.[5] Holz selbst und seine Freunde und Gefährten gaben allerdings die Hoffnung nie auf, daß irgendwann die Zeit kommen werde, wo er endgültig „durch" sei und öffentlich anerkannt werde als der ganz Großen einer. Kursschwankungen auf der literarischen Börse sind genugsam bekannt, aber es läßt sich wohl ziemlich bestimmt sagen, daß weder der *Phantasus* noch die *Blechschmiede,* weder *Sonnenfinsternis* noch *Ignorabimus* jene allgemeine Auferstehung und Verbreitung erfahren werden, von der Holz selbst geträumt hat. Ebensowenig jedoch bezeugt die kritische Auseinandersetzung mit diesen Werken schlechthin deren Entbehrlichkeit. In Hauptmanns Drama *Michael Kramer* meditiert der Maler Ernst Lachmann über das künstlerische Werk seines Lehrers, des Titelhelden, und kommt zu der Überzeugung: „Das große Mißlingen kann mehr bedeuten ..., kann stärker ergreifen und höher hinaufführen, ins Ungeheure tiefer hinein, als je das beste Gelingen vermag."[6] Ein wenig davon gilt auch für Arno Holz und sein Werk.

Die verlorenen Illusionen des kleinen Jonathan an seinem ersten Schultag bezeichnen das Jugendtrauma von Arno Holz; die Störung der Kindheitsidylle wurde Ausgangspunkt für seine dichterische Entwicklung. Aus der Empfindung der Fremdheit, Einsamkeit und Verlorenheit entstand der alte und immer wieder neue Wunsch nach Heimkehr, Aneignung und Zueignung der Welt. Die Kunst, die die Tendenz hatte, wieder Natur zu werden, sollte diesem Zwecke dienen. Im *Phantasus* in seiner abschließenden Gestalt glaubte Holz, diesen höchsten Zweck erreicht und erfüllt zu haben.

Besonders augenfällig lassen sich bei Holz das Ineinander und Gegeneinander von Bewußtem und Unbewußtem, von sozialen und psychologischen Motivationen sowie die Abhängigkeiten zwischen ihnen und dem Kunstwerk selbst erkennen. Es erscheinen Archetypen vom Menschen, der sich auf der Flucht vor der Fremde im Inselreich seines Traums einrichtet, der eine neue Welt aus sich heraus erschafft, um sie wirklich zu besitzen. Das Kunstwerk selbst wird eine solche Heimstätte und nicht mehr nur Abbild einer äußeren Wirklichkeit, wie das die naturalistische Formel mißverständlich zu fordern schien. Der Dichter wird zum Demiurgen, wie Phantasus immer wieder Potentat, Souverän, Pascha, Alleinherrscher ist, der die Welt in sich aufnimmt und sich selbst zur Welt macht. In der *Insel* vom Februar 1900, im selben Heft, das auch die erste

Fassung der *Blechschmiede* enthält, steht ein parodistisches Gedicht von der Geburt des Sternes Eros, das Otto Julius Bierbaum „streng nach der Mittelachse empfunden" und „seinem lieben Arno Holz" gewidmet hat.[7] Bierbaum nennt es bezeichnenderweise eine *Egotokosmische Idylle,* und er hat mit diesem Titel geradezu ein Motto für das Werk von Arno Holz gegeben. Von Holz' Egozentrik ist vielfach gesprochen worden, ebenso von der autobiographischen Begrenztheit eines großen Teiles seines Werks. Autobiographische Bestandteile gereichen nun allerdings einem Kunstwerk nicht von sich aus zum Nachteil; daß ein Künstler zuerst und vor allem aus sich heraus schöpft, ist genauso eine Binsenweisheit wie die andere Feststellung, daß die Geschöpfe und Gestalten eines Dichters nicht identisch mit seinem Ich sind, sondern von ihm ein eigenes Leben erhalten. In diesem Sinne lassen sich also weder Dorninger noch Hollrieder, weder Herr Hahn noch die Herren Anfang Zwanzig, Mitte Dreißig, Mitte Fünfzig, Anfang Siebzig oder Ende Achtzig unmittelbar mit Holz identifizieren. Mit Phantasus ist es anders: er bleibt als Gestalt unanschaulich und amorph, als lyrisches Ich aber seinem Schöpfer am nächsten stehend. Was die Beschränktheit aller dieser Gestalten und Figuren ausmacht, ist nicht die Verwandtschaft zu Arno Holz schlechthin, ihre autobiographische Ingredienz also, sondern daß sie mit dem Dichter dessen enge Weltsicht teilen, die nirgendwo in den Werken, in denen sie auftreten und erscheinen, transzendiert oder im poetischen Spiel willentlich oder unwillentlich auch nur in Frage gestellt wird. Es scheint ungerecht, dem Autor des *Phantasus* oder der *Blechschmiede* Enge vorzuhalten, aber die inhaltliche Fülle dieser Werke beruht hauptsächlich in ihrem Katalogcharakter, in der Vielzahl der in ihnen erscheinenden Namen, Dinge und Wörter. Sobald die Namen zu Personen werden, sobald Personen und Dinge in Handlungen verwickelt werden, wird die Enge wieder spürbar. Ihr Aktionsradius bleibt unverändert der des armen Poeten und seiner Wunsch- und Trieberfüllungen. Diese aber sind in ihrem Wesen immer gleich; sie sind elementar, weitgehend unreflektiert und verraten, daß Holz aus seinen besonderen gesellschaftlichen und persönlichen Konstellationen heraus von der sich verändernden Welt um ihn herum nur unzureichend Kenntnis hatte, aber auch nicht imaginativ und sozusagen gegen den Widerstand seines Intellekts seine Zeit zu sehen und zu erfassen verstand. Diese Einengung des Gesichtskreises ist jedoch zugleich Charakteristikum für eine ganze Reihe anderer Werke, insbesondere der deutschen Literatur seit dem Ausgang der achtziger Jahre des neunzehnten Jahrhunderts. Es ergeben sich daraus nicht nur Kriterien für Bedeutung und Grenzen des deutschen Naturalismus und der Literatur der Jahrhundertwende, sondern auch für die Beurteilung expressionistischer, dadaistischer oder surrealistischer Kunst bis hin zum Wort- und Buchstabenkult einer konkreten Dichtung. „Vielleicht ist die ganze assoziative Kunst, mit der wir die Zeit zu fangen und zu fesseln glauben, ein Selbstbetrug", hatte Hugo Ball schon 1917 gegen eine Hypertrophie des Formalen zu bedenken gegeben.[8]

Zweifel von diesem Ausmaß hat Holz nie gehabt. Ihm schien sein Werk, aus selbstentdeckten Naturgesetzen hervorgewachsen, gerundet und geschlossen: „Hier steht, zum ersten Mal, eine Einheit aus einem Guß da und nicht durch mehr oder minder Zufall Zusammengehäuftes."[9] Das schreibt Holz selbst im März 1926 in einem Brief an O. E. Lessing. Die zehnbändige Gesamtausgabe unter dem Titel *Das Werk* war gerade erschienen, und Lessing hatte sie in einem kleinen Aufsatz mit der Überschrift „Arno Holz wird Klassiker" angezeigt. Holz nahm solche Ehrung gern und ohne Widerrede an und stellte sich in der Definition des eigenen Werkes auf sie ein. Der Anspruch wird zwar verständlicher, wenn man bedenkt, in welchem Maße sich etwa Gerhart Hauptmann, bis zur Peinlichkeit auf Goethe stilisiert, zur gleichen Zeit feiern ließ, aber er war – für beide – anachronistisch. „Klassische" Geschlossenheit bedeutete Enge in dieser Zeit und Welt.

So wirkt das Werk von Arno Holz eher fort in Bruchstücken. Einige Skizzen aus der naturalistischen Experimentierzeit, die dummschlauen, ichbefangenen Karrieristen der *Sozialaristokraten,* ein paar Gedichte aus dem „kleinen" *Phantasus,* eine Anzahl Lieder des *Dafnis,* diesen und jenen parodistischen Ulk in der *Blechschmiede* und schließlich den großen Wortzauber des *Phantasus* – das vor allem hat Arno Holz in die deutsche Literatur eingebracht. Mit seinen theoretischen Schriften hat er an einer Reihe von tradierten Glaubenssätzen gerüttelt und Wege gewiesen, deren Ziel er selbst nur erst undeutlich sah. Bei allem aber hat ihn eine Grundüberzeugung geleitet: im Jahre 1903, als der Kaiser seine Kriegsflottenträume in drohende Wirklichkeit umsetzte, schrieb Arno Holz dem Freund Oskar Jerschke, er sehe „in der Kunst eine ebenso lebensnotwendige Funktion der Menschheit, wie das Aufstellen von Logarithmentafeln, das Feldbebauen und das Konstruiren von Panzerschiffen".[10]

Anmerkungen

Abkürzungen

DW = *Das Werk* von Arno Holz. 10 Bde. Berlin 1924/25
W = Arno Holz, *Werke.* 7 Bde. Neuwied 1961–64
Briefe = Arno Holz, *Briefe.* München 1948.

Mit Ausnahme des *Phantasus,* der in W in einer erweiterten Fassung erscheint, wird nach DW zitiert, da diese Ausgabe auch die theoretischen Schriften vollständig enthält und übersichtlicher angelegt ist. Wieweit die sogenannte Nachlaßfassung des *Phantasus* in W tatsächlich allein den Intentionen von Arno Holz entspricht, muß dahingestellt bleiben (vgl. Anm. 23 zu S. 183). Die Abweichungen in der Neufassung der *Blechschmiede* sind gering; bei Zitaten nach DW wurde jeweils W verglichen.

Römische Zahlen bezeichnen den Band der einzelnen Ausgaben.

Der arme Poet

[1] W II, S. 12, 8, 25, 13, 42, 47, 95, 26.

[2] *Deutsches Syndikatshaus G.m.b.H.* Manuskript im Arno-Holz-Archiv. Zur Projektemacherei von Holz vgl. Scheuer, S. 202 ff.

[3] W II, S. 136.

[4] *Die Akte Arno Holz,* S. 15, 26.

[5] Arno Holz, *Die neue Kunst und die neue Regierung,* in: *Freie Bühne für modernes Leben* 1 (1890), S. 165–168, bes. S. 168.

[6] *Entwurf einer „Deutschen Akademie“*, S. 23.

[7] a. a. O., S. 21.

[8] Liebermanns Brief ist vollständig abgedruckt in einer Berliner Zeitung von Ende Oktober 1926; der Zeitungsausschnitt liegt mir vor, ist aber leider nicht näher identifiziert. Zum „Akademiestreit“ vgl. Inge Jens, *Dichter zwischen rechts und links.* Die Geschichte der Sektion für Dichtkunst der Preußischen Akademie der Künste. München 1971, S. 54 ff.

[9] Vgl. dazu ausführlich Scheuer S. 203 ff. und S. 222 f.

[10] *Briefe,* S. 88.

[11] *Briefe,* S. 99.

[12] *Briefe,* S. 94.

[13] *Die Reden Kaiser Wilhelms II.* Zweiter Teil. Leipzig 1904, S. 98 f.

[14] W I, S. 190 f.

[15] W I, S. 197.

Ein verlorner Sohn

[1] *Briefe*, S. 204.
[2] DW I, S. 74 f.
[3] *Briefe*, S. 49 f. Zu *Klinginsherz* vgl. Scheuer, S. 20 ff.
[4] *Emanuel Geibel*, S. 269.
[5] *Deutsche Weisen*, S. 71.
[6] *Briefe*, S. 59.
[7] *Deutsche Weisen*, S. 175–187. Als Autor hat Scheuer, S. 32, Oskar Jerschke nachgewiesen.
[8] Heinrich Hart [und] Julius Hart, *Kritische Waffengänge*. 2. Heft. Leipzig 1882, S. 53 ff.
[9] DW I, S. 51 ff.
[10] *Briefe*, S. 62.
[11] Wilhelm Arent (Hrsg.), *Moderne Dichter-Charaktere*. Berlin 1885. Die zweite Auflage erschien unter dem Titel *Jungdeutschland*. Friedenau (Berlin) und Leipzig 1886. Zitate nach dieser letzteren Ausgabe. Henckells Worte S. VII.
[12] a. a. O., S. 148. Vgl. DW I, S. 128.
[13] DW I, S. 351. Die Zeilen stammen aus einem längeren Gedicht „Zwischen Alt und Neu", das zunächst als Prolog für das unveröffentlichte Gedichtbuch *Unterm Heilgenschein* (vgl. S. 38 und Anm. dazu) gedacht war. Holz veröffentlichte es zuerst 1891 als „Präludium" in *Die Kunst* (vgl. DW X, S. 24–39) und übernahm es dann in die endgültige Ausgabe des *Buches der Zeit*.
[14] DW I, S. 9.
[15] DW I, S. 22.
[16] DW I, S. 22.
[17] DW I, S. XIII.
[18] DW I, S. 12.
[19] DW I, S. 128.
[20] DW I, S. 59.
[21] So berichtet Oskar Jerschke in *Arno Holz und sein Werk*, S. 49.
[22] DW I, S. 30.
[23] DW I, S. 17.
[24] DW I, S. 71.
[25] DW I, S. 312.
[26] DW I, S. 51 f.
[27] DW I, S. 155.
[28] Vgl. Georg Heyms Gedicht „Die Stadt": „Wie Aderwerk gehn Straßen durch die Stadt." *Dichtungen und Schriften*, Bd. 1. Hamburg 1964, S. 452.
[29] DW I, S. 100.
[30] Vgl. *Index zu Georg Heym. Gedichte 1910–1912*. Frankfurt a. M./Bonn 1970.
[31] Julius Hart, *Der Sumpf*. Münster 1886, S. 35.
[32] DW I, S. 57, 77, 14, Vgl. die weiteren Ausführungen dazu S. 60.
[33] DW I, S. 26 f.

[34] Heinrich Heine, „Die Tendenz“ in *Zeitgedichte.*
[35] DW I, S. 46.
[36] DW I, S. 85.
[37] Hermann Bahr, *Zur Überwindung des Naturalismus.* Theoretische Schriften 1887–1904. Hrsg. von G. Wunberg. Stuttgart 1968, S. 46.
[38] Samuel Lublinski, *Die Bilanz der Moderne.* Berlin 1904, S. 61.
[39] DW I, S. 359 f.
[40] DW I, S. 107.
[41] DW I, S. 175, 180, 252.
[42] DW I, S. 79.
[43] DW I, S. 80, 84, 81, 82.
[44] DW I, S. 90 f.
[45] Holz in *Die Kunst* (1891): DW X, S. 10.
[46] DW I, S. VI.
[47] Sauer, *Arno Holz 1863–1963,* S. 12.
[48] DW I, S. 137.
[49] DW I, S. 367.
[50] DW I, S. 365.
[51] DW I, S. 6.
[52] DW I, S. 239.
[53] In dem Prosahymnus, der unter dem Titel „Have anima candida“ den Phantasus-Zyklus in den beiden ersten Auflagen des *Buches der Zeit* einleitet. Zitiert nach *Buch der Zeit.* Zweite, vermehrte Auflage, S. 483 f. Vgl. unten S. 172.
[54] DW I, S. 240.
[55] DW I, S. 313, 302, 331, 319, 334.
[56] DW I, S. 280.
[57] DW I, S. 8.
[58] *Briefe,* S. 263.
[59] *Blechschmiede,* DW IV, S. 799, 808.
[60] *Blechschmiede,* DW IV, S. 748.
[61] *Briefe,* S. 89.
[62] DW I, S. 99.
[63] DW I, S. 98, 21, 45, 269, 294.
[64] Schulz-Behrend, S. 529 f.
[65] DW I, S. 30.
[66] DW I, S. 184.
[67] DW I, S. 37.
[68] DW I, S. 358.

Neue Gleise

[1] DW I, S. 27.
[2] Carl Bleibtreu, *Revolution der Litteratur.* Neue verb. und verm. Auflage. Leipzig [1890], S. 72.

[3] Das Manuskript ist lediglich hektographiert worden. Ein Exemplar liegt im Arno-Holz-Archiv. Es umfaßt 208 Seiten und besteht aus einer „Widmungsepistel", datiert Gansenstein, Herbst 1885, 22 Kapiteln (Caput I–XXII) und am Schluß „als Ende des Ganzen ein Anfang", ein „Präludium", das Holz dann in seine Schrift *Die Kunst* übernahm (DW X, S. 23 ff.). „Widmungsepistel" und „Präludium" wurden auch in spätere Fassungen des *Buches der Zeit* übernommen (DW I, S. III–XVIII und S. 341–361). Vgl. Scheuer, S. 69 f.

[4] Vgl. Scheuer, S. 96 ff.

[5] DW X, S. 40 f.

[6] DW X, S. 41.

[7] *Briefe*, S. 79 f.

[8] Vgl. S. 209 f. mit dem Hinweis auf die Arbeit Alexander Mettes.

[9] Die *Neuen Gleise* bestehen aus drei Teilen und enthalten: I. Die papierne Passion. Krumme Windgasse 20. Die kleine Emmi. Ein Abschied. II. Papa Hamlet. Der Erste Schultag. Ein Tod. III. Die Familie Selicke. Der Einfachheit halber werden sämtliche in den *Neuen Gleisen* erschienenen Arbeiten nach dieser Ausgabe zitiert, nicht nach den verschiedenen Erstdrucken.

[10] Vgl. Scheuer, S. 99 ff. und 125.

[11] DW X, S. 490.

[12] DW X, S. 83.

[13] *Briefe*, S. 262.

[14] DW X, S. 64.

[15] DW X, S. 69.

[16] DW X, S. 240.

[17] Arno Holz, *Ein neue Dramaturgie*. In: *Der sozialistische Akademiker* 2 (1896), S. 292–297 und 432–437. Die zweite Hälfte lag mir nur in einer Abschrift des Arno-Holz-Archivs vor. Zitat Abschrift S. 12.

[18] *Briefe*, S. 105.

[19] *Complete Works of Oscar Wilde*. Glasgow and London 1966, p. 985.

[20] DW X, S. 139.

[21] DW X, S. II. Zu Holz' Naturbegriff vgl. die Aufsätze von W. Emrich, *Arno Holz – sein dichterisches Experiment* und *Arno Holz und die moderne Kunst*, in denen eine Herleitung von Kant gegeben und die von Holz intendierte erweiterte Bedeutung des Begriffes untersucht wird.

[22] DW X, S. 160.

[23] DW X, S. 190; „Wortblut" S. 369.

[24] DW X, S. 341.

[25] DW X, S. 343.

[26] DW X, S. 64.

[27] Johannes Schlaf, *Der Kleine. Ein Berliner Roman in drei Büchern*. Stuttgart 1904, S. 85.

[28] Den Gedanken, daß Holz' Kunst ein „Erkenntnisakt" sei, entwickelt zuerst Martini in seinen Untersuchungen zum *Papa Hamlet* (in: *Das Wagnis der Sprache*). Es ist unvermeidlich, daß sich die folgenden Beobachtungen zu diesem Werk an einigen Stellen mit Martinis Studie berühren, die für eine Erschließung des Textes wegweisend geworden ist.

[29] Robert Musil, *Skizze der Erkenntnis des Dichters* [1918]. In: *Tagebücher, Aphorismen, Essays und Reden.* Hamburg 1955, S. 784.

[30] DW X, S. 222.

[31] *Neue Gleise,* S. 79, 82.

[32] *Neue Gleise,* S. 44, 56 f.

[33] *Neue Gleise,* S. 217.

[34] *Neue Gleise,* S. 189, 191, 196. Der Abdruck des *Ersten Schultags* in den *Neuen Gleisen* (1892) weicht in der Fassung einiger Namen vom Erstdruck im *Papa Hamlet* (1889) ab und weist auch einige stilistische Änderungen auf, die aber für die hier vorgetragene Interpretation nicht von Belang sind.

[35] *Neue Gleise,* S. 192 f.

[36] *Neue Gleise,* S. 197.

[37] *Neue Gleise,* S. 177.

[38] *Neue Gleise,* S. 171.

[39] *Neue Gleise,* S. 172.

[40] *Neue Gleise,* S. 34 f.

[41] Vgl. Michael Georg Conrad, *Der Wanderer.* In: *Raubzeug. Novellen und Lebensbilder.* Leipzig [1893]. Max Kretzer, *Das Gesicht Christi. Roman aus dem Ende des Jahrhunderts.* Dresden/Leipzig [1896]. Oskar Panizza, *Das Wachsfigurenkabinett.* In: *Dämmrungsstücke.* Leipzig [1890].

[42] *Freie Bühne* 1 (1890), S. 274–288. In gleicher Form erschien dort auch S. 351 bis 360 die Studie *Krumme Windgasse 20.* Da sie jedoch sehr viel mehr rein beschreibende Passagen enthält als die *Papierne Passion,* wurde der Druck in den *Neuen Gleisen* wieder vereinheitlicht. Nur für die *Papierne Passion* als der konsequentesten dieser erzählerischen Etüden blieb der Unterschied zwischen Groß- und Kleindruck bewahrt.

[43] So in dem die *Neuen Gleise* abschließenden Gedicht „Zum Ausgang“, S. 309.

[44] *Die Gesellschaft* 6,1 (1890), S. 637–651.

[45] DW X, S. 213.

[46] *Neue Gleise,* S. 149.

[47] *Neue Gleise,* S. 160.

[48] *Neue Gleise,* S. 160.

[49] *Neue Gleise,* S. 121. Zum Vergleich sei hier der *Hamlet*-Text in der Übersetzung von A. W. Schlegel wiedergegeben: II, 2 *Hamlet* zu *Rosenkranz* und *Güldenstern:* „Ich habe seit kurzem – ich weiß nicht wodurch – alle meine Munterkeit eingebüßt, meine gewohnten Übungen aufgegeben; und es steht in der Tat so übel um meine Gemütslage, daß die Erde, dieser treffliche Bau, mir nur ein kahles Vorgebirge scheint; seht ihr, dieser herrliche Baldachin, die Luft, dies wackre umwölbende Firmament, dies majestätische Dach mit goldnem Feuer ausgelegt: kommt es mir doch nicht anders vor, als ein fauler, verpesteter Haufe von Dünsten. Welch ein Meisterwerk ist der Mensch! wie edel durch Vernunft! wie unbegrenzt an Fähigkeiten! In Gestalt und Bewegung wie bedeutend und wunderwürdig! im Handeln wie ähnlich einem Engel! im Begreifen wie ähnlich einem Gott! die Zierde der Welt! das Vorbild der Lebendigen! Und doch, was ist mir diese Quintessenz von Staube? Ich habe keine Lust am Manne – und am Weibe auch nicht, wiewohl ihr das durch euer Lächeln zu sagen scheint.“

I, 5 *Hamlet:* „Die Zeit ist aus den Fugen."

V, 1 *Hamlet:* „Ach, armer Yorick!"

[50] *Neue Gleise,* S. 114 f. Das Zitat *Hamlet* III, 1.

[51] DW X, S. 336.

[52] *Neue Gleise,* S. 111.

[53] *Neue Gleise,* S. 113.

[54] *Neue Gleise,* S. 160. Die *Hamlet*-Zitate sind:

II, 2 *Hamlet:* „Laßt uns eine Probe eurer Kunst sehen. Wohlan! eine pathetische Rede."

I, 4 *Hamlet:* „Und meine Seele, kann es der was tun,/Die ein unsterblich Ding ist..."

[55] *Briefe,* S. 83 ff.

[56] Der Brief ist wiedergegeben in der Dissertation von Siegwart Berthold, S. 228–230.

[57] DW X, S. 224 f.

[58] *Neue Gleise,* S. 156 f.

[59] Heinrich Hart, *Literarische Erinnerungen.* In: *Gesammelte Werke.* Berlin 1907, Bd. 3, S. 68 f. Hart berichtet über Holz: „Er entwickelte seine Ansicht [über die Kunst] am Beispiel eines vom Baum fallenden Blattes. Die alte Kunst hat von dem fallenden Blatt weiter nichts zu melden gewußt, als daß es im Wirbel sich drehend zu Boden sinkt. Die neue Kunst schildert diesen Vorgang von Sekunde zu Sekunde; sie schildert, wie das Blatt, jetzt auf dieser Seite vom Licht beglänzt, rötlich aufleuchtet, auf der andern schattengrau erscheint, in der nächsten Sekunde ist die Sache umgekehrt, sie schildert, wie das Blatt erst senkrecht fällt, dann zur Seite getrieben wird, dann wieder lotrecht sinkt..."

Der Begriff „Sekundenstil" wurde zuerst geprägt von A. v. Hanstein, *Das jüngste Deutschland.* Leipzig 1900, S. 157.

[60] Schickling, S. 78.

[61] DW X, S. 215.

[62] Vgl. Paul Schlenthers Kritik der Uraufführung in der *Freien Bühne* 1 (1890), S. 301 f. und Otto Brahms Polemik gegen den intoleranten Teil des Publikums und der Kritiker unter dem Titel „Raus!", S. 317–319.

[63] DW X, S. 222.

[64] *Neue Gleise,* S. 246.

[65] *Neue Gleise,* S. 283.

[66] *Neue Gleise,* S. 259.

[67] Theodor Fontane, *Sämtliche Werke.* Bd. XXII, 2. München 1964, S. 733.

[68] *Neue Gleise,* S. 242.

[69] Hermann Bahr in seinem Aufsatz *Naturalismus und Naturalismus.* Vgl. S. 29 und Anm. 37.

[70] *Neue Gleise,* S. 260 f.

[71] *Neue Gleise,* S. 5.

[72] DW X, S. 59.

[73] *Neue Gleise,* S. 108.

[74] DW X, S. 66.

Revolution der Lyrik

[1] *Briefe*, S. 261.
[2] DW X, S. 489.
[3] DW X, S. 489.
[4] Julius Grosse, „Lebensüberfluß". In: *Neuere Deutsche Lyrik.* Ausgewählt und herausgegeben von Carl Busse. Halle [1895], S. 255.
[5] Carl Busse in seiner Einleitung zu der angeführten Anthologie, S. 65.
[6] Heinrich Hart [und] Julius Hart, *Kritische Waffengänge.* 3. Heft. Leipzig 1882, S. 59.
[7] DW X, S. 503 f.
[8] Arno Holz, *Buch der Zeit.* Zweite, vermehrte Auflage. S. 288–290.
[9] Zitiert nach dem Wiederabdruck in W. Höllerer, *Theorien der modernen Lyrik.* Reinbek b. Hamburg 1965, S. 201.
[10] Hermann Bahr, *Zur Überwindung des Naturalismus.* Stuttgart 1968, S. 36 f.
[11] *Briefe*, S. 265.
[12] Wilhelm Bölsche, *Die naturwissenschaftlichen Grundlagen der Poesie.* Prolegomena einer realistischen Ästhetik. Leipzig 1887, S. 87.
[13] DW X, S. 488.
[14] „Einem verehrten Antipoden" lautet in der endgültigen Fassung des *Phantasus* die Überschrift eines Gedichtes, das Stefan George verspottet (W III, S. 291–294).
[15] *Moderner Musen-Almanach auf das Jahr 1893*, herausgegeben von Otto Julius Bierbaum. München [1892], S. 74.
[16] a. a. O., S. 82.
[17] DW X, S. 414.
[18] DW X, S. 544.
[19] Die Originalausgaben des *Phantasus* 1898/99 haben keine Seitenzählung. Zitiert wird nach dem Faksimiledruck der Erstfassung, Reclam-Verlag, Stuttgart 1968. Dieses Gedicht S. [20].
[20] *Pan* IV (1898), S. 14 f.
[21] Otto zur Linde, *Arno Holz und der Charon*, S. CXXIII f.
[22] Außer den in DW X wieder abgedruckten Anzeigen und Polemiken enthält Holz' Schrift einige Gedichte aus dem *Phantasus* sowie Gedichte seiner Freunde Georg Stolzenberg, Rolf Wolfgang Martens, Robert Reß und Ludwig Reinhard [d. i. Reinhard Piper]. Außerdem hat Georg Stolzenberg noch drei Kompositionen von *Phantasus*-Gedichten beigesteuert („Über die Welt hin ziehen die Wolken", „Draußen die Düne", „Fern auf der Insel Nurapu").
[23] In einem Brief vom 27. März 1907 (vgl. Scheuer, S. 226 f.).
[24] Robert Ress, *Farben.* Berlin 1899. Die anderen Publikationen des Kreises waren: Georg Stolzenberg, *Neues Leben.* 1. Heft Berlin 1898, 2. Heft 1899, 3. Heft 1903. Rolf Wolfgang Martens, *Befreite Flügel.* Berlin 1899. Ludwig Reinhard, *Meine Jugend* 1899. Verleger für alle war Johann Sassenbach.
[25] DW X, S. 517.
[26] DW X, S. 498.

[27] DW X, S. 498.
[28] DW X, S. 500.
[29] DW X, S. 501.
[30] *Revolution der Lyrik,* S. 45. Das Gedicht steht im *Phantasus* 1898/99, S. [20]. Die Wiedergabe in DW X, S. 539 übernimmt bereits die Dreiteilung der Zeilen.
[31] Zuerst in DW VII, S. 224.
[32] Otto zur Linde, *Arno Holz und der Charon,* S. VIII.
[33] Schultz, *Vom Rhythmus der modernen Lyrik,* S. 125.
[34] *Phantasus* 1898/99, S. [77].
[35] DW X, S. 490.
[36] DW X, S. 82.
[37] DW X, S. 605.
[38] DW X, S. 510.
[39] DW X, S. 187. Diese Stelle aus der *Kunst* wird in der *Revolution der Lyrik* wiederholt.
[40] DW X, S. 538.
[41] G. Simmel, *Philosophie des Geldes,* S. 449, zitiert nach dem für diesen Zusammenhang besonders interessanten Aufsatz von Roy Pascal, *Georg Simmels „Die Großstädte und das Geistesleben".* In: *Gestaltungsgeschichte und Gesellschaftsgeschichte.* Stuttgart 1969, S. 452 f.
[42] Es ist der Titel eines mit der Literatur dieser Zeit befaßten Aufsatzes aus dem Jahre 1930. Wieder abgedruckt in Walther Rehm, *Der Dichter und die neue Einsamkeit.* Göttingen 1969, S. 78–152.
[43] *Complete Works of Oscar Wilde.* London and Glasgow 1966, p. 32.
[44] DW X, S. 503.
[45] DW X, S. 503.
[46] Brandstetter, S. 13. Ob die Zeilenaufteilung der Nachlaßfassung allerdings als Beleg herangezogen werden kann, muß offen bleiben (vgl. Anm. 23 zu S. 183).
[47] Holm, *Weiteres aus der Holz-Zunft,* S. 387.
[48] DW X, S. 198.
[49] Hugo von Hofmannsthal, *Ein Brief.* In: *Ausgewählte Werke in zwei Bänden.* Frankfurt a. M. 1957. Bd. 2, S. 343 f.
[50] DW X, S. 503.
[51] Die statistischen Angaben stützen sich auf Untersuchungen, die Erika E. Leslie in einer Arbeit *Motive und Bilder in der ersten Fassung des „Phantasus" von Arno Holz* 1968 für mich an der University of Western Australia in Perth vorgenommen hat. Vgl. auch mein Nachwort zu dem Faksimiledruck des *Phantasus* 1898/99, aus dem einige Gedanken und Formulierungen in die folgenden Ausführungen eingegangen sind.
[52] *Phantasus. Zur Einführung.* S. 2, vgl. auch DW X, S. 702.
[53] *Phantasus* 1898/99 S. [53].
[54] *Phantasus* 1898/99, S. [51].
[55] *Phantasus* 1898/99, S. [25].
[56] *Phantasus* 1898/99, S. [7].
[57] *Phantasus* 1898/99, S. [74].

[58] *Phantasus* 1898/99, S. [13].

[59] *Phantasus* 1898/99, S. [31]. Im Erstdruck 1898 in der *Jugend* (vgl. Abb. S. 72) hießen die Schlußzeilen noch:

Aus unsern Herzen
jauchzt ein unsterbliches Lied
von Li-Tai-Pe!

[60] *Briefe*, S. 97.

[61] *Die Insel* I (1899), S. 2.

[62] *Phantasus* 1898/99, S. [69].

[63] *Phantasus* 1898/99, S. [84].

[64] *Phantasus* 1898/99, S. [97].

[65] *Phantasus* 1898/99, S. [108].

[66] DW V, S. 9.

[67] *Phantasus* 1898/99, S. [15].

[68] DW X, S. 668.

[69] Barthold Heinrich Brockes, „Das Große und das Kleine" (1724) aus seiner Sammlung *Irdisches Vergnügen in Gott*, zitiert nach *Deutsche Literatur in Entwicklungsreihen*, Reihe Aufklärung, Bd. 2, Leipzig 1930, S. 225.

[70] *Phantasus* 1898/99, S. [71].

[71] DW X, S. 574.

[72] Vgl. z. B. Wolfgang Iskra, *Die Darstellung des Sichtbaren in der dichterischen Prosa um 1900*. Münster 1967.

[73] Vgl. Dushan Stankovich, *Otto Julius Bierbaum – eine Werkmonographie*. Bern/Frankfurt a. M. 1971, bes. S. 192 ff. und S. 209 f.

[74] *Briefe*, S. 120.

[75] *Phantasus* 1898/99, S. [71].

Evolution des Dramas

[1] Vgl. im einzelnen dazu Scheuer, S. 172 ff.

[2] *Briefe*, S. 106.

[3] In einem offenen Brief an Maximilian Harden aus dem Jahre 1897 (DW X, S. 233).

[4] *Briefe*, S. 195.

[5] *Briefe*, S. 181 f.

[6] *Briefe*, S. 211 und 199.

[7] *Briefe*, S. 211.

[8] W III, S. 322.

[9] Maximilian Harden, *Berlin von Holz*. In: *Die Zukunft* 19 (1897), S. 610 bis 616.

[10] Bruno Willes *Philosophie des reinen Mittels* erschien zunächst in der Form von einzelnen Beiträgen und Briefen in der *Freien Bühne* 3 (1892) und dann erweitert als Buch unter dem Titel *Philosophie der Befreiung durch das reine*

Mittel. Beiträge zur Pädagogik des Menschengeschlechts. Berlin 1894. Zur „freien Sittlichkeit" vgl. *Freie Bühne* 3 (1892), S. 632 f.

[11] Vgl. Ernst Keller, *Nationalismus und Literatur.* Bern 1970, S. 16.

[12] Hinsichtlich der Verfasserschaft des Werkes hat es Zweifel gegeben. Samuel Lublinski hatte in seiner Schrift *Holz und Schlaf. Ein zweifelhaftes Kapitel Literaturgeschichte* behauptet, „daß nicht Holz, sondern Paul Ernst der Verfasser der Sozialaristokraten sei." (vgl. DW X, S. 402). Ernst wohnte zur fraglichen Zeit bei Holz und arbeitete mit ihm zusammen. Inzwischen kann jedoch als gesichert gelten, daß Ernsts Anteil an dem Werk in seiner endgültigen Form gering ist. Ernst selbst hat nie Anspruch auf die Verfasserschaft erhoben, allerdings Lublinski auch nicht widersprochen. Zu Einzelheiten vgl. Beimdick, S. 86f. und Scheuer, S. 172 ff.

[13] Bruno Wille, *Sozialaristokratie.* In: *Freie Bühne* 4 (1893), S. 914–920.

[14] DW V, S. 127.

[15] Vgl. Scheuer, S. 183.

[16] *Briefe,* S. 116.

[17] Lothar Creutz, *Arno Holz war doch ein Dramatiker.* In: *Die Weltbühne* 10 (1955), S. 1268–1271, bes. S. 1269.

[18] DW V, S. 90.

[19] DW V, S. 109.

[20] DW V, S. 128.

[21] DW V, S. 108.

[22] Bruno Wille, *Der Biberpelz.* In: *Freie Bühne* 4 (1893), S. 1160–1164, bes. 1162.

[23] DW V, S. 78.

[24] DW V, S. 113.

[25] DW V, S. 41.

[26] DW X, S. 214 f.

[27] DW X, S. 224 f.

[28] Es handelt sich dabei nicht um zusammenhängende theoretische Erörterungen, sondern um Selbstanzeigen und Streitschriften, in denen die Theorie zumeist nur en passant vorgetragen wird. Im einzelnen setzt sich die Abteilung *Evolution des Dramas* aus folgenden Schriften zusammen:
Vorwort zu den *Sozialaristokraten* (DW X, S. 213–217)
Pro domo [d. i. ein offener Brief an Maximilian Harden] (DW X, S. 218–235)
Dr. Richard M. Meyer (DW X, S. 235–306)
Johannes Schlaf, ein notgedrungenes Kapitel (DW X, S. 306–465)
Vorwort zu *Ignorabimus* (DW X, S. 465–474)
Die Literaturförderung des deutschen Theaters, ein Wort in eigener Sache (DW X, S. 474–481)
Zum Kapitel ‚Dichterehrung' [ein Leserbrief an das *Berliner Tageblatt*] (DW X, S. 481–484).

[29] Vgl. Scheuer, S. 176 f.

[30] *Briefe,* S. 133.

[31] Alfred Kerr, *Die Welt im Drama,* Bd. 3. Berlin 1917, S. 150.

[32] *Briefe,* S. 147.

[33] Reß, *Arno Holz und seine künstlerische, weltkulturelle Bedeutung*, S. 201 f.
[34] Vgl. Paul Blunk, *Oskar Jerschke. Zur Erinnerung an den Gründer des V. D. St. Straßburg. Ein Beitrag zur Studentengeschichte*. In: *Akademische Blätter*. Zeitschrift des Kyffhäuserverbandes der Vereine Deutscher Studenten 47 (1932), Nr. 8.
[35] *Briefe*, S. 163, das vorausgehende Zitat S. 59.
[36] *Frei!*, 1909, S. 158.
[37] *Frei!*, 1909, S. 63.
[38] *Frei!*, 1909, S. 66.
[39] *Frei!*, 1909, S. 80.
[40] *Frei!*, 1909, S. 117.
[41] *Frei!*, 1909, S. 156.
[42] In einem unveröffentlichten Brief an J. Sassenbach vom 20. Februar 1904 (Arno-Holz-Archiv).
[43] *Briefe*, S. 165 f.
[44] Reß, *Arno Holz und seine künstlerische, weltkulturelle Bedeutung*, S. 194.
[45] *Gaudeamus!*, S. 154.
[46] *Gaudeamus!*, S. 80.
[47] Holz ließ das Gedicht drucken und versandte es in dieser Form. Ein Exemplar liegt im Arno-Holz-Archiv.
[48] Vgl. Scheuer, S. 306.
[49] *Gaudeamus*, S. 114.
[50] *Traumulus*, 1909, S. 21 und 35 f.
[51] *Traumulus*, 1909, S. 10.
[52] *Briefe*, S. 157.
[53] *Traumulus*, 1909, S. 160.
[54] *Briefe*, S. 157.
[55] *Die Reden Kaiser Wilhelms II.* Erster Teil. Leipzig o. J., S. 156.
[56] Heinrich Mann, *Ein Zeitalter wird besichtigt*. Berlin 1947, S. 197.
[57] *Büxl*, S. 119.
[58] Maximilian Harden, *Berlin von Holz*, a. a. O., S. 616.
[59] Trotzkij, S. 362.
[60] DW V, S. 398.
[61] *Briefe*, S. 192.
[62] Schlaf hat Holz nach ihrer Trennung tatsächlich vergeworfen, ihn zeitweilig in seinem Seelenleben manipuliert und beeinflußt zu haben. Vgl. dazu Schlaf, *Mentale Suggestion*, S. 17 ff. Die Gestalt des Edwin Uhse, der in Schlafs Roman *Der Kleine* (1904) den Helden des Buches, Donald Wegener, unter Fernhypnose setzt, war die literarische Version dieser Angelegenheit. Verschiedene Zeitgenossen von Holz haben gewisse telepathische Fähigkeiten bei ihm bestätigt (Max Osborn und Reinhard Piper; vgl. Scheuer, S. 127 ff.).
[63] DW V, S. 232.
[64] DW V, S. 171 und 183 f.
[65] Walter Bräutigam, *Reaktionen. Neurosen. Psychopathien*. Stuttgart 1969, S. 133.
[66] Bräutigam, a. a. O., S. 137 und 139.

[67] Bräutigam, a. a. O., S. 148.
[68] Bräutigam, a. a. O., S. 134.
[69] Hugo von Hofmannsthal, *Die unvergleichliche Tänzerin.* In: *Gesammelte Werke in Einzelausgaben. Prosa II.* Frankfurt/Main 1951, S. 256–263. Holz in: DW X, S. 188 f.
[70] DW V, S. 359.
[71] DW V, S. 316.
[72] Zitiert nach Beimdick, S. XVIII.
[73] DW V, S. 383 ff.
[74] DW V, S. 203 und 276.
[75] DW V, S. 354 f.
[76] Trotzkij, S. 363 und 365.
[77] Heinrich Mann, *Die Göttinnen.* Hamburg/Düsseldorf 1969, S. 470.
[78] Thomas Mann, *Königliche Hoheit.* Berlin 1953, S. 180.
[79] DW V, S. 173.
[80] DW V, S. 196, 286 f., 288.
[81] *Briefe*, S. 191.
[82] DW VI, S. 34.
[83] DW VI, S. 256. Vgl. die gleiche Wendung im *Dafnis* (S. 138 und Anm. 47).
[84] Zu den Quellen vgl. Beimdick, S. 239 ff. und Schickling, S. 212 ff.
[85] Emil du Bois-Reymond, *Goethe und kein Ende.* Leipzig 1883, S. 30 und 15.
[86] du Bois-Reymond, a. a. O., S. 22 f.
[87] DW VI, S. 173.
[88] *Briefe*, S. 232.
[89] *Briefe*, S. 201.
[90] DW VI, S. 98.
[91] DW VI, S. 387.
[92] DW VI, S. 155.
[93] Rappl, S. 66.
[94] DW VI, S. 374.
[95] *Briefe*, S. 177.
[96] DW VI, S. 10.
[97] DW VI, S. 484.
[98] DW VI, S. 75.
[99] *Briefe*, S. 261.
[100] Vgl. DW VI, S. 374 und DW IX, S. 870 f. Dazu DW X, S. 643 ff. als Kommentar.
[101] DW V, S. 175.

Lyrisches Porträt

[1] Zur Entstehung des *Dafnis* vgl. ausführlich Conermann, S. 19 ff. Zitiert wird nach der endgültigen, die „Buß-Thränen“ und später erschienenen Einzelgedichte enthaltenden Ausgabe von 1924 (DW II).
[2] Arno Holz, *Dafnis* [Selbstanzeige]. In: *Die Zukunft* 48 (1904), S. 489–494.

[3] Zitiert nach Reß, *Arno Holz und seine künstlerische, weltkulturelle Bedeutung*, S. 111 (Erstdruck in: *Die Zukunft* 42 (1903), S. 478).
[4] Arno Holz, *Dafnis* [Selbstanzeige]. S. 489.
[5] *Briefe*, S. 142.
[6] *Briefe*, S. 154.
[7] *Briefe*, S. 155.
[8] Arno Holz, *Dafnis* [Selbstanzeige]. S. 489.
[9] DW II, S. 4.
[10] DW II, S. 13.
[11] DW II, S. 164.
[12] DW II, S. 54 f.
[13] DW II, S. 241.
[14] DW II, S. 326.
[15] DW II, S. 328.
[16] *Briefe*, S. 145.
[17] DW II, S. 16.
[18] DW II, S. 53.
[19] DW II, S. 95.
[20] DW II, S. 321.
[21] DW II, S. 192.
[22] Zitiert nach: *Das Zeitalter des Barock. Texte und Zeugnisse.* Hrsg. von Albrecht Schöne. 2. Aufl. München 1968, S. 251.
[23] *Briefe*, S. 154.
[24] Gustav René Hocke, *Manierismus in der Literatur.* Hamburg 1959, S. 115.
[25] DW II, S. 87.
[26] DW II, S. 185.
[27] DW II, S. 33 und 45.
[28] DW II, S. 94.
[29] DW II, S. 100.
[30] DW II, S. 215.
[31] DW II, S. 14, 102, 16, 20, 134, 56, 138.
[32] *Briefe*, S. 153.
[33] *Briefe*, S. 153.
[34] DW II, S. 126.
[35] DW II, S. 37.
[36] Vgl. Dushan Stankovich, *Otto Julius Bierbaum – eine Werkmonographie.* Bern und Frankfurt/M. 1971, S. 209.
[37] Gero von Wilpert, *Sachwörterbuch der Literatur.* München 1955, S. 409.
[38] DW X, S. 499.
[39] *Briefe*, S. 142.
[40] Stolzenberg, *Arno Holz und ich*, S. 20.
[41] DW II, S. 10.
[42] DW II, S. 107.
[43] DW II, S. 117.
[44] DW II, S. 211.
[45] DW II, S. 100 und 104.

[46] DW II, S. 217.

[47] DW II, S. 251. Vgl. die gleiche Wendung in dem Drama *Ignorabimus,* die im vorigen Kapitel zitiert wurde (S. 123 und Anm. 83).

[48] DW II, S. 307.

[49] DW II, S. 307.

[50] DW II, S. 145, 20, 317.

[51] DW II, S. 326.

[52] DW II, S. 62.

[53] DW II, S. 102.

[54] Schillers *Werke.* Nationalausgabe. Bd. 20. Weimar 1962, S. 417.

[55] Vgl. Arno Holz, *Dafnis* [Selbstanzeige]. S. 492.

[56] Tucholski, *An Arno Holz,* S. 67.

[57] DW II, S. 22.

[58] DW II, S. 66.

Seelendramoid

[1] DW V, S. 11.

[2] DW III, S. I.

[3] DW X, S. 701 und III, S. I.

[4] *Die Insel* 1. Jahrg., 2. Bd. (1900), S. 123–154.

[5] Arno Holz, *Die Blechschmiede.* Erschienen im Insel-Verlage Leipzig 1902.

[6] *Briefe,* S. 113 f. Die ersten drei *Lieder des Apollonius Golgatha* veröffentlichte Holz in der Zeitschrift *Das Narrenschiff* I (1898) Nr, 5, S. 71.

[7] DW III, vor S. 1.

[8] *Briefe,* S. 131.

[9] DW III, S. 48 f.

[10] DW III, S. 2.

[11] DW III, S. 10.

[12] W VI, S. 108.

[13] DW X, S. 498.

[14] DW III, S. 96.

[15] DW III, S. 95.

[16] DW III, S. 15.

[17] DW III, S. 17.

[18] DW III, S. 15, 23, 28.

[19] DW I, S. 115.

[20] *Phantasus* 1898/99, S. [52].

[21] DW III, S. 12; vgl. H. Bahr, *Zur Überwindung des Naturalismus.* Stuttgart 1968, S. 167.

[22] *Briefe,* S. 180.

[23] DW III, S. 9. Das Gedicht zählt zu den frühesten Versen der *Blechschmiede* und wurde bereits 1898 in der Zeitschrift *Das Narrenschiff* veröffentlicht (vgl. Anm. 6).

[24] DW III, S. 21; „Amt“ und „Harfe“ werden schon mehrfach in der frühen Lyrik Georges in Verbindung mit dem Dichter verwendet. Das Gedicht „Hehre Harfe“ steht allerdings erst im *Siebenten Ring* (1907), während sich Holz' Verse bereits in der *Blechschmiede* von 1902 finden.
[25] DW III, S. 21; vgl. Gerhart Hauptmann, *Sämtliche Werke*. Centenar-Ausgabe. Hrsg. von Hans-Egon Hass. Bd. 4 Berlin/Frankfurt a. M. 1964, S. 395.
[26] DW III, S. 105.
[27] Alfred Mombert, *Dichtungen*. Bd. 1: *Gedicht-Werke*. München 1963, S. 132, 182, 179, 158.
[28] DW III, S. 22.
[29] Hermann Conradi, *Gesammelte Schriften*. Bd. 1: *Lebensbeschreibung, Gedichte und Aphorismen*. München und Leipzig 1911, S. 73.
[30] DW III, S. 107.
[31] DW III, S. 113.
[32] Richard Dehmel, *Gesammelte Werke*. Bd. 5: *Zwei Menschen*. Dritte, wenig veränderte Ausgabe. Berlin 1908, S. 15.
[33] Dehmel, a. a. O., S. 14.
[34] DW III, S. 116.
[35] DW III, S. 118.
[36] DW III, S. 59.
[37] DW III, S. 63.
[38] W VI, S. 81 (in DW III, S. 76 in leicht veränderter Zeilenanordnung).
[39] DW III, S. 78.
[40] DW III, S. 120.
[41] W VI, S. 119 (DW III, S. 121 – vgl. Anm. 38).
[42] DW III, S. 121.
[43] W VI, S. 123 (DW III, S. 124 – vgl. Anm. 38).
[44] W VI, S. 123 f. (DW III, S. 125 – vgl. Anm. 38).
[45] Vgl. die Bemerkung zum *Phantasus*-Manuskript, S. 183, Anm. 23.
[46] *Die Reden Kaiser Wilhelms II.* Dritter Teil. Leipzig o. J., S. 61.
[47] Carl Bleibtreu, *Revolution der Litteratur*. Neue verbesserte und vermehrte Auflage. Leipzig [1890], S. 1 ff. und 81 ff.
[48] Michael Georg Conrad, *Raubzeug*. Novellen und Lebensbilder. Leipzig [1893], S. 149.
[49] Wilhelm Bölsche, *Goethe im zwanzigsten Jahrhundert*. 4. Aufl. Berlin 1908, S. 73 und 75.
[50] DW III, S. 139 f.
[51] DW III, S. 136.
[52] DW III, S. 159.
[53] DW III, S. 191; vgl. Goethes *Faust* 4317.
[54] DW III, S. 174.
[55] DW III, S. 316.
[56] DW III, S. 332.
[57] DW III, S. 240 und 236.
[58] DW III, S. 230. Vgl. Haeckel, *Die Welträthsel*. Volks-Ausgabe. Stuttgart o. J., S. 116: „In Wirklichkeit wird auch dieser immaterielle Geist nicht unkör-

perlich, sondern unsichtbar gedacht, gasförmig. Wir gelangen so zu der paradoxen Vorstellung Gottes als eines sogenannten ‚gasförmigen Wirbelthieres'."

[59] DW III, S. 231.

[60] DW III, S. 256 und 259.

[61] W VI, S. 231 f. (DW III, S. 259 f. – vgl. Anm. 38).

[62] DW III, S. 368.

[63] DW III, S. 378 und Goethes *Faust* 4398.

[64] DW III, S. 380.

[65] W VI, S. 335.

[66] Friedrich Nietzsche, *Vom Nutzen und Nachteil der Historie für das Leben.* In: *Werke in drei Bänden.* Hrsg. von Karl Schlechta. München 1954, Bd. 1, S. 270.

[67] DW III, S. 70.

[68] Friedrich Nietzsche, *Also sprach Zarathustra.* In: *Werke in drei Bänden.* Hrsg. von Karl Schlechta. München 1954, Bd. 2, S. 343.

[69] Julius Hart, *Triumph des Lebens.* Florenz und Leipzig 1898. S. 1 ff., 55 ff., 111 ff., 145 ff.

[70] Max Halbe, *Gesammelte Werke.* Bd. 5: *Heitere Stücke,* München 1923, S. 217.

[71] *Der Aeolsharfenalmanach.* Bd. 3. Berlin 1896, S. 11 f.

[72] DW IV, S. 395.

[73] DW IV, S. 422 ff.

[74] DW IV, S. 438.

[75] DW IV, S. 467.

[76] DW IV, S. 448.

[77] DW IV, S. 435.

[78] DW IV, S. 434.

[79] DW IV, S. 522.

[80] DW IV, S. 458.

[81] DW IV, S. 542.

[82] DW IV, S. 557.

[83] DW IV, S. 577.

[84] DW IV, S. 597, 600, 628.

[85] DW IV, S. 637.

[86] DW IV, S. 655 f. Vgl. *Die Insel.* 3. Jahrg., 4. Quartal (1902), S. 153–161; Arno Holz, *Seltzsame und höchst abentheuerliche Historie von der Insul Pimperle/ daran sich der Tichter offt im Traum ergezzt.* Berlin-Wilmersdorf [1919]. Wie Holz selbst schreibt, sind im Sonderdruck einige Strophen versehentlich weggefallen, die schon in der *Insel* standen (vgl. Sauer, *Arno Holz 1863–1963,* S. 23); die erste Fassung in der *Insel* ist später nur wenig erweitert worden. Komplett findet sich das Gedicht dann in DW IV, S. 647–656.

[87] DW IV, S. 748.

[88] Vgl. E. Frenzel, *Stoffe der Weltliteratur.* Stuttgart 1962, S. 278.

[89] DW IV, S. 662 f., 666.

[90] DW IV, S. 731, 683.

[91] DW IV. S. 691.

[92] DW IV, S. 705.
[93] DW IV, S. 708 f.
[94] DW IV, S. 709.
[95] DW IV, S. 719.
[96] DW IV, S. 737 ff. Dort auch die noch folgenden Zitate.
[97] DW X, S. 510.
[98] DW IV, S. 406.
[99] Fritz J. Raddatz, *In dieser machbar gemachten Welt. Überlegungen zu Jürgen Becker.* In: *Merkur* 25 (1971), S. 557–569, bes. S. 561.
[100] Vgl. Raddatz, a. a. O., S. 562.
[101] DW IV, S. 693.
[102] DW IV, S. 751.
[103] DW IV, S. 751 f., 765, 753.
[104] DW IV, S. 777.
[105] DW IV, S. 776.
[106] DW IV, S. 798, Vgl. S. 33.
[107] DW IV, S. 779.
[108] DW IV, S. 780.
[109] DW IV, S. 779.
[110] Novalis. *Werke.* München 1969, S. 561.
[111] W VII, S. 391.
[112] DW IV, S. 847.
[113] DW IV, S. 837.
[114] DW IV, S. 379 f.
[115] DW IV, S. 89.
[116] *Briefe,* S. 251 f. Auf einen möglichen Einfluß der Zitat-Technik der *Blechschmiede* auf Karl Kraus' *Die letzten Tage der Menschheit* verweist Karl Riha, *Cross-Reading und Cross-Talking.* Zitat-Collage als poetische und satirische Technik. Stuttgart 1971, S. 23.
[117] Vgl. Schickling, S. 254 f.
[118] Gustav René Hocke, *Manierismus in der Literatur.* Hamburg 1959, S. 17 und 15.

Riesen-Phantasus

[1] *Briefe,* S. 127.
[2] DW X, S. 653 (vgl. *Phantasus,* W III, S. 486 ff.).
[3] DW X, S. 650 f.
[4] W I, S. 454.
[5] Ernst Haeckel, *Die Welträthsel.* Volks-Ausgabe. Stuttgart o. J., S. 36 und 152.
[6] Wilhelm Bölsche, *Weltblick.* Dresden 1904, S. 24.
[7] Julius Hart, *Der neue Gott. Ein Ausblick auf das kommende Jahrhundert.* Florenz und Leipzig 1899, S. 144.

[8] Julius Hart, a. a. O., S. 264 f.

[9] Julius Hart, a. a. O., S. 347.

[10] Hermann Bahr, *Zur Überwindung des Naturalismus.* Stuttgart 1968, S. 183 bis 192.

[11] Julius Hart, a. a. O., S. 343.

[12] DW X, S. 651.

[13] Ovid, *Verwandlungen.* Übers. von Johann Heinrich Voß. Leipzig o. J., S. 184 (Nr. 49 *Ceyx und Halcyone*, 231–233).

[14] DW X, S. 653.

[15] *Briefe*, S. 200.

[16] Die Exemplare sind numeriert. Der Satz wird in meinem Exemplar so fortgesetzt: „... von denen dieses das 17. ist. Arno Holz."

[17] *Phantasus. Zur Einführung.* S. 4.

[18] *Phantasus* 1898/99, S. [82] und *Phantasus* 1913, 2. Heft (die Hefte sind nicht paginiert).

[19] Erwin Ackerknecht, *Ein Pandämonium Lyricum.* In: *Das literarische Echo* 19 (1916/17), S. 472.

[20] *Phantasus. Zur Einführung.* S. 4 f.

[21] a. a. O., S. 9.

[22] a. a. O., S. 40.

[23] W I-III. Leider enthält die Ausgabe keinerlei Auskunft über die dem Druck zugrundegelegten Manuskripte und deren Zustandekommen. Die Manuskripte selbst befinden sich im Arno-Holz-Archiv. Über die Zusammenstellung der Textvorlagen für die Nachlaßfassung des *Phantasus* konnte ich aus dem Freundeskreis von Arno Holz das Folgende erfahren: „Als Arno Holz 1929 starb, war die letzte Fassung nur in den Bänden der Werkausgabe [von 1924/25] mit Bleistift-Eintragungen und vielen eingefügten Blättern vorhanden. Herr Reß war verzweifelt, weil sie für eine Drucklegung untauglich war. Es gelang ihm, aus seinem Bekanntenkreise eine junge Frau, Frau Grete Niemann, dafür zu gewinnen, mit der Schreibmaschine nach seinem Diktat die Gedichte wie Prosa hintereinander zu schreiben, dann mit einer Schneidemaschine die Zeilen in schmale Streifen zu schneiden, aufzuteilen und auf einen Mittelachsen-Streifen in der richtigen Anordnung zu kleben... Herr Reß und Frau Niemann arbeiteten Jahre daran." Ein Exemplar dieser Fassung liegt im Arno-Holz-Archiv; ein zweites Exemplar aus dem Besitze Max Wagners, der sich um die Gründung des Archivs verdient gemacht hat, ging während des Krieges teilweise verloren, wurde aber nach dem anderen Exemplar handschriftlich ergänzt und für den Druck der Nachlaßfassung zur Verfügung gestellt.

[24] DW X, S. 651.

[25] Jetzt in: Oskar Loerke, *Der Bücherkarren.* Besprechungen aus dem Berliner Börsen-Courier 1920–1928. Unter Mitarbeit von Reinhard Tghart herausgegeben von Hermann Kasack. Heidelberg/Darmstadt 1965, S. 15.

[26] W II, S. 331.

[27] W III, S. 472.

[28] W I, S. 585.

[29] W III, S. 486 f.

[30] W III, S. 522.
[31] W I, S. 593.
[32] W I, S. 447.
[33] W I, S. 589.
[34] W III, S. 437.
[35] W I, S. 7.
[36] W I, S. 8.
[37] J.-K. Huysmans, *A rebours.* Paris 1926, p. 121. Zu George vgl. M. Durzak, *Der junge Stefan George.* München 1968, S. 214.
[38] W I, S. 8–118.
[39] W I, S. 30.
[40] W I, S. 49, 66, 86, 108, 112.
[41] W I, S. 116 f.
[42] W I, S. 402 ff.
[43] W I, S. 38.
[44] W I, S. 115.
[45] Arno Holz, *Pronunciamento.* Werk-Verlag, Berlin-Wilmersdorf [1923].
[46] W I, S. 119.
[47] DW III, S. 315.
[48] Ernst Haeckel, *Die Welträthsel.* Volks-Ausgabe. Stuttgart o. J., S. 47.
[49] W I, S. 144.
[50] W I, S. 167.
[51] W I, S. 120.
[52] „Das Drama der Menschengattung" ist der Titel einer *Faust*-Studie von Georg Lukács in *Goethe und seine Zeit,* Berlin 1950.
[53] W I, S. 437–446.
[54] *Phantasus* 1898/99, S. [59] – *Phantasus* 1913, 1. Heft – *Phantasus. Zur Einführung.* 1922, S. 17 f.
[55] W I, S. 7 f.
[56] *Phantasus* 1898/99, S. [50] – W I, S. 367 f.
[57] *Phantasus* 1898/99, S. [24] – W I, S. 264 f.
[58] *Phantasus* 1898/99, S. [25] – W I, S. 265 f.
[59] *Phantasus* 1898/99, S. [29] – W I, S. 549 ff.
[60] *Phantasus* 1898/99, S. [21].
[61] W I, S. 238 ff.
[62] *Phantasus* 1898/99, S. [52] – W I, S. 360 ff.
[63] W I, S. 183.
[64] W I, S. 318, 335, 340 ff. u. ö.
[65] W I, S. 372.
[66] W I, S. 395.
[67] W I, S. 411.
[68] W I, S. 559 f. und 570 ff.
[69] W I, S. 466 ff.
[70] W I, S. 593.
[71] DW X, S. 672.
[72] W II, S. 429 ff.

[73] W II, S. 465 f.
[74] W III, S. 454.
[75] W III, S. 480 ff. – Adelbert von Chamisso, „Salas y Gomez". In: *Gedichte,* Leipzig o. J., S. 385–394. – Alfred Mombert, „Salas y Gomez": 12 Gedichte innerhalb des Gedichtwerks *Die Schöpfung.* In: *Dichtungen.* Bd. 1: *Gedicht-Werke.* München 1963, S. 152 ff.
[76] W III, S. 524.

Nonplusultra-Poem

[1] Maximilian Harden, *Berlin von Holz.* In: *Die Zukunft* 19 (1897), S. 614.
[2] *Briefe,* S. 127.
[3] *Briefe,* S. 232.
[4] DW III, S. 380.
[5] DW X, S. 653.
[6] W II, S. 459.
[7] Leo Navratil, *Schizophrenie und Sprache. Zur Psychologie der Dichtung.* München 1966, S. 161.
[8] Navratil, a. a. O., S. 82.
[9] Navratil, a. a. O., S. 132 und ergänzend in einem Brief an mich.
[10] Mette, *Arno Holz und seine Wortkunst,* S. 278.
[11] Cesare Lombrosos Werk über *Genie und Irrsinn* (1864, dt. 1887) und ihre Beziehungen zueinander fand damals weite Verbreitung im Zusammenhang mit Versuchen zur wissenschaftlichen Bestimmung des Geistigen.
[12] Navratil, a. a. O., S. 157.
[13] Mette, *Arno Holz und seine Wortkunst,* S. 282.
[14] Döblin, *Vom alten zum neuen Naturalismus,* S. 143 ff.
[15] DW I, S. 59, 69 und *Briefe,* S. 127.
[16] Heinrich Mann, *Pippo Spano.* In: *Novellen.* Hamburg 1963, S. 291, 309, 330, 308.
[17] Gustav Stresemann in *Arno Holz und sein Werk,* S. 54.
[18] Döblin, *Einführung in eine Arno-Holz-Auswahl, S. 161.*
[19] W I, S. 190.
[20] W II, S. 335 f.
[21] W III, S. 102.
[22] W II, S. 81 u. ö.
[23] W III, S. 215.
[24] W III, S. 84.
[25] W III, S. 74 f.
[26] W III, S. 85 f.
[27] W II, S. 91.
[28] W I, S. 425; W II, S. 68; W III, S. 225 f. etc.
[29] W II, S. 87.

[30] W III, S. 452 f.
[31] *Phantasus* 1898/99, S. [85].
[32] W III, S. 291.
[33] W III, S. 308.
[34] W III, S. 309.
[35] *Briefe*, S. 162.
[36] W III, S. 293 f.
[37] *Phantasus* 1898/99, S. [81].
[38] W III, S. 291 f.
[39] W II, S. 330; W III, S. 320 und 293.
[40] W II, S. 293.
[41] W III, S. 301 f.
[42] W I, S. 447 ff.
[43] W II, S. 40 f.
[44] Max Bense, *Einführung in die informationstheoretische Ästhetik.* Reinbek bei Hamburg 1969, S. 128 f. und 133.
[45] W I, S. 579.
[46] W II, S. 128 und 424.
[47] W II, S. 111.
[48] Bense, a. a. O., S. 128.
[49] W I, S. 427.
[50] W II, S. 61 f.
[51] W I, S. 536; W III, S. 43; W II, S. 220; W III, S. 40, 251, 216; W I, S. 490 (die beiden letzten Wörter sind in DW zusammengeschrieben, in W jeweils in zwei durch Bindestrich verbundene Hälften geteilt); W III, S. 318.
[52] W III, S. 359.
[53] W III, S. 363.
[54] W III, S. 365 f.
[55] *Briefe*, S. 265.
[56] Schultz, *Vom Rhythmus der modernen Lyrik*, S. 102.
[57] DW X, S. 672 f.
[58] W II, S. 448.
[59] W III, S. 513.
[60] Friedrich Schlegel, *Über die Unverständlichkeit.* In: *Athenaeum.* Nachdruck Darmstadt 1960, Bd. 3, S. 340.
[61] *Phantasus. Zur Einführung.* S. 26.
[62] W III, S. 253, vgl. auch DW X, S. 659 und 671.
[63] *Briefe*, S. 210.
[64] *Briefe*, S. 233.
[65] *Briefe*, S. 265.
[66] Bertolt Brecht, *Über reimlose Lyrik in unregelmäßigen Rhythmen.* In: *Über Lyrik.* Frankfurt a. M. 1964, S. 86.
[67] DW X, S. 500.
[68] Reß, *Die Zahl als formendes Weltprinzip*, S. 15.
[69] Hugo von Hofmannsthal, *Der Dichter und seine Zeit* (1907). In: *Ausgewählte Werke in zwei Bänden.* Frankfurt a. M. 1957. Bd. 2, S. 456.

[70] In: *Ein Gedicht und sein Autor.* Lyrik und Essay. Herausgegeben und mit Einleitungen versehen von Walter Höllerer. Berlin 1967, S. 495.
[71] DW X, S. 660 und 662.
[72] DW X, S. 660 f.
[73] DW X, S. 715 f., 720 f.
[74] DW X, S. 710.
[75] DW X, S. 722.
[76] Reß, *Die Zahl als formendes Weltprinzip,* S. 26.
[77] Reß, a. a. O., S. 28, 56, 86, 162.
[78] Wilhelm Fucks, *Nach allen Regeln der Kunst.* Stuttgart 1968, S. 139.
[79] Geisendörfer, *Motive und Motivgeflecht im Phantasus von Arno Holz,* S. 57.
[80] W I, S. 372 ff.
[81] *Entwurf einer „Deutschen Akademie"*, S. 36.
[82] W II, S. 161.
[83] Gustav René Hocke, *Manierismus in der Literatur.* Hamburg 1959, S. 123.
[84] Hocke, a. a. O., S. 182.
[85] Helmut Heißenbüttel, *Voraussetzungen.* In: *Mein Gedicht ist mein Messer.* Hrsg. von Hans Bender. München 1961, S. 93.
[86] DW X, S. 721.
[87] Bense, a. a. O., S. 89.
[88] Novalis. *Werke.* München 1969, S. 547.

Vater Arno Holz

[1] Heißenbüttel, S. 32–35.
[2] In: *Ein Gedicht und sein Autor.* Lyrik und Essay. Herausgegeben und mit Einleitungen versehen von Walter Höllerer. Berlin 1967, S. 369.
[3] Peter Handke, *Die Innenwelt der Außenwelt der Innenwelt.* Frankfurt a. M. 1969, S. 139. Zur Sprachlosigkeit und Sprachüberschwemmung in moderner Literatur vgl. im übrigen Hans Mayer, *Sprechen und Verstummen der Dichter.* In: *Das Geschehen und das Schweigen. Aspekte der Literatur.* Frankfurt a. M. 1969, S. 11–34.
[4] *Briefe,* S. 141.
[5] Heißenbüttel, S. 35.
[6] Gerhart Hauptmann, *Sämtliche Werke.* Centenar-Ausgabe. Hrsg. von Hans-Egon Hass. Bd. 1. Berlin–Frankfurt a. M. 1966, S. 1154 f.
[7] *Die Insel* 1. Jahrg., 2. Quartal (1900), S. 170 f.
[8] Hugo Ball, *Die Flucht aus der Zeit.* Luzern 1946, S. 158.
[9] *Briefe,* S. 263.
[10] *Briefe,* S. 137.

Bibliographie

I. Werke von Arno Holz

Gesamtausgaben

Das Werk von Arno Holz. Erste Ausgabe mit Einführungen von Dr. Hans W. Fischer. 10 Bde. Berlin: J. H. W. Dietz Nachfolger 1924/1925.
Bd. 1: Buch der Zeit (1924).
Bd. 2: Dafnis (1924).
Bd. 3–4: Die Blechschmiede (1924).
Bd. 5: Sozialaristokraten. Sonnenfinsternis (1924).
Bd. 6: Ignorabimus (1925).
Bd. 7–9: Phantasus (1925).
Bd. 10: Die neue Wortkunst (1925).
Die *Monumental-Ausgabe* (12 Bde.) aus dem Jahre 1926 entspricht in Bd. 1–9 der Ausgabe 1924/25; deren 10. Band ist lediglich auf 3 Einzelbände verteilt.
Werke. Herausgegeben von Wilhelm Emrich und Anita Holz. 7 Bde. Neuwied a. Rh./Berlin-Spandau: Hermann Luchterhand 1961–1964.
Bd. 1–3: Phantasus (1961–1962)
Bd. 4: Sozialaristokraten. Sonnenfinsternis. Ignorabimus (1962).
Bd. 5: Das Buch der Zeit. Dafnis. Kunsttheoretische Schriften (1962).
Bd. 6: Die Blechschmiede I (1963).
Bd. 7: Die Blechschmiede II. Nachwort. Bibliographie. (1964).

Auswahlausgaben

Das ausgewählte Werk. Berlin: Bong u. Co. 1919.
Mein Staub verstob; wie ein Stern strahlt mein Gedächtnis. Herausgegeben von Richard M. Meyer. Nürnberg: Hesperos-Verlag 1944.
Döblin, Alfred: *Arno Holz. Die Revolution der Lyrik.* Eine Einführung in sein Werk und eine Auswahl. Wiesbaden: Franz Steiner 1951.

Einzelausgaben

Teildrucke der Werke sowie kleinere Schriften, Rezensionen und Aufsätze von Arno Holz werden lediglich in den Anmerkungen verzeichnet, und auch nur soweit von ihnen Gebrauch gemacht wurde.

Klinginsherz! Lieder. Berlin: Arendt 1883.

Emanuel Geibel. Ein Gedenkbuch. Hrsg. von Arno Holz. Berlin/Leipzig: Oscar Parrisius 1884.

Deutsche Weisen von Arno Holz und Oscar Jerschke. Berlin/Leipzig: Oscar Parrisius 1884.

Das Buch der Zeit. Lieder eines Modernen. Zürich: Verlags-Magazin J. Schabelitz 1884.
Zweite, vermehrte Auflage Berlin: F. Fontane & Co. 1892.
Neue Ausgabe München/Leipzig: R. Piper & Co. 1905.
Endgültige Ausgabe Dresden: Sibyllen Verlag [1920].

Bjarne P. Holmsen [d. i. Arno Holz und Johannes Schlaf]: *Papa Hamlet.* Übersetzt und mit einer Einleitung versehen von Dr. Bruno Franzius. Leipzig: Carl Reissner 1889.

Arno Holz [und] Johannes Schlaf: *Die Familie Selicke.* Drama in drei Aufzügen. Berlin: Wilhelm Issleib 1890.
Uraufführung: 7. April 1890 (Berlin).

Die Kunst. Ihr Wesen und ihre Gesetze. Berlin: Wilhelm Issleib 1891.

Die Kunst. Ihr Wesen und ihre Gesetze. Neue Folge. Wilhelm Issleib 1892.

Neue Gleise. Gemeinsames von Arno Holz und Johannes Schlaf. In drei Theilen und einem Bande. Berlin: F. Fontane & Co. 1892.

Der geschundne Pegasus. Eine Mirlitoniade in Versen von Arno Holz und 100 Bildern von Johannes Schlaf. Berlin: F. Fontane & Co. 1892.

Socialaristokraten. Rudolstadt/Leipzig: Commissionsverlag von Mänicke u. Jahn [1896]. Gleichzeitig in Fortsetzungen veröffentlicht in der Zeitschrift *Neuland* I (1896/7), Heft 1–4.
2. Auflage München/Leipzig: R. Piper & Co. 1905.
2. [verändertes] Tausend Berlin: Sassenbach 1908.
Uraufführung: 15. Juni 1897 (Berlin).

Phantasus. Erstes Heft. Berlin: Sassenbach 1898. Zweites Heft. Berlin: Sassenbach 1899.
Faksimiledrucke der Erstfassung:
Hrsg. von Gerhard Schulz. Stuttgart: Reclam 1968.
Mit einer Einführung von Jost Hermand. New York/London: Johnson 1968.

Revolution der Lyrik. Berlin: Johann Sassenbach 1899.

Dr. Richard M. Meyer, Privatdozent an der Universität Berlin, ein litterarischer Ehrabschneider. Mit einem Anhang. Berlin: Johann Sassenbach 1900.

Johannes Schlaf. Ein nothgedrungenes Kapitel. Berlin: Johann Sassenbach 1902.
Zweite, vermehrte Auflage Dresden: Carl Reißner 1909.

Die Blechschmiede. Leipzig: Insel-Verlag 1902.
Weitere Ausgaben 1917 und 1921.

Hans Volkmar [d. i. Arno Holz und Oskar Jerschke]: *Heimkehr.* Berlin: Johann Sassenbach 1903.
Uraufführung: Anfang 1903 (Berlin)
Unter dem Titel *Die Perle der Antillen* Berlin: Bloch 1909.
Aufführung: 26. Januar 1910 (Halle).

Lieder auf einer alten Laute. Lyrisches Portrait aus dem 17. Jahrhundert. Leipzig: Insel-Verlag 1903.

Erschien ein Jahr später als:

Dafnis. Lyrisches Portrait aus dem 17. Jahrhundert. München: Piper & Co 1904. Weitere Ausgaben 1912 u. ö. sowie in endgültiger Fassung 1924; zuletzt im Deutschen Taschenbuch Verlag München 1963.

Traumulus. Tragische Komödie von Arno Holz und Oskar Jerschke. München: Piper & Co. 1905.
Zweites [verändertes] Tausend München: Piper & Co. 1905,
achtes bis zehntes Tausend Dresden: Carl Reißner 1909.
Uraufführung: 23. September 1904 (Berlin)

Arno Holz [und] Oskar Jerschke: *Frei!* Eine Männerkomödie in vier Aufzügen. München: Piper & Co. 1907.
Zweite Ausgabe Dresden: Carl Reißner 1909.
Uraufführung: nicht nachzuweisen.

Arno Holz [und] Oskar Jerschke: *Gaudeamus!* Festspiel zur 350jährigen Jubelfeier der Universität Jena. Berlin: Johann Sassenbach 1908.
Uraufführung: nicht nachzuweisen.

Sonnenfinsternis. Tragödie. Berlin: Johann Sassenbach 1908. Neu durchgearbeitetes, stark verändertes 2.–4. Tausend Berlin: Bong u. Co. 1919.
Endgültige Fassung in der *Werk*-Ausgabe 1924.
Uraufführung: 16. September 1913 (Hamburg).

Arno Holz [und] Oskar Jerschke: *Büxl.* Komödie in drei Akten. Dresden: Carl Reißner 1911.
Uraufführung: 11. Oktober 1911 (Berlin).

Ignorabimus. Tragödie. Dresden: Carl Reißner 1913.
Endgültige Fassung in der *Werk*-Ausgabe 1925.
Uraufführung: 14. April 1927 (Düsseldorf).

Phantasus. Erstes bis drittes Heft. Dresden: Carl Reißner 1913 [bis auf 24 Exemplare eingestampft].

Phantasus. Leipzig: Insel-Verlag 1916.
Endgültige Fassung in der *Werk*-Ausgabe 1925,
Nachlaßfassung in *Werke* 1961/1962.

Die Blechschmiede. Mysterium. Dresden: Petzschke und Gretschel 1917.
Eine weitere Ausgabe Dresden: Sibyllen-Verlag 1921.
Endgültige Fassung in der *Werk*-Ausgabe 1924,
Nachlaßfassung in *Werke* 1963.

Die befreite deutsche Wortkunst. Wien/Leipzig: Avalun-Verlag 1921.

Phantasus. Zur Einführung. Berlin: Officina Serpentis 1922.

Der erste Schultag. [Revidierte Fassung]. Berlin: J. H. W. Dietz Nachfolger 1924.

Entwurf einer „Deutschen Akademie" als Vertreterin der geeinten deutschen Geistesarbeiterschaft. Offener, sehr ausführlicher Brief und Bericht an die gesamte deutsche Öffentlichkeit. Berlin: Otto v. Holten 1926.

Von Guenther bis Goethe. Ein Frühlingsstrauß aus dem Rokoko. Berlin-Zehlendorf: Rembrandt-Verlag [1926].

Briefe

Arno Holz. *Briefe.* Eine Auswahl. Herausgegeben von Anita Holz und Max Wagner. Mit einer Einführung von Hans Heinrich Borcherdt. München: R. Piper & Co. 1948.

Die Akte Arno Holz. Hrsg. von Alfred Klein. Aus dem Archiv der Deutschen Schillerstiftung Heft 8. Berlin/Weimar o. J.

II. Literatur zu Arno Holz

Kleinere Beiträge und Rezensionen sowie Werke der Zeitgenossen von Arno Holz und allgemeine Arbeiten zur Literatur der Zeit sind in den Anmerkungen verzeichnet.

Albertsen, Leif Ludwig: *Die freien Rhythmen.* Aarhus: Akademisk Boghandel 1971.

Arno Holz und sein Werk. Deutsche Stimmen zu seinem 60. Geburtstage. Herausgegeben von Ferdinand Avenarius, Max Liebermann und Max von Schillings. Berlin: Werk-Verlag 1923.

Beimdick, Walter: *Arno Holz: „Berlin. Die Wende einer Zeit in Dramen". Untersuchungen zu den Werken des Zyklusfragments.* Diss. Münster 1966.

Berthold, Siegwart: *Der sogenannte „konsequente Naturalismus" von Arno Holz und Johannes Schlaf.* Diss. Bonn 1967.

Brachtel, Walter: *„Ignorabimus" von Arno Holz.* Diss. Wien 1933.

Brandstetter, Alois: *Gestalt und Leistung der Zeile im „Phantasus" von Arno Holz.* Ein Beitrag zur Ästhetik der Syntax. In: Wirkendes Wort 16 (1966), S. 13–18.

Bruns, Max: *Laterna Magica* (Ein Anti-Phantasus), Minden: J. J. Bruns 1901.

Closs, August: *Arno Holz. New Forms in German Lyric.* In: The Poetry Review 21 (1930), No. 2, pp. 99–110.

Closs, August: *Zur Phantasus-Zeile von Arno Holz.* In: Dichtung und Volkstum (Euphorion) 37 (1936), S. 498–504.

Closs, August: *Die freien Rhythmen in der deutschen Lyrik.* Versuch einer übersichtlichen Zusammenfassung ihrer entwicklungsgeschichtlichen Eigengesetzlichkeit. Bern: A. Francke 1947.
Darin: S. 158–170: Arno Holz: „Phantasus".

Cohen, Fritz Gerhardt: *Social and Political Concepts in the Works of Arno Holz.* Diss. Iowa 1955.

Conermann, Klaus: *„Dafnis. Lyrisches Portrait aus dem 17. Jahrhundert." Die Barockrezeption von Arno Holz in ihren literarischen und geistigen Zusammenhängen.* Diss. Bonn 1969.

Demler, Leopold: *Arno Holz. Kunst und Natur.* Diss. Wien 1938.

Döblin, Alfred: *Aufsätze zur Literatur.* Olten/Freiburg: Walter 1963.

Darin: S. 133–138: *Grabrede auf Arno Holz* (1929) (vgl. auch *In memoriam);* S. 138–145: *Vom alten zum neuen Naturalismus.* Akademierede über Arno Holz (1930); S. 145–163: *Einführung in eine Arno-Holz-Auswahl* (1951).

Emrich, Wilhelm: *Protest und Verheißung.* Frankfurt a. M./Bonn: Athenäum Verlag 1960.
Darin: S. 111–122: *Die Struktur der modernen Dichtung.* S. 155–168: *Arno Holz und die moderne Kunst* (auch in Holz, *Werke*, Bd. 7, S. 453–471).

Emrich, Wilhelm: *Arno Holz – sein dichterisches Experiment.* In: Neue Deutsche Hefte 10 (1963), Heft 94, S. 43–58.

Fauteck, Heinrich: *Arno Holz.* In: Neue Rundschau 77 (1963), S. 459–476.

Fischer, Hans W.: *Arno Holz. Eine Einführung in sein Werk.* Berlin: J. H. W. Dietz Nachfolger 1924. (Vgl. auch *In memoriam.*)

Funke, Erich: *Zur Form des „Phantasus“.* In: The Germanic Review 15 (1940), pp. 50–58.

Geisendörfer, Karl: *Motive und Motivgeflecht im „Phantasus“ von Arno Holz.* Diss. Würzburg 1962.

Geisendörfer, Karl: *Die Entwicklung eines lyrischen Weltbildes im „Phantasus“ von Arno Holz.* In: Zeitschrift für deutsche Philologie 82 (1963), S. 231–248.

Grigoleit, Eduard: *Ahnentafel des Dichters Arno Holz.* Ahnentafeln berühmter Deutscher. Vierte Folge, Lieferung 9. Leipzig 1937.

Heißenbüttel, Helmut: *Vater Arno Holz.* In: *Über Literatur.* Aufsätze und Frankfurter Vorlesungen. München: Deutscher Taschenbuch Verlag 1970, S. 32–35.

Heselhaus, Clemens: *Deutsche Lyrik der Moderne von Nietzsche bis Yvan Goll.* Düsseldorf: Bagel 1961.
Darin: S. 166–177: *Arno Holz: Der Phantasus-Rhythmus.*

Holm, Kurt: *Arno Holz und seine Schule.* In: Die Gesellschaft 14, 4 (1898), S. 298–306.

Holm, Kurt: *Weiteres aus der Holz-Zunft.* In: Die Gesellschaft 15, 2 (1899), S. 379–389.

In memoriam Arno Holz. [Ansprachen von Dr. Hans W. Fischer, Dr. Alfred Döblin und Alfred Richard Meyer]. Berlin: Otto v. Holten 1930.

Kesting, Marianne: *Arno Holz – ein behinderter Neuerer.* In: *Entdeckung und Destruktion.* Zur Strukturumwandlung der Künste. München: Fink 1970, S. 172–188.

Kleitsch, Franz: *Der „Phantasus“ von Arno Holz.* Würzburg-Aumühle: Konrad Triltsch Verlag 1940.

Kuster, Fritz: *Die Sprache im „Dafnis“ von Arno Holz.* Diss. Wien 1932.

Lessing, Otto Eduard: *Die neue Form.* Ein Beitrag zum Verständnis des deutschen Naturalismus. Dresden: Carl Reißner 1910.

Lichtenstern, Käthe: *Der Phantasus von Arno Holz in seiner formalen Entwicklung.* Diss. Wien 1936.

Lublinski, Samuel: *Holz und Schlaf.* Ein zweifelhaftes Kapitel Literaturgeschichte. Stuttgart: Axel Juncker [1905].

Marinoni, Bianca: *Arno Holz e la rivoluzione delle lirica.* In: Rivista di letterature moderne e comparate 17 (1964), S. 98–111.

Markwardt, Bruno: *Geschichte der deutschen Poetik.* Bd. V: Das zwanzigste Jahrhundert. Berlin: de Gruyter 1967.

Martini, Fritz: *Das Wagnis der Sprache.* Interpretationen deutscher Prosa. Stuttgart: Ernst Klett 1954.
Darin: S. 99–132: *Arno Holz, Papa Hamlet.*

Martini, Fritz: *Nachwort* zu Arno Holz und Johannes Schlaf, *Papa Hamlet. Ein Tod.* Stuttgart: Reclam 1963.

Martini, Fritz: *Nachwort* zu Arno Holz und Johannes Schlaf, *Die Familie Selicke.* Stuttgart: Reclam 1966.

McFarlane, J. W.: *Arno Holz' „Die Sozialaristokraten": A Study in Literary Collaboration.* In: Modern Language Review 44 (1949), pp. 521–533.

Mehring, Franz: *Aufsätze zur deutschen Literatur von Hebbel bis Schweichel.* Berlin: J. H. W. Dietz Nachfolger 1961.
Darin: S. 200–210: [Arno Holz]. 1898; S. 230–237: *Der Fall Holz.* 1896; S. 522: [Arno Holz]. 1900.

Mette, Alexander: *Arno Holz und seine Wortkunst.* Erwägungen zur Darstellungsweise und Theorie des Dichters auf dem Boden der Lehre I. P. Pawlows. In: Psychiatrie. Neurologische und medizinische Psychologie 6 (1954), S. 273–283.

Meyer, Alfred Richard: *Weniger feierliche denn wesentliche Worte zum 60. Geburtstag von Arno Holz,* gesprochen am 26. April 1923 im Lessing-Museum Berlin. Berlin: Werk-Verlag 1923. (Vgl. auch: *In memoriam).*

Milch, Werner: *Arno Holz.* Theoretiker – Kämpfer – Dichter. Berlin: Goldstein 1933.

Motekat, Helmut: *Arno Holz.* Persönlichkeit und Werk. Kitzingen: Holzner 1953.

Motekat, Helmut: *Experiment und Tradition.* Frankfurt a. M./Bonn: Athenäum 1962.
Darin: S. 20–31: *Absicht und Irrtum des deutschen Naturalismus.*

Nadler, Josef: *Arno Holz.* In: Deutsches Biographisches Jahrbuch. Bd. 11: Das Jahr 1929. Stuttgart/Berlin 1932, S. 132–140.

Osborne, John: *The Naturalist Drama in Germany.* Manchester University Press/Rowman and Littlefield Inc. 1971.

Rappl, Hans-Georg: *Die Wortkunstlehre von Arno Holz.* Diss. Köln 1957.

Regler, Erich: *Das Reich der Seele in den Dichtungen von Arno Holz.* Diss. Wien 1943.

Reß, Robert: *Arno Holz und seine künstlerische, weltkulturelle Bedeutung.* Ein Mahn- und Weckruf an das deutsche Volk. Dresden: Carl Reißner 1913.

Reß, Robert: *Arno Holz und die deutsche Presse.* (Im Kampf um Arno Holz. Eine eröffnete Reihe. [Band] I.) Dresden: Carl Reißner 1913.

Reß, Robert: *In meiner Sache für Arno Holz.* Eine offne Antwort an die Vossische Zeitung. Berlin-Wilmersdorf: A. R. Meyer 1913.

Reß, Robert: *Die Zahl als formendes Weltprinzip.* Ein letztes Naturgesetz. Berlin-Zehlendorf: Rembrandt-Verlag 1926.

Rotermund, Erwin: *Die Parodie in der modernen deutschen Lyrik.* München: Eidos Verlag 1963.

Darin: S. 76–99: *Arno Holz.*

Sauer, Bruno: *Arno Holz.* Ausstellung zum 100. Geburtstage des Dichters. [Katalog]. Berlin: Arno-Holz-Archiv der Amerika-Gedenkbibliothek 1963.

Schär, Oskar: *Arno Holz.* Seine dramatische Technik. Bern: Paul Haupt 1926.

Schaukal, Richard: *Arno Holz.* In: Das litterarische Echo 5 (1902/3), Sp. 881 bis 887.

Scheuer, Helmut: *Arno Holz im literarischen Leben des ausgehenden 19. Jahrhunderts (1883–1896).* Eine biographische Studie. München: Winkler 1971.

Schickling, Dieter: *Interpretationen und Studien zur Entwicklung und geistesgeschichtlichen Stellung des Werkes von Arno Holz.* Diss. Tübingen 1965.

Schlaf, Johannes: *Arno Holz und ich.* In: Die Literatur 4 (1901/2), Sp. 1621 bis 1624.

Schlaf, Johannes: *Mentale Suggestion.* Letztes Wort in meiner Streitsache mit Arno Holz. Stuttgart: Axel Juncker [1905].

Schmidt-Henkel, Gerhard: *Mythos und Dichtung.* Zur Begriffs- und Stilgeschichte der deutschen Literatur im neunzehnten und zwanzigsten Jahrhundert. Bad Homburg: Gehlen 1967.
Darin: S. 132–155: *Arno Holz und der proteische Mythos des „Phantasus".*

Schneider, Walther: *Arno Holzens Kunstlehre.* Das letzte Interview mit dem Dichter. In: Die literarische Welt 5 (1929), Nr. 45, S. 7.

Schroeder, Paul: *Arno Holz' „Die Kunst" and the Problem of „isms".* In: Modern Language Notes 66 (1951), pp. 217–224.

Schultz, Hartwig: *Vom Rhythmus der modernen Lyrik.* Parallele Versstrukturen bei Holz, George, Rilke, Brecht und den Expressionisten. München: Carl Hanser 1970.

Schulz, Gerhard: *Sprache im „Phantasus" von Arno Holz.* In: Akzente 18 (1971), S. 359–378.

Schulz-Behrend, George: *Das Fremdwort in Arno Holz' „Buch der Zeit".* In: Monatshefte 49 (1947), S. 528–536.

Seubert, Burkhard: *„Die Blechschmiede" von Arno Holz.* Ein Beitrag zur Geschichte der satirischen Dichtung. Diss. München 1954.

Steiger, Edgar: *Reim und Rhythmus.* In: Das litterarische Echo 2 (1900), Sp. 1609–1612.

Stoltenberg, Hans Lorenz: *Arno Holz und die deutsche Sprachkunst.* In: Zeitschrift für Ästhetik und allgemeine Kunstwissenschaft 20 (1926), S. 156–180.

Stolzenberg, Georg: *Arno Holz und ich.* Gedenkblätter. Berlin-Friedenau: Arno-Holz-Archiv 1937.

Strobl, Karl Hans: *Arno Holz und die jüngstdeutsche Bewegung.* Berlin: Gose & Tetzlaff 1902.

Strohschneider-Kohrs, Ingrid: *Sprache und Wirklichkeit bei Arno Holz.* In: Poetica 1 (1967), S. 44–66.

Trotzkij, Leo: *Sonnenfinsternis.* In: *literatur und revolution.* nach der russischen erstausgabe von 1924 übersetzt von eugen schaefer und hans von riesen. Berlin: Gerhardt Verlag 1968, S. 360–366.

Tucholski, Kurt: *An Arno Holz* [1913]. In: *Gesammelte Werke.* Hamburg: Rowohlt 1960. Bd. 1, S. 66–68.

Turley, Karl: *Arno Holz.* Der Weg eines Künstlers. Leipzig: R. Koch 1935.

Turner, David: *„Die Familie Selicke" and the Drama of Naturalism.* In: Periods in German Literature. Vol. II: Texts and Contexts. London: Oswald Wolff 1969, pp. 193–219.

Weist, Joachim: *Arno Holz und sein Einfluß auf das deutsche Theater.* Diss. Rostock 1921.

Zur Linde, Otto: *Arno Holz und der Charon.* Eine Abrechnung. Großlichterfelde: Charonverlag 1911.

Abbildungsverzeichnis

S. 15 Selbstdarstellung von Arno Holz, verfaßt für den Band *Zehn lyrische Selbst-Porträts.* Hrsg. von Theodor Weicher. Leipzig o. J. [1906] und dort im Faksimile wiedergegeben. Die anderen Beiträge des Bandes stammen von Ferdinand von Saar, Felix Dahn, Johannes Trojan, Martin Greif, Ernst von Wildenbruch, Detlev von Liliencron, Gustav Falke, Richard Dehmel und Otto Julius Bierbaum.

S. 51 Erste Seite der Studie *Die papierne Passion* im Erstdruck in der Zeitschrift *Freie Bühne für modernes Leben* 1 (1890), Heft 9 (Berlin, den 2. April 1890), S. 274.

S. 63 Arbeit an der *Familie Selicke:* Szene aus *Der geschundne Pegasus.* Eine Mirlitoniade in Versen von Arno Holz und 100 Bildern von Johannes Schlaf. Berlin 1892, S. 9.

S. 72 f. Zehn *Phantasus*-Gedichte in der *Jugend* 3 (1898), S. 40 f., mit Illustrationen von Bernhard Pankok (im Original koloriert).

S. 142 Titelblatt der ersten Buchausgabe des *Phantasus* mit einem Ornament von Fritz Rumpf.

S. 91 Eine Seite aus dem ersten Heft des *Phantasus,* Berlin 1898.

S. 93 Eine Seite aus dem zweiten Heft des *Phantasus,* Berlin 1899.

S. 75 Titelseite der Erstausgabe des *Dafnis.*

S. 130 Eine Seite aus der endgültigen Ausgabe des *Dafnis* (*Das Werk.* Bd. 2: Berlin 1924, S. 66).

S. 145 Anfang der *Blechschmiede. Wilmersdorfer Festspiel von . .? . .? . . .* im Erstdruck in der Zeitschrift *Die Insel* 1 (1899/1900), 2. Quartal, Nr. 5, Februar 1900, S. 125.

S. 167 Letzte Seite des Separatdrucks der *Historie von der Insul Pimperle,* erschienen 1919.

S. 187 Illustration von Koloman Moser zu einem *Phantasus*-Gedicht in *Ver Sacrum* 1 (1898), Heft 11.

nach S. 208 Eine Seite aus *Deutsches Dichterjubiläum.* Es ist der unpaginierte Sonderdruck eines *Phantasus*-Gedichtes „Neunzehnhunderteins In Meiner Hinterhauskamurke" aus dem *Ecce Poeta* (DW IX, S. 1294–1301; W III, S. 474–480). Die Sonderausgabe erschien 1923 im Werk-Verlag Berlin-Wilmersdorf anläßlich von Holz' 60. Geburtstag. Schrift und Zeichnungen stammen von Hans Steiner. 50 Exemplare wurden von Autor und Künstler signiert.

S. 213 Der Anfang des Literaturkonvents in der Dachkammer in der Ausgabe des *Phantasus* von 1916 (S. 269). Original-Seitengröße 43 × 32 cm.

S. 217 Das „George"-Gedicht in der Ausgabe des *Phantasus* von 1916 (S. 240). Original-Seitengröße 43 × 32 cm.

Register

I. Werke von Arno Holz

Büxl (mit O. Jerschke) 98, 107, *113 bis 114*
Dafnis 35, 128, *129–142*, 147, 148, 164, 166, 182, 208, 211, 240
Das Buch der Zeit 16, 17, *19–37*, 38, 40, 41, 42, 50, 60, 64, 66, 84, 85, 86, 90, 139, 150, 154, 172, 183, 192, 200, 219
Der erste Schultag 35, 41, *49–50*, 113, 238
Der geschundne Pegasus (mit J. Schlaf) 41, 63
Deutsches Schnaderhüpfel *110–111*
Deutsche Weisen (mit O. Jerschke) 21, 106, 150
Die Blechschmiede 128, 135, *143–176*, 182, 191, 205, 207, 208, 209, 212, 214, 218, 230, 235, 236, 237, 238, 239, 240
Die Familie Selicke (mit J. Schlaf) 17, 41, 47, 50, 52, *59–64*, 65, 99, 113, 127
Die kleine Emmi (mit J. Schlaf) 40, *47–48*
Die Kunst. Ihr Wesen und ihre Gesetze 38, *42–46*, 64, 65, 80
Die neue Kunst und die neue Regierung 10
Die papierne Passion (mit J. Schlaf) 41, *50–52*, 59
Ein Abschied (mit J. Schlaf) 40, 47, *48*
Ein Tod (mit J. Schlaf) 40, 41, *48*, 55, 58
Emanuel Geibel. Ein Gedenkbuch (Hrsg.) 20
Entwurf einer „Deutschen Akademie“ 11
Frei! (mit O. Jerschke) 98, *107–108*, 114
Gaudeamus (mit O. Jerschke) 98, 107, *109–110*, 113
Goldene Zeiten 38, 39, 49
Heimkehr (mit O. Jerschke) 98, 107, *108–109*
Ignorabimus 17, 35, 97, 98, 108, 115, *122–128*, 160, 162, 163, 172, 234, 238, 239
Illusionen 38
Johannes Schlaf. Ein nothgedrungenes Kapitel 117
Klinginsherz! 20, 150
Krumme Windgasse 20 (mit J. Schlaf) 40, 47, *48*
Lieder auf einer alten Laute 129
Neue Gleise (mit J. Schlaf) *40–64*, 66, 69, 210
vgl. auch unter
Der erste Schultag
Die Familie Selicke
Die kleine Emmi
Die papierne Passion
Ein Abschied
Ein Tod
Krumme Windgasse 20
Papa Hamlet
Revolution der Lyrik 66, *76–84*, 136, 157, 230
Papa Hamlet (mit J. Schlaf) 17, 35, 37, 40, 41, 50, *52–58*, 59, 60, 61, 162, 175, 211
Phantasus 9, 10, 13, 17, 31, 35, 39, 41, 43, 49, 54, 64, 65, 66, 67, 68, *71–96*, 97, 98, 109, 116, 125, 127, 128, 130, 135, 137, 139, 143, 144, 147, 148, 150, 154, 155, 156, 157, 158, 159,

160, 163, 164, 165, 171, 172, 174, 175, 176, *177–235*, 236, 237, 238, 239, 240
Sonnenfinsternis 17, 35, 94, 97, 98, 108, *115–122*, 125, 128, 140, 147, 162, 166, 182, 234, 238, 239
Sozialaristokraten 17, 59, 92, 97, 98, *99–104*, 105, 106, 108, 110, 115, 123, 125, 128, 130, 143, 144, 200, 216, 223, 239, 240
Traumulus (mit O. Jerschke) 9, 98, 106, 107, *111–113*, 129
Unterm Heilgenschein 38

II. Personenregister

Ackerknecht, Erwin 19
Aksakow, Aleksandr N. 123
Alberti, Konrad (d. i. Konrad Sittenfeld) 26
Alexander, König von Makedonien 10
Arent, Wilhelm 22, 150
Aristoteles 44

Bach, Johann Sebastian 205
Bahr, Hermann 29, 61, 68, 143, 150, 173, 174, 180
Bakunin, Michail A. 155
Ball, Hugo 240
Balzac, Honoré de 53
Baudelaire, Charles 189
Baumbach, Rudolf 149
Bebel, August 102
Becker, Jürgen 170
Beethoven, Ludwig van 172, 205, 229
Benn, Gottfried 27, 68, 153
Bense, Max 222
Bienek, Horst 223
Bierbaum, Otto Julius 9, 70, 76, 112, 137, 140, 152, 165, 187, 239
Bismarck, Otto von 29, 99, 102
Blei, Franz 174
Bleibtreu, Carl 16, 22, 26, 38, 158
Böcklin, Arnold 163
Bodenstedt, Friedrich 20
Bölsche, Wilhelm 69, 101, 140, 158, 178
Brahm, Otto 10, 97, 108
Brecht, Bertolt 14, 37, 175, 230
Broch, Hermann 47, 229
Brockes, Barthold Heinrich 94
Buff, Charlotte 166
Bürger, Gottfried August 29, 157, 160

Cagliostro, Alexander 166
Caprivi, Leo von 99
Caesar, Gajus Julius 179
Cenci, Beatrice 119
Cervantes Saavedra, Miguel de 130, 205
Chamisso, Adelbert von 206
Chopin, Fréderic 229
Clauren, Heinrich (d. i. Carl Heun) 166
Conrad, Michael Georg 21, 26, 52, 158
Conradi, Hermann 22, 37, 152
Cranach, Lukas 164

Dach, Simon 135
Dahn, Felix 20, 65
Dante Alighieri 177, 205
Darwin, Charles 24, 28, 42, 60, 99, 160, 178
Däubler, Theodor 92, 152, 180
Dauthendey, Max 152
Dehmel, Richard 26, 37, 70, 76, 150, 152, 153, 154, 173, 174, 187
Diez, Julius 143
Diogenes von Sinope 10
Döblin, Alfred 47, 210, 211, 215, 236
Dreyer, Max 112
Du Bois-Reymond, Emil 123, 124
Duncan, Isadora 119
Du Prel, Karl 123

Eichendorff, Joseph von 87
Einstein, Albert 168
Epikur 165
Ernst, Otto (d. i. Otto Ernst Schmidt) 112
Ernst, Paul 70, 76, 97, 111

Falke, Gustav 152
Firdusi (Firdausi), Abul Kasim ben Hasan 205
Fischart, Johann 74
Fischer, Samuel 108
Flaischlen, Cäsar 76
Flaubert, Gustave 189, 208
Flemming, Paul 135
Fontane, Theodor 60, 61, 62, 127, 157
Freiligrath, Ferdinand 66
Freud, Sigmund 81
Friedrich II., König von Preußen 165
Fucks, Wilhelm 233
Fuller, Loie 119

Gartelmann, Henri 44
Gauguin, Paul 90, 91
Gautier, Judith 74
Geibel, Emanuel 20, 21, 23, 27, 65, 66, 70, 78
George, Stefan 69, 70, 77, 92, 95, 148, 151, 152, 180, 187, 188, 189, 205, 215, 216, 217, 218, 219, 220
Gomringer, Eugen 170
Goethe, Johann Wolfgang 12, 13, 22, 34, 37, 123, 124, 125, 127, 148, 155, 157, 158, 159, 161, 163, 164, 165, 168, 171, 172, 174, 177, 183, 192, 193, 195, 203, 211, 214, 215, 221
Groth, Klaus 20
Gryphius, Andreas 135
Gumppenberg, Hans von 174

Haeckel, Ernst 81, 123, 160, 161, 168, 178, 191, 232
Hafis 215
Halbe, Max 16, 64, 97, 163
Handke, Peter 175, 223, 236
Harden, Maximilian 47, 99, 105, 115, 207, 229
Hart, Heinrich 16, 21, 22, 66, 101, 178
Hart, Julius 16, 21, 22, 28, 66, 101, 163, 178, 179, 180
Hartleben, Otto Erich 16, 22, 97, 119, 152
Harun al Raschid 191
Hauptmann, Gerhart 12, 14, 56, 60, 61, 62, 64, 97, 104, 108, 111, 127, 143, 151, 238, 240
Heine, Heinrich 23, 24, 29, 37, 164.
Heißenbüttel, Helmut 170, 175, 230, 231, 235, 236, 237, 238
Henckell, Karl 22, 23, 37, 150
Herrmann, Emil Alfred 76
Herwegh, Georg 24, 29, 30.
Hesse, Hermann 95, 111, 112, 153
Heym, Georg 27, 28, 153
Heyse, Paul 20, 65
Hitler, Adolf 22, 37
Hocke, Gustav René 235
Hofmann von Hofmannswaldau, Christian 133, 135
Hofmannsthal, Hugo von 50, 62, 76, 83, 119, 153, 180, 230
Holm, Kurt 83
Holmsen, Bjarne P. (pseud.) 41, 62
Holz, Emilie 117
Homer 111
Horaz 122
Huch, Ricarda 70
Huch, Rudolf 158
Hugenberg, Alfred 23
Hutten, Ulrich von 172
Huysmans, Joris-Karl 187, 188

Ibsen, Henrik 24, 41, 116, 122

Jean Paul sh. unter Richter, Jean Paul Friedrich
Jerschke, Oskar 9, 13, 21, 98, 106–114, 115, 117, 157, 240
Jerusalem, Else 201
Joyce, James 47, 227, 229

Kafka, Franz 50
Kant, Immanuel 155
Keller, Gottfried 32

Kerr, Alfred (d. i. Alfred Kempner) 106, 108
Kessler, Harry Graf 12
Kirchner, Ernst Ludwig 95
Klages, Ludwig 92
Kleist, Heinrich von 36, 97, 159, 171
Klopstock, Friedrich 74
Kokoschka, Oskar 95
Kolumbus, Christoph 191
Körner, Theodor 157
Kretzer, Max 22, 26, 52, 54, 61, 104, 201
Krügel, Hugo 104, 216
Krupp, Friedrich 155
Kubin, Alfred 95

Lagerlöf, Selma 166
Langbehn, Julius 100
Lassalle, Ferdinand 25, 155, 210
Leistikow, Walter 95
Lessing, Otto E. 240
Liebermann, Max 11
Liebknecht, Wilhelm 102
Liliencron, Detlev von 23, 65, 152
Lindau, Paul 20
Loerke, Oskar 27, 183
Lohenstein, Daniel Casper von 135
Lombroso, Cesare 123
Loris sh. unter Hofmannsthal, Hugo von
Lortzing, Albert 171, 172
Lublinski, Samuel 30

Mach, Ernst 81, 180
Mackay, John Henry 101
Mallarmé, Stéphane 189
Mann, Heinrich 107, 112, 113, 121, 153, 210
Mann, Thomas 14, 53, 111, 112, 121, 153, 175
Mantegazza, Paolo 111
Martens, Rolf Wolfgang 77, 205
Marx, Karl 42, 99, 155, 157
Mauthner, Fritz 174
Mayröcker, Friederike 236
Messalina, Valeria 191
Mette, Alexander 209
Meyer, Conrad Ferdinand 66
Meyer, Richard M. 109
Meyer-Förster, Wilhelm 109
Mill, John Stuart 99
Mombert, Alfred 70, 76, 92, 144, 151, 152, 153, 173, 174, 180, 206
Mon, Franz 237
Morgenstern, Christian 76, 95, 176
Mörike, Eduard 157
Moser, Koloman 187
Mozart, Wolfgang Amadeus 171, 205
Musil, Robert 47, 50, 112

Navratil, Leo 208, 209
Neumann, Robert 174
Nietzsche, Friedrich 66, 81, 92, 99, 101, 104, 123, 140, 155, 162, 163, 221
Novalis (d. i. Friedrich von Hardenberg) 172, 178, 235

Opitz, Martin 135, 211

Panizza, Oskar 52
Pankok, Bernhard 72, 73, 87
Pawlow, Iwan P. 209
Piper, Reinhard 77, 129, 140, 205
Planck, Max 168
Pompadour, Jeanne Antoinette Poisson, Madame de 165
Pompejus, Gnäus Magnus 179
Przybyszewski, Stanislaw 101, 189
Put(t)kamer, Robert von 104

Rehm, Walther 81
Reinhardt, Max (d. i. Max Goldmann) 108, 116
Rembrandt, Harmensz van Rijin 100, 205
Reß, Robert 77, 106, 182, 205, 230, 232
Reuter, Christian 211
Richter, Jean Paul Friedrich 74
Rilke, Rainer Maria 14, 70, 111, 152, 180, 187
Rimbaud, Jean-Arthur 76
Rist, Johann 135, 136
Rousseau, Jean-Jacques 25, 210
Rückert, Friedrich 211
Rumpf, Fritz 75

Sachs, Hans 165
Saint-Denis, Ruth 119
Sassenbach, Johann 71
Schaukal, Richard 140, 152
Scheffel, Josef Victor von 65, 78
Schiller, Friedrich 10, 13, 29, 42, 140, 155, 157, 160
Schlaf, Johannes 13, 17, 37, 40–64, 65, 76, 97, 117, 180, 211
Schlegel, August Wilhelm 54, 211
Schlegel, Friedrich 229
Schmidt, Arno 236
Schmidt-Cabanis, Richard 149
Schröter, Corona 164
Schubart, Christian Friedrich Daniel 29
Schubert, Franz 122, 171
Schuler, Alfred 92
Schwitters, Kurt 95, 221
Servaes, Franz 207
Shakespeare, William 53, 54, 56, 130, 182, 205, 211
Simmel, Georg 81
Spencer, Herbert 99
Spengler, Oswald 235
Spitzweg, Carl 9, 14
Stadler, Ernst 27
Stamitz, Johann 205
Stein, Charlotte von 215
Steiner, Rudolf 80
Stirner, Max 155
Stolzenberg, Georg 77, 137, 205
Storm, Theodor 157
Stoß, Veit 218
Strauß, Richard 189
Stresemann, Gustav 210
Strobl, Karl Hans 177
Sudermann, Hermann 16, 22, 26, 64, 97, 119
Suphan, Bernhard 222
Thoma, Hans 164
Tieck, Ludwig 66
Tolstoi, Leo 24
Träger, Albert 28, 66
Trakl, Georg 153
Trippenbach, Max 39
Trotzkij, Leo D. 115, 121
Tucholsky, Kurt 140

Uhland, Ludwig 66

Verlaine, Paul 130, 150
Victor, Paul 76
Virchow, Rudolf 102
Vischer, Friedrich Theodor 20
Vulpius, Christiane 215

Wagner, Cosima 165
Wagner, Max 205, 217
Wagner, Richard 42, 211
Wedekind, Frank 112, 119, 140
Whitman, Walt 74
Wieland, Christoph Martin 157
Wilde, Oscar 44, 47, 81, 189
Wildenbruch, Ernst von 22
Wilhelm II., deutscher Kaiser 12, 99, 102, 108, 111, 113, 155, 156, 157, 211, 240
Wille, Bruno 100, 101, 103, 104
Winkelried, Arnold 33, 172
Wolff, Julius 28
Wolfram von Eschenbach 225
Wolfskehl, Karl 92
Wundt, Wilhelm 81

Zille, Heinrich 22
Zola, Emile 21, 24, 38, 39, 43, 55, 62, 104, 153
Zoroaster 166
Zur Linde, Otto 76, 78, 180